Klipp und Klar
Übungsgrammatik Mittelstufe B2 / C1

Deutsch als Fremdsprache

Christian Fandrych (Hrsg.)

Klipp und Klar
Übungsgrammatik
Mittelstufe B2 / C1

Deutsch als Fremdsprache

- Simone Amorocho
- Ortrun Hanna
- Stefan Kreutzmüller
- Dusica Milic
- Carolin Renn
- Betina Sedlaczek
- Rebecca Zabel

Ernst Klett Sprachen GmbH
Stuttgart

Bildquellennachweis

Cover.1 shutterstock (stavklem), New York, NY; **24** shutterstock (Dmitriy Shironosov), New York, NY; **33** iStockphoto (fatihhoca), Calgary, Alberta; **37** Fotolia.com (Ellie Nator), New York; **57 Fotolia.com (Dzmitry Fedarovich), New York; 58 CC-BY-SA-3.0 (Frank), Mountain View;** **96** iStockphoto (Joshua Hodge Photography), Calgary, Alberta; **99** Georges Seurat: "Eine Badestelle bei Asni.res", © akg-images/Erich Lessing; **132** Fotolia.com (Saipg), New York; **138** Fotolia.com (Lesniewski), New York; **141** iStockphoto (Izabela Habur), Calgary, Alberta; **162 iStockphoto (Jan Tepass), Calgary, Alberta;** **169** Getty Images (Sean Gallup), München; **180** www.bettinaflitner.de; **182** iStockphoto (webphotographeer), Calgary, Alberta; **185** Sternberg, Oda, München; **186** iStockphoto (Aldo Murillo), Calgary, Alberta; **192 Fotolia.com (VRD), New York; 215.1** Der Fußmatten-Shop - www.dreckstueckchen.de, Hamburg; **215.2** iStockphoto (Mbbirdy), Calgary, Alberta; **217.1; 217.3; 217.6; 217.7** Fotolia.com (T. Michel), New York; **217.2** Fotolia.com (PictureP.), New York; **217.4** Thinkstock (iStockphoto), München; **217.5** shutterstock (Becky Stares), New York, NY; **217.8** URW, Hamburg; **218** shutterstock (Helenlbuxton), New York, NY; **221.1** Fotolia.com (flyingcow), New York; **221.2** Fotolia.com (Olena Antonova), New York; **224.2** Fotolia.com (Matthias Enter), New York

Sollte es einmal nicht gelungen sein, den korrekten Rechteinhaber ausfindig zu machen, so werden berechtigte Ansprüche selbstverständlich im Rahmen der üblichen Regelungen abgegolten. Die Positionsangabe der Bilder erfolgt je Seite von oben nach unten, von links nach rechts.

Audio-CD: Klipp und Klar Übungsgrammatik Mittelstufe B2 / C1
Gesamtlaufzeit: 15:46:14
Aufnahmeleitung: Ernst Klett Sprachen GmbH, Stuttgart
Tontechnik, Schnitt und Mischung: Andreas Nesic, custom music, Stuttgart
Sprecher: Elena Bergmann, Marit Beyer, Gabrijel Cabraja, Thorsten Gerber, Annette Kuppler, Jochen Lohmeyer, Stefanie Plisch de Vega, Fabian Schläper, Wolfgang Volz

1. Auflage   1 ⁷ ⁶ ⁵ | 2022 21 20

Redaktion: Eva Neustadt
Layoutkonzeption: Sandra Vrabec
Satz und Gestaltung: Swabianmedia, Stuttgart
Illustrationen: Juan Pablo Amorocho, Leipzig
Umschlaggestaltung: Sandra Vrabec
Druck und Bindung: Salzland Druck, Staßfurt
Printed in Germany

ISBN 978-3-12-675428-6

Vorwort

Seit vielen Jahren wird beklagt, dass Grammatikregeln und Grammatikübungen zu isoliert und zu abstrakt dargeboten werden, und dass sie zu wenig mit den verschiedenen Fertigkeiten verbunden werden.

Grammatik ist kein Selbstzweck – Grammatik soll uns helfen, Sprache in ihren vielfältigen Erscheinungsformen zu verstehen und angemessen zu verwenden.

Das bedeutet, dass wir ein Gefühl dafür bekommen müssen, was in einer konkreten Situation gut klingt, passend ist und unsere Absicht treffend ausdrückt.

Mit anderen Worten:

Wir brauchen Grammatik in ihrer Funktion, in möglichst authentischen Verwendungsweisen in realen schriftlichen und mündlichen Texten, nicht isoliert als abstraktes Regelsystem. Und wir brauchen rezeptive und produktive Übungsmöglichkeiten, die nah am echten Sprachgebrauch sind.

Das alles bietet Ihnen *Klipp und Klar* für die Mittelstufe. Grammatik wird entdeckend und anhand einer Vielzahl verschiedener Textsorten eingeführt.

So werden nicht nur die Regeln deutlich und differenziert dargeboten, sondern Lernende können ein Gefühl dafür entwickeln, in welchen Situationen und in welchen Texten man bestimmte grammatische Phänomene findet – und welchen Effekt sie hier jeweils haben.

Klipp und Klar für die Mittelstufe hat es sich zum Ziel gesetzt, Grammatik abwechslungsreich, anhand einer großen Zahl vielfältiger Texte und Kommunikationssituationen fertigkeitsbezogen darzustellen, zu vermitteln und zu üben.

Wie bei *Klipp und Klar* für die Grundstufe legen wir großen Wert auf Übersichtlichkeit, auf einfache und klare Regeln, auf typische und häufige Beispiele sowie auf große Übungsvielfalt.

Authentische Gesprächssituationen und Texte spielen in allen Kapiteln eine große Rolle, innovativ ist ein eigenes Kapitel zu Textstruktur und Textaufbau, in dem die textuellen Funktionen wichtiger grammatischer Phänomene im Mittelpunkt stehen.

Viel Spaß und Erfolg bei der Arbeit mit *Klipp und Klar* für die Mittelstufe wünschen Ihnen das Autorenteam, der Verlag und der Herausgeber.

Christian Fandrych

Die folgenden sprachdidaktischen Publikationen haben uns bei der Erarbeitung dieser Grammatik besonders inspiriert:

- Fandrych, Christian / Thurmair, Maria (2011): Textsorten im Deutschen. Linguistische Analysen aus sprachdidaktischer Sicht. Tübingen: Stauffenburg
- Thurmair, Maria (2010): Alternative Überlegungen zur Didaktik von Modalpartikeln. In: Deutsch als Fremdsprache 47, 1/2010, S. 3–9
- Neustadt, Eva / Zabel, Rebecca (2012): „Es kann keine Frage sein, dass ..." – Argumentationsanalysen im Kontext DaF. Ein Aufgabenvorschlag zur Förderung von Textverstehen und kulturbezogenem Lernen. In: Zielsprache Deutsch. 39, 1/2012, S. 17–33

Audio-CD

Track	Seite	Kapitel	mündlicher Text	Zeit
1	21	1.7.2 Angaben im Mittelfeld	Gespräche zwischen Bekannten	01:00:00
2	37	2.3.2 temporale Konnektoren: Bedingung	Kundengespräch im Reisbüro	01:15:00
3	41	2.3.3 konditionale Konnektoren: Bedingung	Gespräch zwischen Kollegen	00:33:00
4	43	2.3.4 kausale Konnektoren: Begründung	Radiobeiträge	02:30:00
5	44	2.3.4 kausale Konnektoren: Begründung	Gespräch in der Wohngemeinschaft	00:50:01
6	46	2.3.5 finale Konnektoren: Absicht	Gespräch zwischen Tochter und Eltern	00:53:74
7	53	2.3.7 adversative Konnektoren: Einwand, Gegensatz	Gespräch zwischen Nachbarn	01:09:00
8	56	2.3.8 konzessive Konnektoren: unerwartete Konsequenz, Widerspruch	Gespräch über Kinofilm	00:50:00
9	57	2.3.9 modal-substitutive Konnektoren: Ersatz	Kommentar Fußballländerspiel	01:06:00
10	63	2.3.10 modal-instrumentale Konnektoren: Art und Weise, Mittel	Interview zum Thema Altersvorsorge	01:26:00
11	68	2.4.1 Infinitivkonstruktionen und *dass*-Sätze	Gespräch unter Arbeitskolleginnen	00:37:00
12	69	2.4.1 Infinitivkonstruktionen und *dass*-Sätze	Interview zum Thema Zeitmanagement	00:44:00
13	71	2.4.2 Relativsätze	Zeugenvernehmung	01:06:00
14	72	2.4.2 Relativsätze	Anna und Peter: Rendezvous	00:33:00
15	72	2.4.2 Relativsätze	Anna und Peter: Elternabend	00:34:00
16	73	2.4.2 Relativsätze	Anna und Peter: Rückblick	00:33:00
17	76	2.5.1 Nominalisierung von Infinitivsätzen und *dass*-Sätzen	Lehrerkonferenz: Erläuterungen zur Prüfungsordnung	00:57:00
18	110	4.3 Gradpartikeln	Gespräch zwischen Nachbarinnen	00:59:00
19	114	4.4.2 Nomen: Ableitung (Derivation)	Begrüßungsrede des Tierschutzvereinsvorsitzenden	01:45:00
20	124	4.4.5 Trennbare und nicht trennbare Erstglieder	Gespräch zwischen Autofahrer und Polizeibeamten	01:19:00
21	130	4.5.2 Funktionsverbgefüge	Ausschnitt aus Vorlesung	00:55:00
22	133	5.1 Gegenwart	Gespräch zwischen Freundinnen (Ausdruck von Verlauf)	00:46:00
23	134	5.1 Gegenwart	6 kurze Dialoge (Verwendung von Perfekt)	00:52:74
24	138	5.2.2 Vergangenheit in der gesprochenen Sprache	Interview über den Mauerbau	01:10:00
25	141	5.3 Zukunft	Telefonat zwischen Jugendlichen (Verwendung von Präsens)	00:38:01
26	161	7.1.2 Modifizierende Verben (Verben mit Infinitiv)	Gespräch beim Tierarzt (Verwendung von *lassen*)	00:37:00
27	162	7.1.3 Imperativ: Empfehlung, Ratschlag, Instruktion	Gespräch zwischen Bruder und Schwester (Imperativ und Alternativen)	00:38:01
28	166	7.2.3 Modalpartikeln	4 Gespräche (Mutter-Tochter; Freunde; Politiker; Ärztin-Patientin)	02:24:74
29	167	7.2.3 Modalpartikeln	Gespräch zwischen einem Paar	00:42:00
30	178	7.4 Zitieren und berichten: Konjunktiv als Mittel der indirekten Rede	Gespräch am Bahnhof	01:29:00
31	179	7.4 Zitieren und berichten: Konjunktiv als Mittel der indirekten Rede	Durchsage am Bahnhof	00:32:00
32	190	9.1.2 Alltägliche Erzählung: „Jetzt muss ich noch was erzählen …"	Gespräch zwischen zwei Ehepaaren (Alltagserzählung)	01:44:00
33	195	9.2.2 Audioguides: „… auf der Rampe in der großen Glaskuppel mit einem Spiegeldings in der Mitte"	Ausschnitte aus zwei Audioguides	04:52:00
34	214	9.3.5 Radiodiskussion: „Nee, ganz und gar nicht."	Radiodiskussion	03:02:74
35	223	9.5.2 SMS-Kommunikation: „Lust auf nen Kaffee?"	Nachrichten auf dem Anrufbeantworter	00:39:01
36	224	9.5.3 Alltagsgespräche: „Bei dem Wetter …"	Gespräch im Friseursalon	00:57:00
Gesamtspielzeit				42:40:00

Auf der CD befinden sich außerdem zwei Audioguides (Kapitel 9.2.2). Um zu den Dateien zu gelangen, legen Sie die CD ins Laufwerk und wählen Sie „Computer/Arbeitsplatz". Klicken Sie mit der rechten Maustaste auf den Datenträger „KLIPP_UND_KLAR_M", wählen Sie „Öffnen" und dann die gewünschte Version (Erwachsene oder Kinder).

Inhaltsverzeichnis

1 Der Satz und seine Elemente

Das lernen Sie:

– welche Ergänzungen und Angaben ein Verb haben kann
– ihre Stellung im Satz (Satzklammer, Vor-, Mittel- und Nachfeld)

1.1 Das Verb und seine Ergänzungen

1.1 Lesen Sie die E-Mail und unterstreichen Sie das Verb bzw. den Verbalkomplex in den markierten Satzteilen.

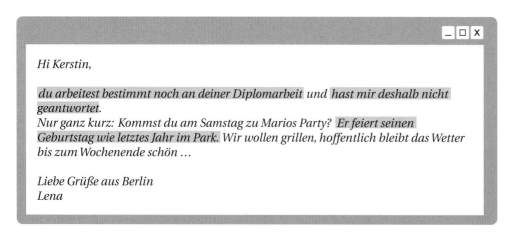

Hi Kerstin,

du arbeitest bestimmt noch an deiner Diplomarbeit und hast mir deshalb nicht geantwortet.
Nur ganz kurz: Kommst du am Samstag zu Marios Party? Er feiert seinen Geburtstag wie letztes Jahr im Park. Wir wollen grillen, hoffentlich bleibt das Wetter bis zum Wochenende schön …

Liebe Grüße aus Berlin
Lena

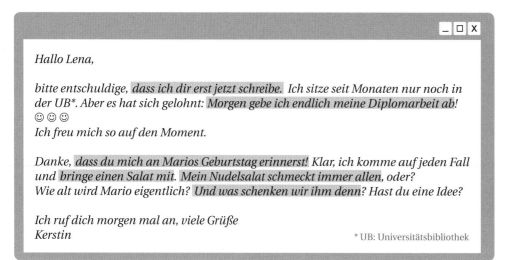

Hallo Lena,

bitte entschuldige, dass ich dir erst jetzt schreibe. Ich sitze seit Monaten nur noch in der UB*. Aber es hat sich gelohnt: Morgen gebe ich endlich meine Diplomarbeit ab!
☺☺☺
Ich freu mich so auf den Moment.

Danke, dass du mich an Marios Geburtstag erinnerst! Klar, ich komme auf jeden Fall und bringe einen Salat mit. Mein Nudelsalat schmeckt immer allen, oder?
Wie alt wird Mario eigentlich? Und was schenken wir ihm denn? Hast du eine Idee?

Ich ruf dich morgen mal an, viele Grüße
Kerstin

* UB: Universitätsbibliothek

1.2 Die unterstrichenen Verben fordern eine Dativ-, Akkusativ- oder Präpositionalergänzung. Ordnen Sie die Ergänzungen in die Tabelle ein.

Verb	Dativ-Ergänzung	Akkusativ-Ergänzung	Präpositional-Ergänzung
arbeiten			an deiner Diplomarbeit
antworten	_____		
feiern		_____	
schreiben	_____		
abgeben		_____	
erinnern		_____	_____
mitbringen		_____	
schmecken	_____		
schenken	_____		

10

VERB

Subjekt
- Fast jedes Verb hat eine Ergänzung im Nominativ, das Subjekt.
- Selten sind subjektlose Sätze: Mich friert. Da wird *getanzt*. Komm her!
- oder Sätze mit formalem Subjekt: *Es regnet.*

Ergänzungen
- werden vom Verb gefordert.
- kann man nur in bestimmten Kontexten weglassen: *Kommst du zur Party? – Ja, ich komme [zur Party].*
- Die wichtigsten Ergänzungen sind: **Akkusativergänzung**: Das Satzglied steht im Akkusativ und kann mit Was? oder Wen? erfragt werden: *Was bringe ich mit? Wen erinnerst du an die Party?*
- **Dativergänzung**: Das Satzglied steht im Dativ und kann mit Wem? erfragt werden: *Wem schreibe ich?*
- **Präpositionalergänzung**: Viele Verben kommen mit einer festen Präposition vor. Die Präposition bestimmt den Kasus des Nomens: erinnern an + Akkusativ: *Lena erinnert Kerstin an den Geburtstag.*
- Akkusativ-, Dativ- und Präpositional-Ergänzungen werden auch Objekt genannt.

Angaben
- bestimmen einen Satz näher.
- sind nicht von einem bestimmten Verb abhängig.
- Zu den Angaben zählen: Temporale Angaben Kausale Angaben Modale Angaben Lokale Angaben Modalwörter Negationswörter

---

2 Bilden Sie Sätze wie in den Beispielen. Achten Sie auf den passenden Kasus der Ergänzungen.

a Kerstin / schreiben / Lena / eine E-Mail
   > Kerstin schreibt Lena eine E-Mail.
b Lena / helfen / ihre Freundin / bei / die Geschenkauswahl
   > Lena hilft ihrer Freundin bei der Geschenkauswahl.
c die beiden Freundinnen / fragen / der Verkäufer / nach / ein gutes Buch

   > Die beiden Freundinnen _____.

d der Verkäufer / beraten / seine Kundinnen

   > _____.

e die beiden Kundinnen / sich entscheiden / für / ein interessanter Titel

   > _____.

f Kerstin / bezahlen / das Geschenk / mit / eine Kreditkarte

   > _____.

g Später / geben / Kerstin / ihr Freund / das Buch

   > _____.

h er / sich freuen / über / die schöne Überraschung

   > _____.

3 Ersetzen Sie das Verb durch das angegebene bedeutungsähnliche Verb. Achten Sie auf notwendige Veränderungen des Kasus und bestimmen Sie, ob es sich jeweils um eine Dativ-, Akkusativ- oder Präpositionalergänzung handelt.

a Lena hat ihren Freunden geschrieben. → Dativ-Ergänzung

anschreiben: Lena hat ihre Freunde angeschrieben. → Akkusativ-Ergänzung

b Kerstin hat auf ihre E-Mail geantwortet. → _____

beantworten: _____. → Akkusativ-Ergänzung

c Lena kümmert sich um einen Grillabend. → _____

planen: _____. → Akkusativ-Ergänzung

d Mario und Thomas haben über den Vorschlag gesprochen. → _____

besprechen: _____. → _____

e Kerstin hilft ihrer Freundin beim Einkaufen. → _____

unterstützen: _____. → _____

f Kerstin und Lena begegnen unterwegs einem Bekannten. → _____

treffen: _____. → _____

4.1 Lesen Sie die Inhaltsangabe des Buchs und ergänzen Sie die passenden Präpositionen aus dem Schüttelkasten. Achtung: Vier Präpositionen kommen nicht vor.

> von • für • auf • auf • vor • an • mit • mit • um • um • zu

Kleine Geschichte der Konsumgesellschaft

Das Buch von Wolfgang König befasst sich _____ dem Konsum als Lebensform der Moderne. Nach einem einführenden Kapitel setzt sich der Autor _____ den Voraussetzungen der Konsumgesellschaft und den verschiedenen Konsumfeldern auseinander. In drei weiteren Kapiteln geht es _____ „Konsumverstärker", „Individualisierung und Globalisierung als säkulare Prozesse" und um „Kritik und Grenzen der Konsumgesellschaft". König geht in seinem Buch _____ die Frage ein, wie es zur heutigen Konsumgesellschaft gekommen ist. Er verweist vor allem _____ das Wechselverhältnis von Konsumtion und Produktion. Erst im 20. Jahrhundert aber könne man _____ einer Konsumgesellschaft sprechen, da erst in diesem Jahrhundert die Mehrheit der Bevölkerung zunehmend ein Einkommen erzielt habe, das deutlich über dem lag, was für die Befriedigung der Grundbedürfnisse notwendig war. Erst jetzt konnte die Mehrheit der Bevölkerung _____ neuen Konsumformen teilhaben, sodass dem Konsum herausragende kulturelle, soziale und ökonomische Bedeutung zukam ...

4.2 Ergänzen Sie die Präpositionen und die fehlenden Endungen und bestimmen Sie den Kasus, den die Verben mit Präposition verlangen.

Die Studierenden befassen sich mit einem Problem. → Dativ
Die Studierenden beschäftigen sich ____ ein____ Problem. → _____
Die Studierenden setzen sich ____ ein____ Problem auseinander. → _____

Es geht ____ ein____ Vorschlag des Bildungsministeriums. → _____
Sie gehen ____ ein____ Vorschlag des Bildungsministeriums ein. → _____
In der Diskussion verweisen sie ____ ein____ Vorschlag des Bildungsministeriums. → _____

Die Studierenden sprechen auch ____ ihr____ Projekt. → _____
Die Studierenden erzählen ____ ihr____ Projekt. → _____
Noch mehr Studierende sollen ____ dies____ Projekt teilhaben. → _____

5 Vervollständigen Sie die Sätze mit der passenden Präposition und der angegebenen Ergänzung im richtigen Kasus.

> ✗ **Lerntipp:**
>
> *Ich denke jeden Tag an dich.*
> Verben mit festen Präpositionen merken Sie sich am besten mit kurzen, konkreten Sätzen.

a Ich beginne *mit der guten* Nachricht. (die gute Nachricht)

b Du kannst dich _____ verlassen. (ich)

c Ich kümmere mich _____. (der Fall)

d Du musst nicht _____ verzichten. (dein Wunsch)

e Du kannst _____ bleiben. (deine Idee)

f Du kannst _____ kämpfen. (dein Recht)

g Ich glaube _____. (du)

h Ich bemühe mich _____ . (eine schnelle Lösung des Problems)

i Ich fange _____ an. (die schlechte Nachricht)

j Du musst dich schnell _____ anpassen. (die neue Situation)

k Du solltest _____ nachdenken. (die Konsequenzen)   ⇨ Verben mit festen
                                                                                      Präpositionen: Anhang 1

Weitere Ergänzungen

Neben Dativ-, Akkusativ- und Präpositionalergänzung fordern manche Verben auch folgende Ergänzungen:

• Genitivergänzungen kommen selten und nur bei wenigen Verben vor:
  Das Problem bedarf <u>unserer Aufmerksamkeit</u>. Enthalten Sie sich nicht <u>Ihrer Stimme</u>!

• Adverbialergänzungen geben den Ort, die Richtung oder die Zeit an:
  Lokalergänzung (Ort): *Er wohnt <u>in Berlin</u>.*
  Direktionalergänzung (Richtung): *Wann fahren wir denn endlich mal <u>zum See</u>?*
  Ich habe ihm das Geschenk <u>nach Freiburg</u> geschickt.
  Temporalergänzung (Zeit): *Die Party hat <u>bis zum frühen Morgen</u> gedauert.*

• Prädikativergänzungen kommen sehr häufig mit den Verben *sein, werden, bleiben* und *nennen* vor:
  Das Spiel ist <u>hart umkämpft</u>.
  Er wird nächste Saison <u>Trainer beim FC Bayern</u>.
  Das Spiel bleibt <u>spannend</u>.
  0:3 nach 10 Minuten: Das nenne ich <u>einen Fehlstart</u>.

• Keine Ergänzungen kommen bei Verben mit formalem Subjekt vor, z. B. den Wetter-Verben:
  Es regnet. Es blitzt und donnert!

1.2 Angaben

1 Wie können Sie nach den markierten Angaben fragen? Ergänzen Sie die Fragewörter.

a Letztes Jahr hat Mario seinen Geburtstag mit Freunden im Park gefeiert.
   Wann?   Mit wem?   Wo?

b Auch in diesem Jahr will Mario mit Lena eine Party im Park organisieren.
   _____   _____   _____

c Kerstin kommt jedes Jahr zu Marios Geburtstag für eine Woche aus Heidelberg.
             _____   _____   _____

d Wegen ihrer Diplomarbeit verpasst sie dieses Jahr die Vorbereitungen.
   _____   _____

e In Heidelberg hat sie in den letzten Monaten intensiv an ihrer Diplomarbeit gearbeitet.
   _____   _____   _____

f Aber morgen fährt sie mit dem Zug nach Berlin.
   _____   _____

Angaben

- Angaben werden auch Adverbiale oder adverbiale Bestimmungen genannt.
- Sie sind nicht von einem bestimmten Verb abhängig.
- Angaben können frei in einem Satz eingefügt werden.
- Sie geben die genauen Umstände des Geschehens an, man unterscheidet:
  - Temporalangaben *(Wann? Wie lange? Wie oft?)*
  - Kausalangaben *(Warum? In welchem Fall? Wozu?)*
  - Modalangaben *(Wie? Mit wem? Womit?)*
  - Lokalangaben *(Wo? Woher? Wohin?)*

- Angaben werden oft mit Präposition + (Artikelwort) + Nomen ausgedrückt:
  Ich treffe mich <u>am Sonntag</u> mit Nina <u>in der Stadt</u>.
  Die Präposition hat immer eine ganz bestimmte Bedeutung. Es ist z. B. wichtig, wo man sich trifft:
  Ich treffe mich <u>vor der Eisdiele</u> mit Nina.
  Ich treffe mich <u>in der Eisdiele</u> mit Nina.
  Ich treffe mich <u>hinter der Eisdiele</u> mit Nina.

2.1 Geben Sie die genauen Umstände an wie im Beispiel. Sie können auch weitere Angaben hinzufügen.

a Ich habe meine Schwester besucht. → Wann? Wo?
   > Ich habe letzten Monat meine Schwester in München besucht.

b Sie hat uns abgeholt. → Wo?
   > Sie hat uns _____ .

c Wir sind zu ihr gefahren. → Womit?
   > Wir sind _____ .

d Wir haben im Stau gestanden. → Warum? Wie lange?
   > Wir haben _____ .

e Wir haben uns die Stadt angesehen. → Wann? Mit wem?
   > Wir haben uns _____ .

2.2 Formulieren Sie aus den erweiterten Sätzen in 2.1 einen Text. Beginnen Sie nicht immer mit dem Subjekt, sondern auch mit Angaben, um die Sätze logisch miteinander zu verbinden.

Letzten Monat habe ich ...

.3 Funktionsverbgefüge

1 Ergänzen Sie das Protokoll mit den passenden Verben aus dem Schüttelkasten. Was fällt Ihnen bei der Bedeutung der Verben auf?

> erhält • fasst • setzen • kommt • zieht • bringt • steht • gekommen

Reitverein Nordhessen
Protokoll der Vereinssitzung vom 22. Juni 2012

TOP 1: Begrüßung
Nach der Begrüßung und Eröffnung der Sitzung dankt die Vorstandsvorsitzende den Mitgliedern ausdrücklich für die freiwillig geleistete Arbeit im Verein.

TOP 2: Sinkende Mitgliederzahlen
Die Vorstandsvorsitzende berichtet vom weiteren Rückgang der Mitgliederzahlen. In der folgenden Diskussion _____ immer wieder zur Sprache, dass v.a. Kinder und Jugendliche im Verein fehlen. Um mehr Kinder für den Reitverein zu begeistern, bietet sich nach Ansicht von Frau Haller eine Zusammenarbeit mit der Käster-Schule an. Frau Haller, Grundschullehrerin an der Kästner-Schule, ist bereits mit dem Schuldirektor ins Gespräch _____: Die Schule _____ ein Reitangebot im Nachmittagsunterricht in Erwägung.

Frau Haller _____ vom Vorstand die Erlaubnis, im Namen des Reitvereins die Zusammenarbeit mit der Kästner-Schule zu besprechen. Sie wird den Vorstand über Neuigkeiten in Kenntnis _____ .

TOP 3: Renovierung Vereinsheim
Herr Sommer _____ erneut seine Sorge über den Zustand des Vereinsheims zum Ausdruck. Der Vorstand _____ den Entschluss, das Vereinsheim möglist bald zu renovieren, bisher wurde jedoch nichts unternommen. Da im Moment kein Geld für die Renovierung zur Verfügung _____ , ist der Verein auf freiwillige Helfer und Spenden angewiesen …

Funktionsverbgefüge

- Funktionsverben (z. B. *kommen*, *bringen* oder *ziehen*) bilden zusammen mit einem nominalen Teil aus Präposition und / oder Artikel + Nomen eine feste Verbindung, das Funktionsverbgefüge.
- Die Bedeutung des Verbs ist abgeschwächt, das Nomen trägt die Hauptbedeutung.
- Diese Ausdrücke kommen oft in der Sprache der Verwaltung, in wissenschaftlichen und journalistischen Texten oder in Protokollen vor (man spricht auch von Nominalstil).
- Mündlich benutzt man eher Verbalstil: *Ich habe schon mit dem Direktor gesprochen.*

Das finite Funktionsverb steht im Hauptsatz an der Position 2 und bildet mit dem nominalen Teil des Funktionsverbgefüges am Satzende die Satzklammer.

⇨ Kapitel 4.5.2:
Funktionsverbgefüge

2 Ergänzen Sie die passenden Verben in der richtigen Form. Zwei Verben aus dem Schüttelkasten passen nicht.

> nehmen • finden • anstellen • stoßen • stellen • ziehen • bringen • ausüben • kommen

Zusammenfassung „Spracherwerbsforschung"

Die wichtigste These des Buches „Der Gegenstand der Fremdsprachenerwerbsforschung ist nicht der Lehrprozess *(teaching)*, sondern der Lernprozess *(learning)*" _____ der Autor auf verständliche Art und Weise zum Ausdruck.
Der Autor _____ seine These durch viele Beispiele unter Beweis und _____ Bezug auf die psycholinguistische Perspektive des Lernens. Er fragt, wie Lerner ein linguistisches System entwickeln und welche Faktoren Einfluss auf den Lernprozess _____ .
Er _____ die Beziehung zwischen dem sprachlichen Input und Output in Betracht.
Im Buch werden weitere spannende Fragen aufgeworfen und interessante Überlegungen _____ . Einige der Thesen könnten in der Fachwelt auf Kritik _____ .

1.4 Die Satzklammer im Hauptsatz

1 Lesen Sie den Artikel und ordnen Sie die markierten Sätze in die Tabelle ein.

Lebenslanges Lernen

Seine Semesterzahl übersteigt sein Lebensalter bei Weitem. Ein Student, über 70 Jahre alt, ist seit 108 Semestern an der medizinischen Fakultät in Kiel eingeschrieben. Rausschmeißen kann ihn die Uni nicht. Auf dem Weg zum Staatsexamen ist eine Zwangsexmatrikulation nicht vorgesehen.

„Wir werfen Studierende nicht hinein in ihr Studium, sondern begleiten und betreuen sie während der gesamten Ausbildung, geben Hilfestellung und beraten". Das hat jemand für die Internetseite der medizinischen Fakultät der Uni Kiel geschrieben. Mindestens bei einem Studenten dürfte eine intensive Begleitung der gesamten Ausbildung ziemlich aufwendig sein. Seit 54 Jahren ist dort ein Mann als Student

eingeschrieben, also im 108. Fachsemester, mittlerweile ist er über 70 Jahre alt. Uni-Sprecher Boris Pawlowski bestätigte eine entsprechende Meldung der „Lübecker Nachrichten". Bundesweit nehmen viele Hochschulen von ihren Diplom- und Magisterstudenten Abschied. Denn es drängen einfach zu viele neue Bachelor- und Master-Kommilitonen nach. Außerdem laufen nach und nach die Schonfristen aus, die Alt-Studenten gewährt wurden.

Aber bis heute konnte der Kieler Marathon-Student nicht zwangsexmatrikuliert werden. Mancher fragt sich: Wie ist das möglich? Gibt es keine Regelung dafür im Hochschulgesetz? Die Erklärung lautet: Beim Staatsexamen gebe es keine Regelung, die einen Ausschluss vorsehe, sagte Uni-Sprecher Pawlowski - eine Lücke im System. […]

Quelle: www.spiegel.de (8.9.2011)

	Position 0	Vorfeld / Position 1	linke Satzklammer / Position 2	Mittelfeld / Satzmitte	rechte Satzklammer / Satzende	Nachfeld
1		Seine Semesterzahl	übersteigt	sein Lebensalter bei Weitem.		
2		Rausschmeißen	kann	ihn die Uni nicht.		
3		____	hat	____	geschrieben.	
4		____	____	____	____	
5		____	____	____	____	
6		____	____	____	____	die Alt-Studenten gewährt wurden.
7	Aber	____	____	____	____	
8		____	ist	____	möglich?	
9			Gibt	____		

Satzklammer im Hauptsatz

- Die Satzklammer im Hauptsatz wird von finitem und infinitem Verbteil gebildet und ist sehr positionsfest. Das finite Verb steht an der Position 2, der infinite Verbteil bzw. mehrere infinite Verbteile stehen am Satzende (Beispiel 3, 7)
- Bei Funktionsverbgefügen wird die Satzklammer durch das Funktionsverb und das Nomen gebildet (Beispiel 5).
- Die Verben *sein, werden, bleiben* und *nennen* bilden zusammen mit der Prädikativ-Ergänzungen die Satzklammer (Beispiel 8).
- Bei Ja / Nein-Fragen (Beispiel 9), Aufforderungssätzen (*Ändere das Gesetz!*) und manchen Wunschsätzen (*Hätte der Staat das Gesetz geändert!*) ist die Position 1 nicht besetzt.
- Auf Position 0 stehen die Konjunktionen wie *aber, denn, und, sondern* und *oder* (Beispiel 7).
- Manchmal steht der infinite Verbteil im Vorfeld. Dann wird ein Kontrast oder Widerspruch zu einer vorangegangenen Äußerung oder Erwartung ausgedrückt (Beispiel 2).

.5 Das Vorfeld

1 Lesen Sie den Artikel aus einer Schülerzeitschrift. Entscheiden Sie, ob es sich bei den markierten Informationen um neue oder bereits bekannte Informationen handelt.

Treffen mit Terézia Mora

Letzten Monat konnten wir Terézia Mora treffen. Die ungarische Schriftstellerin hat uns von ihrer Laufbahn erzählt. Sie hat ihren ersten Roman in deutscher Sprache vorgelegt. Dafür erhielt sie den mit 7000 Euro dotierten Adelbert-von-Chamiso-Förderpreis. Diesen Preis vergibt die Robert Bosch Stiftung jährlich für herausragende deutschsprachige Werke von Autoren, deren Muttersprache nicht Deutsch ist. Das war bis jetzt ihr größter Erfolg.

Den würde sie gerne in den kommenden Jahren wiederholen. Im Moment ...

Das Vorfeld: Position 1

- Auf Position 1 des Hauptsatzes steht meistens bekannte Information. Sie verknüpft den neuen Satz mit dem vorherigen Kontext. Bekannte und unbetonte Information nennt man Thema.
- Neue Information, die betont ist und am Ende des Satzes steht, nennt man Rhema.

2 Lesen Sie den Auszug aus „Die gerettete Zunge. Geschichte einer Jugend" von Elias Canetti. Warum stehen die markierten Elemente im Vorfeld? Ordnen Sie jeweils eine passende Erklärung zu.

- bekannte Information
- Weiterführung und Spezifizierung zuvor genannter Information
- Rahmen oder Ausgangspunkt der Handlung
- Kontrast zum vorherigen Thema

[...]
Vom Frühjahr 1917 an besuchte ich die Kantonsschule an der Rämistrasse. Sehr wichtig wurde der tägliche Schulweg dorthin und zurück. Zu Beginn dieses Weges, gleich nach der Überquerung der Ottikerstrasse, hatte ich immer dieselbe erste Begegnung, die sich mir einprägte. Ein Herr mit einem sehr schönen weissen Kopf ging da spazieren, aufrecht und abwesend, er ging ein kurzes Stück, blieb stehen, suchte nach etwas und wechselte die Richtung. Er hatte einen Bernhardiner, dem er öfters zurief: „Dschoddo komm zum Pápa!" Manchmal kam der Bernhardiner, manchmal lief er weiter weg, er war es, den der Pápa dann suchte. Aber kaum fand er ihn, vergass er ihn wieder und war so abwesend wie zuvor. [...]

Das Vorfeld: Position 1

- Auf Position 1 stehen Elemente, die
  - den Rahmen der Handlung angeben (z. B. Zeit oder Ort).
  - das Thema des Textes weiterführen.
  - die an Bekanntes anknüpfen und den Text so logisch verknüpfen.
  - die einen Kontrast zum vorherigen Thema ausdrücken.
- Im Vorfeld kann das Subjekt, eine Ergänzung, eine Angabe, ein Verbindungsadverb oder ein Nebensatz stehen.
- Eine gewisse Abwechslung der Elemente auf Position 1 ist stilistisch gut.
- Stilistisch schlecht ist es, wenn in einem Text immer nur das Subjekt auf Position 1 steht.
- Das Bekannte ist oft durch definite Artikelwörter (der, dieser ...) markiert, das Neue durch indefinite Artikelwörter (ein, eine) bzw. den Nullartikel.

3 Welches Element sollte ins Vorfeld verschoben werden, damit es besser an den Kontext anknüpft?

a Schauen wir heute Abend „Titanic" im Kino an?
Nein, den Film habe ich schon gesehen. (Nein, ich habe den Film schon gesehen.)

b Kennst du den älteren Herrn, der dort drüben winkt?
_____ (Ja, ich habe mich mit ihm vorhin länger unterhalten.)

c Kennst du das Erasmus-Programm?
_____ (Ja, ich habe damit mein Auslandssemester finanziert.)

d Die Sängerin hatte einen Auftritt in Berlin.
_____ (Sie war dort noch nie gewesen.)

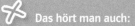

Das hört man auch:

Kennst du den Film „Barbara"?
– Ja, kenne ich.
In mündlichen Texten werden die Elemente auf Position 1 häufig weggelassen.

1.6 Die Satzklammer im Nebensatz

1 Lesen Sie den Artikel und ordnen Sie die markierten Sätze in die Übersicht.

Europäische Hochschulreform erschwert Studium im Ausland

Es gilt als allgemein anerkannt, dass Auslandsaufenthalte während des Studiums einen hohen Stellenwert für angehende Akademiker haben. Denn sie bieten neben der fachlichen Ausbildung eine wunderbare Möglichkeit, eine andere Gesellschaft und andere Lebensweisen kennen zu lernen. Aktuelle Statistiken belegen allerdings, dass die Zahl der deutschen Studierenden mit Auslandsaufenthalten seit 2000 zurückgeht, obwohl die Studienreform den Auslandsaufenthalt erleichtern sollte. Die Zahlen der Studierenden mit einem Auslandssemester sinken, weil sich die Universitäten und Studierenden durch die Hochschulreform erst einmal auf die neuen Bachelor- und Masterstudiengänge haben umstellen müssen. Befürworter der Hochschulreform sind von der Entwicklung überrascht. Sie hoffen aber, der Trend setzt sich nicht weiter fort. Gegner der Studienreform führen an, dass sie diese Entwicklung haben kommen sehen. Sie sagen auch, dass man dringend über eine Reform der Reform nachdenken müsse. Es bleibt abzuwarten, wie sich die Reform langfristig auswirken wird.

	Hauptsatz	Nebensatz		finites Verb / Verbalkomplex
		Subjunktion	Mittelfeld	
1	Es gilt als allgemein anerkannt,	dass	Auslandsaufenthalte während des Studiums einen hohen Stellenwert für angehende Akademiker	haben.
2	Aktuelle Statistiken belegen allerdings	_____	_____	_____
3		_____	_____	_____
4	Die Zahlen der Studierenden mit einem Auslandssemester sinken,	_____	_____	_____
5	Gegner der Studienreform führen an,	_____	_____	_____

Satzklammer im Nebensatz

- Nebensätze sind von Hauptsätzen abhängig und bilden zusammen komplexe Sätze.
- Meistens werden Nebensätze mit einer Subjunktion (z. B. *dass, da, weil, obwohl, wann, wie* etc.) eingeleitet.
- Diese Subjunktion bildet zusammen mit den Verbteilen die Satzklammer des Nebensatzes.
- In Nebensätzen steht das finite Verb normalerweise ganz am Ende (Beispiele 1, 2,3).
- Enthält ein Verbalkomplex mehrere Infinitive, steht das finite Verb vor den beiden Infinitiven (Beispiele 4, 5).
- Relativsätze sind auch Nebensätze: ⇨ Kapitel 2

Hauptsatz	Relativsatz		finites Verb / Verbalkomplex
	Relativpronomen	Mittelfeld	
Der Artikel thematisiert die Hochschulreform,	die	seit 2000 zu einem Rückgang der Auslandsaufenthalte bei Studierenden	führt.

2 Formulieren Sie aus den Hauptsätzen Nebensätze. Achten Sie auf die Position des finiten Verbs.

a Ein Kollege hat seine Arbeit nicht erledigen können. Er ist zur Besprechung gekommen, *obwohl er*

seine Arbeit nicht hat erledigen können.

b Er hätte seine Zeit besser planen sollen. Eine Kollegin hat gesagt, dass _____.

c Er hat alle lange auf sein Ergebnis warten lassen. Die Kollegin meinte auch, dass _____.

d Er hat sein Versprechen gebrochen. Er hat sich schlecht gefühlt, weil _____.

e Sie hat das schon kommen sehen. Die enttäuschte Kollegin hat gesagt, dass _____.

.7 Stellung von Ergänzungen und Angaben im Mittelfeld

Prinzipien der Stellung im Mittelfeld

linke Satzklammer	Mittelfeld			rechte Satzklammer
	unbetont	Angaben (temporal, kausal, modal, lokal)	betont	
	bekannt (Thema)		neu (Rhema)	
	kurz		lang	
	eher unwichtig		wichtig	
			Elemente, die eng mit dem Verb verbunden sind	

7.1 Ergänzungen im Mittelfeld

1 Lesen Sie die Sätze und achten Sie auf die Stellung der markierten Ergänzung.

Was, du hast die Unterlagen noch nicht bekommen? Ich habe die Kopien doch extra deinem Kollegen mitgegeben!
Ich habe die Unterlagen meinem Freund, der sie dringend braucht, geschickt.
Ich habe meinem Freund noch gar nicht auf seine lange E-Mail geantwortet
Nein, ich kann dich nicht mit dem Auto abholen. Morgen leihe ich mein Auto einem Freund.

Reihenfolge der Ergänzungen im Mittelfeld

- Wenn die Ergänzungen bekannte Informationen nennen und nicht betont sind, ist die Reihenfolge: Subjekt – Dativergänzung – Akkusativergänzung:
  Kerstin wollte _ihrem Freund_ _wichtige Unterlagen_ schicken.
- Wenn man eine Ergänzung betonen will, stellt man sie weiter nach hinten:
  Du hast die Unterlagen nicht bekommen? Ich habe die Kopien doch extra _deinem Kollegen_ mitgegeben!
- Sehr lange Ergänzungen stehen weiter hinten:
  Ich habe die Unterlagen _meinem Freund, der sie dringend braucht_, geschickt.
- Präpositionalergänzungen stehen auch weiter hinten:
  Ich habe meinem Freund noch gar nicht _auf seine lange E-Mail_ geantwortet.
- Auch indefinite Ergänzungen (mit _ein_, _eine_ oder Nullartikel) stehen weiter hinten:
  Morgen leihe ich mein Auto _einem Freund_.

Generell gilt:
- Kurz vor lang.
  (z. B. Personalpronomen vor Nomen)
- Belebte vor unbelebten Ergänzungen.
- Bekannte vor neuen Informationen.

2 Bilden Sie aus den Elementen Sätze und achten Sie auf die Stellung.

a über eines der modernsten Kongresszentren der Alpen / die Kongressstadt Davos / verfügt
Mit der jüngsten Erweiterung _verfügt die Kongressstadt Davos über eines der modernsten Kongresszentren der Alpen._

b die professionelle Organisation und Durchführung von Seminaren, Kongressen und Symposien / den Besuchern / bietet
Das Davos-Organisationsteam _____
_____.

c die neuesten Ergebnisse aus der Forschung / ihren Fachkollegen / präsentieren
Viele renommierte Professoren aus verschiedenen Bereichen der Medizin _____
_____.

d über die angewandte Forschungsmethodik / die Kongressteilnehmer / diskutieren / mit den Vortragenden
Gerne _____
_____.

Stellung des Reflexivpronomens

	Position 1	Position 2	Satzklammer	
			Mittelfeld	
1	Der Student	beschwert	sich über seine schlechte Note.	
2	Heute	regt	sich der Student über seine schlechte Note	auf.
3	Heute	regt	der Student sich über seine schlechte Note	auf.
4	Heute	regt	er sich über seine schlechte Note	auf.

- Wenn das Subjekt auf Position 1 und das Verb auf Position 2 steht, steht das Reflexivpronomen am Anfang des Mittelfelds (Beispiel 1).
- Wenn das Subjekt im Mittelfeld steht, steht das Reflexivpronomen entweder vor dem Subjekt (Beispiel 2) oder nach dem Subjekt (Beispiel 3).
- Wenn das Subjekt ein Pronomen ist, steht das Reflexivpronomen nach dem Subjekt (Beispiel 4).

3 Ergänzen Sie das Reflexivpronomen an der richtigen Stelle. Manchmal sind zwei Lösungen möglich.

a Eines der modernsten Kongresszentren __–__ befindet _sich_ in Davos.
b Mit Abstand hebt _____ dieses Zentrum _____ vom Durchschnitt ab.
c Vor Beginn eines Kongresses müssen _____ die Vortragenden _____ rechtzeitig anmelden.
d In bestimmten Sälen üben _____ sie _____ in freier Rede.
e Im Back-Office bemüht _____ die Organisation _____ um jedes Detail.
f So können _____ die Gäste _____ komplett auf die Organisation verlassen.

4 Bilden Sie Sätze aus den vorgegebenen Elementen. Achten Sie auf die Stellung der Ergänzungen.

Eine Gruppe von Gästen ist in ihrem Stammhotel eingetroffen.
a vorbereitet / der Hotelmanager / hat / ein nettes Begrüßungsgetränk / ihnen
   Der Hotelmanager hat ihnen ein nettes Begrüßungsgetränk vorbereitet.
b dem Hotelmanager / ein Stammgast / hat / geschenkt / ein Buch
   Ein Stammgast _____
c einem Mitarbeiter / hat / der Hotelmanager / zum Aufbewahren / das Buch / gegeben.
   Der Hotelmanager _____
d den renovierten Swimmingpool / der Mitarbeiter / gezeigt / hat / ihnen.
   Der Mitarbeiter _____
e ihnen / die Geschichte des Hotels / er / erzählt / hat
   Er _____
f hat / erzählt / sie / schnell / ihnen / er
   Er _____ denn die Gäste brauchten ein Abendessen.

Reihenfolge der Ergänzungen im Mittelfeld: Personalpronomen

- Wenn Dativ- und Akkusativergänzung durch Personalpronomen ausgedrückt werden, steht Akkusativ vor Dativ:
  Hast du Steffen das Buch geschenkt? – Nein, ich hab es ihm geliehen.

5 Widersprechen Sie den Aussagen und ersetzen Sie die markierten Satzglieder durch Pronomen.

a Der Student hat sich um kein Stipendium beworben?
   > Doch, natürlich hat er sich um eins beworben.
b Der Professor hat dem Studenten kein Gutachten geschrieben?
   > _____
c Der Student hat der Auswahlkommission keine guten Antworten gegeben?
   > _____
d Die Auswahlkommission hat dem Studenten das Studium nicht ermöglicht?
   > _____

7.2　Angaben im Mittelfeld

1　Hören Sie die beiden Dialoge und achten Sie auf die markierten Angaben im Mittelfeld.

⑤ 1

THORSTEN:	Wann bist du gestern nach Hause gekommen?
STEFAN:	Gegen 22 Uhr.
THORSTEN:	So spät?
STEFAN:	Ich hab ewig an der Bushaltestelle auf den Bus gewartet.
THORSTEN:	Echt? Wie lange denn?
STEFAN:	Ich hab da über eine Stunde gewartet.
THORSTEN:	Komisch. Der Bus kommt dort eigentlich immer pünktlich.
STEFAN:	Ja, aber er konnte gestern Abend wegen dem Unwetter nur sehr langsam durch die Dörfer fahren.

BETTINA:	Ach hallo, wie geht's euch denn? Habt ihr schon die Schlüssel für eure neue Wohnung?
THOMAS:	Ja! Katrin hat am Sonnabend voller Elan im Wohnzimmer die Wände gestrichen.
BETTINA:	Wie, hast du ihr nicht geholfen?
THOMAS:	Nein, ich konnte wegen des Firmenumzugs letzte Woche im Büro schlecht arbeiten. Aber ich musste unbedingt noch ein Projekt abschließen, das hab ich am Samstag gemacht.
BETTINA:	Klingt nach viel Arbeit!
THOMAS:	Ja, wir haben am Sonntag vor lauter Müdigkeit faul auf unserer Couch gesessen und ferngesehen …

Reihenfolge der Angaben im Mittelfeld

- Meistens stehen die Angaben in der Mitte des Mittelfelds, vor indefiniten Akkusativ-Ergänzungen und Präpositional-Ergänzungen:
  Ich hab ewig an der Bushaltestelle auf den Bus gewartet.
- Die Stellung der Angaben im Mittelfeld ist recht flexibel und immer vom Kontext abhängig, als Tendenz kann man sich temporal-kausal-modal-lokal (tekamolo) merken:

	temporal	kausal	modal	lokal	
Der Bus konnte	gestern Abend	wegen dem Unwetter	nur sehr langsam	durch die Dörfer	fahren.

- Modalangaben stehen oft ganz hinten, weil sie die Handlung direkt beeinflussen:
  Ich konnte wegen des Firmenumzugs letzte Woche im Büro schlecht arbeiten.
- Wenn eine Angabe besonders betont werden soll, kann sie weiter hinten im Mittelfeld stehen:
  Wir haben den Schlüssel vom Vermieter erst gestern erhalten.

2　Ergänzen Sie die Angaben in der passenden Reihenfolge. Manchmal sind mehrere Lösungen möglich.

a Spielt dein Sohn immer noch so oft Computerspiele?
Ja, es ist sogar noch schlimmer geworden. Jetzt sitzt er <u>täglich völlig passiv vor seinem Bildschirm und lernt nichts.</u>
(vor seinem Bildschirm / täglich / völlig passiv / und lernt nichts)

b Dagegen muss man etwas tun. Neulich habe ich gelesen, dass die Zahl der computersüchtigen Kinder _____.
(rasant / in vielen Ländern / in den letzten Jahren / angestiegen ist)

c Warum hast du dich gestern nicht gemeldet?
Ich konnte dich _____ nicht erreichen.
(den ganzen Tag / wegen des schlechten Empfangs)

d Endlich hat sich meine Schwester aus Brasilien gemeldet.
Ich habe _____ auf den Anruf gewartet.
(verzweifelt / seit Montag)

e Gute Zeugnisse sind bei der Arbeitssuche von großer Bedeutung.
Aber meine Freundin hat _____
eine Arbeit gesucht.
(monatelang / trotz exzellenter Zeugnisse / deutschlandweit)

3 Bilden Sie aus den Elementen Sätze. Stellen Sie das Subjekt ins Vorfeld und bringen Sie die Angaben im Mittelfeld in die richtige Reihenfolge.

a diesen Winter / Claudia / nach Ischgl / fährt / für eine Woche
> *Claudia fährt diesen Winter für eine Woche nach Ischgl.*

b dieses Jahr / sie / am Slalomwettbewerb / nimmt / zum ersten Mal / teil

> _____.

c heute / ihre Mannschaft / wegen des Schneesturmes / konnte / nicht so viel / trainieren

> _____.

d gleich nach der ersten Abfahrt / alle / auf den Weg ins Hotel machen / mussten / sich / ganz schnell

> _____.

e am liebsten / bei schlechtem Wetter / Claudias Freunde / treffen / sich / am neuen Swimmingpool

> _____.

f dort / auch Claudia / kann / in guter Gesellschaft / sich entspannen / stundenlang

> _____.

Modalwörter

Modalwörter geben die subjektive Haltung und Bewertung des Sprechers wieder.
Sie beziehen sich auf den ganzen Satz und modifizieren ihn:
Morgen regnet es *bestimmt / sicher / vermutlich / vielleicht.*
Sie hat *dummerweise / glücklicherweise / leider / offensichtlich / wirklich / eigentlich / zweifellos* keine Ahnung.

Modalwörter stehen im Mittelfeld, aber häufig auch im Vorfeld (Ausnahme: *wirklich*).

4 Ergänzen Sie die angegebenen Modalwörter im Mittelfeld. Es gibt mehrere Möglichkeiten.

a Das Spiel morgen zählt zu den wichtigsten Partien der Saison. (zweifellos)
> *Das Spiel morgen zählt zweifellos zu den wichtigsten Partien der Saison.*

b Der Trainer gibt den Spielern genaue taktische Anweisungen. (hoffentlich)

> _____.

c Der Gegner stellt die größte Herausforderung für die Abwehr dar. (vermutlich)

> _____.

d Die Mannschaft hat das Spiel gestern hoch verloren. (bedauerlicherweise)

> _____.

e In einer Woche findet schon das Rückspiel statt. (glücklicherweise)

> _____.

f Es werden viele Fans zum Heimspiel kommen. (bestimmt)

> _____.
⇨ Stellung der Negation mit *nicht*: Kapitel 8

.8　Das Nachfeld

1　Lesen Sie die Meldung und ergänzen Sie die Elemente, die im Nachfeld stehen, in der Übersicht.

Frankfurter Buchmesse treibt Vernetzung voran

Die weltgrößte Büchermesse verwandelt sich immer mehr zu einem Börsenplatz für Inhalte aller Art. Das Buch ist nur noch einer der Bausteine in einer immer breiter gefächerten Verwertungskette.

Die Frankfurter Buchmesse will den unaufhaltsamen digitalen Wandel vorantreiben. Die Buchmesse hat bereits vor Jahren angefangen, diesen Sektor auszubauen. Es bleibt der Messe auch keine Wahl, wenn sie nicht über kurz oder lang überflüssig werden will.

Mit 7500 Ausstellern hat die Messe in etwa wieder so viel Fläche vermietet wie im Vorjahr. Besonderes Interesse werden die neuen E-Book-Reader (Lesegeräte für elektronische Bücher) wecken, die kürzlich auf den Markt gekommen sind.

Das Nachfeld

Vorfeld	linke Satzklammer	Mittelfeld	rechte Satzklammer	Nachfeld
Die Buchmesse	hat	bereits vor Jahren	angefangen,	diesen Sektor auszubauen.
Es	bleibt	der Messe auch keine Wahl,		
Mit 7500 Ausstellern	hat	die Messe in etwa wieder so viel Fläche	vermietet	
Besonderes Interesse	werden	die neuen E-Book-Reader	wecken,	

Die folgenden Elemente stehen normalerweise im Nachfeld:
- Nebensätze
- Infinitivkonstruktionen
- Vergleiche und Vergleichssätze mit *als* und *wie*

- Relativsätze können im Nachfeld stehen, wenn vor dem Relativsatz nur ein Verb(teil) steht. Besonders bei langen Relativsätzen ist das stilistisch besser:
  Besonderes Interesse werden die neuen E-Book-Reader wecken, die kürzlich auf den Markt gekommen sind.
  Schlechter Stil:
  Besonderes Interesse werden die neuen E-Book-Reader, die kürzlich auf den Markt gekommen sind, wecken.

2　Formulieren Sie aus den Elementen Sätze. Stellen Sie dabei die Vergleiche ins Nachfeld.

a　dieses Jahr / war / besser / organisiert / im / Vorjahr / als
> Die Frankfurter Buchmesse war *dieses Jahr besser organisiert als im Vorjahr.*

b　ungefähr / war / so / groß / wie / letzten / im / Jahr
> Die Ausstellungsfläche _____.

c　mehr / sind / gekommen / als / Besucher / je / zuvor
> Jedoch _____.

e　für / einige / als / die / entsprechenden / attraktiver / Printmedien / waren
> Die neuen E-Book-Reader _____.

f　so / waren / wie / erfolgreich / immer
> Die Auftritte der Autoren auf den Lesebühnen _____.

g　eine / im Vorjahr / gespielt / haben / wichtigere / als / Rolle
> Die Fortbildungsseminare _____.

2.1 Konnektoren: Mittel der Textverbindung

1.1 Lesen Sie den Zeitungsartikel und überlegen Sie: Was leisten die markierten Konnektoren in diesem Text?

Familie und Karriere – beides ist möglich

von Til Knipper

Mit der Vereinbarkeit von Karriere und Familie werben Unternehmen inzwischen offensiv um Mitarbeiter. Und dabei geht es nach Angaben der Unternehmen **nicht nur** um gute PR, **sondern auch** darum, eine familienbewusste Arbeitskultur zu schaffen.

Windelgeld, Feriencamps für Kinder, Chefs in Teilzeit, Kühlschrankbefüllung, Bügelservice und flexible Arbeitszeitkonten. Das ist nur ein Bruchteil der Maßnahmen, die kleine, mittlere und große Unternehmen in den vergangenen Jahren ergriffen haben, **um** ihren Mitarbeitern und deren Familien das Leben **zu** erleichtern. Neben politischen Maßnahmen, **wie** dem von der Großen Koalition eingeführten Elterngeld, hat auch die „Beruf und Familie GmbH" einen großen Beitrag dazu geleistet. **Als** „Beruf und Familie" 1998 gegründet wurde, lautete die offizielle Einschätzung der großen Unternehmen und ihrer Verbände, **dass** die Vereinbarkeit von Karriere und Familie kein Thema für die Wirtschaft sei. Familienpolitik sei Sache des Staates. **Deshalb** müsse sich jeder Einzelne persönlich kümmern.

Volker Baisch kennt das Thema Vereinbarkeit von Beruf und Familie von beiden Seiten. **Als** vor acht Jahren seine erste Tochter zur Welt kam, nahm sich der Leiter einer Jugendeinrichtung ein Jahr Elternzeit. Schnell musste er erkennen, **dass** es keinerlei Hilfestellung für junge Väter gab. „**Kaum** war ich in Elternzeit gegangen, **da** war ich meinen alten Job schon los", sagt Baisch. Andere nahmen das so hin, **doch** er gab nicht auf. **Stattdessen** gründete er den Verein Väter e.V. **und** später mit zwei Partnern die Unternehmensberatung „Dads - Väter in Balance", **die** auch als Auditoren für „Beruf und Familie" arbeiten. „Es hat lange gedauert, **bis** Politik und Unternehmen verstanden haben, dass die Vereinbarkeit von Karriere **und** Kindern nicht nur ein Frauenproblem ist", sagt Baisch. In den Personalabteilungen ist die Botschaft inzwischen angekommen, **dass** Familienfreundlichkeit ein Unternehmen als Arbeitgeber attraktiv macht. Schwieriger ist es immer noch auf der Ebene der direkten Vorgesetzten. Das sei aber auch verständlich, sagt Baisch, **weil** die mit ihren verbleibenden Mitarbeitern den Ausfall häufig kompensieren müssten. „Kennt ein junger Vorgesetzter das Problem selbst, ist er **nämlich** meist sehr offen für Anfragen oder Vorschläge", sagt Baisch. Noch ist das Thema in vielen Unternehmen ein Tabu. Flexible Arbeitszeitmodelle sind der Schlüssel zum Erfolg. Wichtig sei, **dass** dies im Unternehmen von oben vorgelebt werde, **weil** somit ein gutes Arbeitsklima geschaffen werden kann.

Außerdem sieht Becker noch Nachholbedarf im Osten. Dort, **wo** sich zu DDR-Zeiten arbeitende Mütter keine Sorgen um ihren Nachwuchs machen mussten, „kommen wir mit schablonenartigen Lösungen, **die** sich an Akademiker aus westdeutschen Großunternehmen richten, nicht weiter", sagt er. Dazu seien die Unterschiede am Arbeitsmarkt und bei der Kinderbetreuung zu groß. Das zeigt **schließlich** auch eines der Ergebnisse des „Familienmonitors 2008" vom Bundesfamilienministerium.

Quelle: www.karriere.de, 31.10.2008, leicht bearbeitet

1.2   Ergänzen Sie die folgende Erklärung zu den Konnektoren.

> Bindewörter • Interpretation • Zusammenhänge

Konnektoren

Konnektoren

- sind _____ und stellen Verbindungen zwischen Aussagen und Sätzen her.   ⇨ Kapitel 9
- stellen inhaltliche _____ im Text her.
- sorgen für Kohärenz im Text und sind Wegweiser für die _____ .

1.3   Lesen Sie den Artikel noch einmal und ergänzen Sie die Tabelle mit den Konnektoren aus dem Text.

Funktion der Konnektoren	Beispiel
verdeutlichen die Argumentation	nicht nur … sondern auch, _____, _____, _____, _____, _____, _____, _____, _____, _____, _____, _____
haben vor allem grammatische Funktion	wie, _____, _____, _____, _____

Funktionen von Konnektoren

- Konnektoren haben verschiedene Funktionen. Sie können u. a. logische Beziehungen in einem Text herstellen und dienen dazu, einen Text zu gliedern und für den Leser zu strukturieren.
- Zu den Konnektoren zählen vor allem Konjunktionen, Subjunktionen, Präpositionen, Relativpronomen und so genannte Verbindungsadverbien (auch Text-Adverbien). Verbindungsadverbien beziehen sich meist auf einen Sachverhalt im Text, der bereits vorher genannt wurde (z. B. *außerdem*).

1.4   Konnektoren stellen semantische Relationen her. Ordnen Sie die Konnektoren aus dem Schüttelkasten der passenden Bedeutung zu.

> nicht nur … sondern auch • weil • kaum … da • außerdem • deshalb • um … zu •
> stattdessen • schließlich • wie

Bedeutung	Konnektoren	
zählt etwas auf	und, _____, _____	
gibt einen Grund an	nämlich, _____, _____	
drückt eine zeitliche Vorgabe aus	als, _____, _____	
gibt einen Ort an	wo	⇨ Kapitel 2.5.2:
drückt ein Ziel / einen Zweck aus	_____	Relativsätze
drückt die Art und Weise / einen Vergleich aus	_____	
drückt einen Ersatz / Gegensatz aus	_____	

2.2 Konnektoren und Stellung im Satz

 Das lernen Sie:

- Unterscheidung von Konjunktionen und Subjunktionen, Verbindungsadverbien und Präpositionen mit ähnlicher Bedeutung
- konsekutive, kausale und temporale Bedeutung von *und*
- Besonderheiten bei der Wortstellung in Neben- und Hauptsätzen mit Konnektoren und Präpositionen

2.2.1 Konjunktionen und Verbindungsadverbien

1.1 Ergänzen Sie die Tabelle mit den angegebenen Informationen.

> Konjunktion zwischen den Hauptsätzen auf Position 0 des zweiten Hauptsatzes •
> Verbindungsadverb im Mittelfeld des zweiten Hauptsatzes •
> Verbindungsadverb vor dem finiten Verb

Hauptsatz (HS)		Hauptsatz
I	**Stattdessen** gründete er den Verein Väter e.V.	**und**	später (gründete er) mit zwei Partnern die Unternehmensberatung „Dads – Väter in Balance".
	Konjunktion (und) zwischen den Hauptsätzen auf Position 0 des zweiten Hauptsatzes		
	Verbindungsadverb (stattdessen) vor dem finiten Verb		

Hauptsatz	Hauptsatz
II	Kennt ein junger Vorgesetzter das Problem selbst,	ist er **nämlich** meist sehr offen für Anfragen oder Vorschläge.
	_____

Hauptsatz	Hauptsatz
III	Familienpolitik sei Sache des Staates.	**Deshalb** müsse sich jeder Einzelne persönlich kümmern.
	_____

Hauptsatz		Hauptsatz
IV	Andere nahmen das so hin,	**doch**	er gab nicht auf.
	_____		

1.2 Schauen Sie sich die Satzstruktur für Nebensätze und Konjunktionen genau an.

Nebensatz		Konjunktion	Nebensatz
V	Die haben erkannt,	**dass** solche Maßnahmen die Fluktuation senken	**und**	(dass) (solche Maßnahmen) beim Rekrutieren helfen.

1.3 Ergänzen Sie die Erklärung.

> Subjekt • weggelassen • gleiche • Wörter • verschiedenen • Satzanfang

Stellung von Konjunktionen und Verbindungsadverbien im komplexen Satz

- Konnektoren können an _____ Stellen im komplexen Satz stehen: vor dem finiten Verb (Bsp. I und III), zwischen den Sätzen (Bsp. I und IV) und im Mittelfeld eines Teilsatzes (Bsp. II).

- Konjunktionen können Hauptsätze und Nebensätze verbinden (Bsp. V). Die Wortstellung ändert sich durch die Konjunktion im Satz nicht. Bei *und, aber, denn* kann das Subjekt im zweiten Satz _____ werden, wenn es identisch ist mit dem Subjekt im ersten Satz (Bsp. I und V).

- Konjunktionen verbinden auch Phrasen und _____: *Die Vereinbarkeit von Karriere und Kindern ist nicht nur ein Frauenproblem.*

- Verbindungsadverbien sind Satzglieder. Wenn das Adverb am _____ steht, ändert sich die Wortstellung und das Subjekt rückt hinter das finite Verb (Bsp. I und III).

- Konjunktionen können auch Nebensätze miteinander verbinden. Wieder kann das _____ im zweiten Nebensatz weggelassen werden, wenn es sich um das _____ Subjekt handelt.

2 Vervollständigen Sie das Streitgespräch mit den angegebenen Verbindungsadverbien.

> deshalb (3x) • außerdem • nämlich • dann • abschließend

Nicht um jeden Preis

Der Gegner: Walter Sittler, 57, Schauspieler. Sittler ist in den vergangenen Monaten zu einem der prominentesten Gesichter des Widerstands gegen das Bahnprojekt Stuttgart 21 geworden.

Der Befürworter: Wolfgang Schuster (CDU) ist seit 1997 Oberbürgermeister der baden-württembergischen Landeshauptstadt Stuttgart.

Schuster: Ich rede jeden Tag mit den Bürgern. Auch in meiner Nachbarschaft gibt es Gegner von Stuttgart 21. Aber _____ verabschiede ich mich nicht aus der Verantwortung für alle Bürger.

Sittler: Wo waren Sie denn am vorvergangenen Freitag, am Tag nach der gewaltsamen Polizeiaktion im Schlossgarten? Da demonstrierten 100000 Leute ausnahmslos friedlich, weil sie wollen, dass es der Stadt gut geht. […] Sie müssen doch die Sorgen der Bürger, die nicht gewalttätig werden, sondern friedlich demonstrieren, ernst nehmen!

Sittler: Die Stimmung ist katastrophal. Und die Kommunikationspolitik ist die schlechteste, die man sich vorstellen kann.

Schuster: _____ lade ich die Bürger zum Dialog ein. Noch mal: Machen Sie doch mit, Herr Sittler!

Sittler: Nur ohne Vorbedingungen.

Schuster: Aber Sie stellen doch Vorbedingungen! […]

Sittler: Wenn die Bundesregierung als Eigner sagt, wir stellen das Geld statt für Stuttgart 21 für die Renovierung des Gleisfelds und des Bahnhofs zur Verfügung, _____ wird die Bahn das bauen. Die ist _____ an Weisungen gebunden, Herr Schuster.

Bei K21** würden neue ICE-Gleise verlegt. Die Bürger, die dort wohnen, werden vielleicht auch für ihre Ruhe auf die Straße gehen, Herr Sittler.

Sittler: Na ja, man kann es nicht allen recht machen. _____ gibt es ja Lärmschutz.

Würde Ihr Positionswechsel einen Gesichtsverlust bedeuten, Herr Schuster?

Schuster: Mir geht es nicht um politische Ideologie und Rechthaberei. Viele Bürger sind, was die Fakten angeht, verunsichert. Das ist angesichts der Komplexität des Projekts nicht verwunderlich. _____ gibt es den großen Wunsch nach sachlicher Diskussion. Wir müssen auf jeden Fall in einen langfristig angelegten Dialog kommen.

_____ *fragen wir auch Sie, Herr Schuster: Was müsste passieren, dass Sie zu einem Gegner von Stuttgart 21 werden?*

Schuster: Wenn erneute Prüfungen ergeben würden, dass so, wie Herr Sittler sagt, alles Murks* sei.

Sittler: Alles Murks ist übertrieben.

Schuster: Ach was.

Sittler: Na gut, ein bisschen übertrieben.

Interview: Marie-Sophie Adeoso, Mark Obert und Uwe Vorkötter
Quelle: www.fr-online.de, gekürzt

* *Murks*: umgangssprachlich für mangelhafte Arbeit
** *K21*: Gegner von Stuttgart 21 schlagen das alternative Konzept „Kopfbahnhof 21" vor

3 Lesen Sie das Interview zum Thema „Streitkultur in der Familie". Ordnen Sie die markierten Konjunktionen den Funktionen in den Kästchen rechts unten zu.

„Möglichst klare Vorgaben machen"

Frank Untiedt, der beim SOS-Hilfeverbund Hamburg im „Coaching für Eltern" und$_1$ in der ambulanten Familienhilfe arbeitet, erlebt viele Auseinandersetzungen hautnah. Im Interview erklärt der Diplom-Sozialpädagoge, wie Familien lernen, richtig mit Streit und$_2$ Konflikten umzugehen.

Herr Untiedt, wie können Eltern Konflikten innerhalb der Familie vorbeugen?

Untiedt: Zu uns kommen immer wieder Eltern, die sagen: „Wir kommen nicht weiter." Wir raten ihnen dann vor allem, klare Vorgaben zu machen. Allerdings müssen Eltern dann auch konsequent sein und$_3$ sich an ihre eigenen Vorgaben halten. Es hilft nicht, wenn ich mich heute so verhalte und$_4$ morgen so.

Wie unterstützen Sie Eltern dabei?

Untiedt: Beim Coaching trainieren wir mit den Eltern das richtige Verhalten, meist in Rollenspielen. Da schlüpfen die Eltern auch mal in die Rolle des Kindes und$_5$ bekommen ein Gefühl dafür, wann sich das Kind ungerecht behandelt fühlt. Allerdings verbessern wir Eltern nicht in Gegenwart ihrer Kinder. Denn$_6$ Eltern müssen eine Autorität für ihre Kinder sein.

Wie verhalten sich Eltern am besten, wenn es doch mal zu Streit mit den Kindern kommt?

Untiedt: In Wut kann keiner einen Streit lösen. Da ist es besser, die Notbremse zu ziehen und$_7$ zu sagen, „Stopp, lass uns in zwei Stunden oder$_8$ am nächsten Tag noch mal darüber reden, wenn wir uns wieder etwas beruhigt haben." Man sollte auch nicht endlos diskutieren, denn$_9$ Diskussionen sind manchmal nervenaufreibend. Wichtig ist auch, zwischen Verhalten und$_{10}$ Person zu trennen. Dein Verhalten war nicht angemessen, aber$_{11}$ ich habe trotzdem Verständnis für dich als Person.

Unter Geschwistern gibt es wohl in allen Familien mal Streitigkeiten. Wann sollten Eltern dazwischen gehen?

Untiedt: Eltern müssen auf jeden Fall eingreifen, wenn es zu Gewalt kommt. Ansonsten sollten sich Mütter und$_{12}$ Väter eher als neutrale Vermittler verstehen und$_{13}$ sich nicht auf eine Seite stellen. Natürlich ist es nicht immer einfach, sich ganz raus zu halten. Aber$_{14}$ das kann man üben.

Nun sind Eltern in der Erziehung nicht immer einer Meinung. Was empfehlen Sie in dieser Situation?

Untiedt: Um möglichst eindeutige Vorgaben zu machen, gilt es, gegenüber den Kindern zu kooperieren und$_{15}$ sich auf einen Konsens zu verständigen. Also nicht vor den Kindern zu diskutieren, sondern$_{16}$ das besser unter sich zu klären, um die eigene Autorität aufrecht zu erhalten.

Ist Streit denn grundsätzlich schlecht für Familien?

Untiedt: Nein, überhaupt nicht. Streit tut durchaus auch gut. Aber$_{17}$ nur, wenn es eine gesunde Streitkultur innerhalb der Familie gibt und$_{18}$ man auf respektvolle Weise miteinander umgeht.

Quelle: www.sos-kinderdorf.de, leicht bearbeitet

Aufzählung

1, ___, ___, ___, ___, ___, ___, ___, ___, ___

Grund

___, ___

Alternative

___

Kontrast nach Negation

11, ___, ___

Einwand

___

Die Konjunktion *und*

Bei der Konjunktion *und* schwingen sehr oft weitere Bedeutungen mit, z. B.:

- Folge: Allerdings müssen Eltern dann auch konsequent sein und [3] sich an ihre eigenen Vorgaben halten.
  Ansonsten sollten sich Mütter und Väter eher als neutrale Vermittler verstehen und [14] sich nicht auf eine Seite stellen.
- Grund: Da schlüpfen die Eltern auch mal in die Rolle des Kindes und [6] bekommen ein Gefühl dafür, wann sich das Kind ungerecht behandelt fühlt.
- Zeit: Es hilft nicht, wenn ich mich heute so verhalte und [5] morgen so.

Und ist mit *daher, deshalb, darum* und *folglich* kombinierbar.

Tipp:

Sie können sich die Konjunktionen auf Position 0 zwischen den Hauptsätzen als „aduso"-Wörter
(**a**ber, **d**enn, **u**nd, **s**ondern, **o**der) merken!

2.2 Subjunktionen

1 Ordnen Sie die vier Beispielsätze aus dem Artikel „Familie und Karriere" in die Tabelle ein.

a In den Personalabteilungen ist die Botschaft inzwischen angekommen, dass Familienfreundlichkeit ein Unternehmen als Arbeitgeber attraktiv macht.

b Das sei aber auch verständlich, sagt Baisch, weil die mit ihren verbleibenden Mitarbeitern den Ausfall häufig kompensieren müssten.

c Als vor acht Jahren seine erste Tochter zur Welt kam, nahm sich der Leiter einer Jugendeinrichtung ein Jahr Elternzeit.

d Wichtig sei, dass dies im Unternehmen von oben vorgelebt werde, weil somit ein gutes Arbeitsklima geschaffen werden kann.

Hauptsatz	Nebensatzklammer		
	Subjunktion	Mittelfeld	finites Verb
a In den Personalabteilungen...			

Nebensatz auf Position 1			Hauptsatz	
Subjunktion	Mittelfeld	finites Verb	Position 2 = finites Verb	Mittelfeld

Hauptsatz	Nebensatzklammer			Nebensatzklammer		
	Subjunktion	Mittelfeld	finites Verb	Subjunktion	Mittelfeld	finites Verb

Stellung der Subjunktionen

- Subjunktionen verbinden den untergeordneten Nebensatz mit dem Hauptsatz. Das finite Verb schließt den Satz ab und bildet mit der Subjunktion die (Neben-)Satzklammer.
- Die Subjunktion bewirkt <u>immer</u> die Verbletztstellung.
- Subjunktionen verbinden ebenfalls Nebensätze, wenn ein Nebensatz dem anderen untergeordnet ist.

2.1 Ergänzen Sie die Konnektoren in der Kurzgeschichte und achten Sie auf die Wortstellung.

> wann • ob • obwohl • dann • dass • und • wie • wenn

Elke Heidenreich: Der Hund wird erschossen

[…] Ich weiß nicht, _____ die Ehe meiner Eltern gut war. Als Kind denkt man über so etwas nicht nach, man kennt ja nichts anderes, man meint, so ist es eben und so muss es sein, das sind eben Eltern – erwachsen, langweilig, immer beschäftigt, unzufrieden. Ich habe nie gesehen, _____ sie sich umarmt oder geküsst hätten, nur einmal gingen sie Arm in Arm, _____ das ist die Geschichte, die ich erzählen will. Streit gab es zu Hause eigentlich immer nur meinetwegen. Berti ist so schwierig, Berti ist so frech, ich werde mit Berti nicht mehr fertig, die Lehrer haben sich schon wieder über Berti beschwert, Berti ist unordentlich, Berti macht keine Schularbeiten, Berti treibt sich mit Jungens herum, Berti raucht heimlich – das waren so ungefähr die ständigen Klagen meiner Mutter, und sie seufzte, _____ immer sie mich bloß sah und auch _____ ich gar nichts angestellt hatte[.] […] Von unten hörten wir unsere Eltern streiten. „Ich bin es leid", schrie Mutter, „ich kann machen, was ich will, wir kommen auf keinen grünen Zweig, und nun muss ich mir auch noch von dir vorwerfen lassen, ich wäre schuld daran." […] _____ knallte die Haustür, und kurz darauf kam meine Mutter laut heulend aus dem Wohnzimmer. Wir zogen uns schnell in unsere Zimmer zurück und hörten, _____ im Schlafzimmer Schränke aufgerissen und wieder zugeschlagen wurden. Eine halbe Stunde später verließ unsere Mutter mit einem Koffer in der Hand und unter dem infernalischen Gebell von Molli das Haus und ging zur Bushaltestelle, _____ doch in der Nacht dort gar kein Bus abfuhr. […]

aus: Elke Heidenreich. Kolonien der Liebe. © 1992 Rowohlt Verlag GmbH, Reinbek bei Hamburg

2.2 Wie könnte die Geschichte „Der Hund wird erschossen" ausgehen? Schreiben Sie ein Ende und verwenden Sie dabei die bisher gelernten Konnektoren.

2.3 Präpositionen mit ähnlicher Bedeutung wie Konnektoren

1 Lesen Sie den Zeitungsartikel und ergänzen Sie die Präpositionen.

> bei • nach • durch (2x)

Geisslers Plan als Test für die deutsche Streitkultur – Sind die Kontrahenten von «Stuttgart 21» zum Kompromiss fähig?

Als die Situation am verfahrensten war, hat der Schlichter im Streit um das Bahn-Großprojekt «Stuttgart 21» einen Kompromiss vorgeschlagen, bei dem beide Parteien ihr Recht bekommen, aber auch Abstriche machen müssen. In der Schweiz wäre so eine Lösung nahe liegend. Im Nachbarland ist es aber eine Herausforderung. _____ der Vorlage von Geisslers Joker waren die meisten Beteiligten im epischen Bahnhofsstreit von Stuttgart wie vor den Kopf gestoßen. Die Beobachtung _____ den altgedienten CDU-Politiker aus nächster Nähe zeigte, wie sich die beiden Lager immer mehr in ihre Argumente verbissen und so wagte er den Befreiungsschlag.

Auf Teufel komm raus*

Die Bahn, die Bundesregierung und auch die großen Parteien in Deutschland wollten das Großprojekt mit einem Stuttgarter Hauptbahnhof unter der Erde sowie einem Strecken-Neubau für schnellere Fernverbindungen auf Teufel komm raus durchziehen. Aber genauso entschlossen waren auf der anderen Seite die Ablehnung dieses Umbaus und die Forderung nach einem runderneuerten Bahnhof an alter Stelle _____ einen beträchtlichen Teil der Stuttgarter und eines heterogenen Bündnisses verschiedenster Bürgergruppen im Lande.

_____ der Entscheidung am Freitag sollten die Experten schließlich einen Stresstest bringen. […]

Niemand vorbereitet

[…] Über Wochen hatte der Schlichter im letzten Herbst geduldig und fair die Konfrontation auf eine sachliche Ebene herunter geholt. Allenthalben lobte man die neue Streitkultur, die sich hier entwickelt habe. Doch was am Ende dieses Prozesses stehen sollte, wurde nie gesagt. Beide Seiten konnten sich nichts anderes vorstellen, als schließlich auf ganzer Linie Recht zu bekommen.

auf Teufel komm raus: mit aller Macht; um jeden Preis

von Ruth Spitzenpfeil
Quelle: NZZ Online (www.nzz.ch), bearbeitet

Präpositionen mit ähnlicher Bedeutung wie Konnektoren

- Präpositionen mit ähnlicher Bedeutung wie Konnektoren kommen vor allem in schriftlichen Texten vor.
- Dieser Nominalstil führt zu einer Verdichtung des Inhalts (z. B. *Nachdem am Freitag entschieden wurde …* → *Nach der Entscheidung am Freitag …*).
- Die in der Nominalphrase verwendeten Nomen sind meist von Verben abgeleitet (z. B. *entscheiden – Entscheidung, vorlegen – Vorlage*).
- Die Präpositionalphrase ist Satzglied, meist Angabe.

⇨ Kapitel 2.5.2: Nominalisierung von weiteren Haupt- und Nebensätzen

2   Legen Sie eine Tabelle an und notieren Sie alle Konjunktionen, Subjunktionen,
    Verbindungsadverbien und Präpositionen mit ähnlicher Bedeutung. Ergänzen Sie die
    Tabelle, sobald Sie neue Konnektoren und Präpositionen mit ähnlicher Bedeutung
    lernen.

Konjunktionen	Subjunktionen	Verbindungs-adverbien	Präpositionen mit ähnlicher Bedeutung
aber,			

3   Schreiben Sie allein oder mit einem Partner ein Streitgespräch zu einem aktuellen
    Thema, das Sie interessiert und zu dem Sie unterschiedliche Meinungen vertreten
    (ein Beispiel für ein Streitgespräch finden Sie in Kapitel 2.2.1., Aufgabe 2). Verwenden
    Sie dabei Konnektoren und Präpositionen mit ähnlicher Bedeutung aus Ihrer Tabelle.

.4 Zweiteilige Konnektoren

1.1 Lesen Sie den Zeitungsartikel und markieren Sie die zweiteiligen Konnektoren.

Eltern und Kinder haben ein Recht auf Krippenplätze

Ab 2013 gilt zwar per Gesetz der Rechtsanspruch auf einen Krippenplatz, aber es wird befürchtet, dass das Geld für den Ausbau der Betreuungseinrichtungen nicht reichen wird.

Mehr als 35 Prozent der Eltern wollen entweder ihre Kleinen in Krippen oder bei Tagesmüttern unterbringen. Das zumindest ist das Ergebnis einer neuen Umfrage bei jungen Frauen, die allerdings selbst noch kinderlos sind. Aber auch Wissenschaftler gehen davon aus, dass mehr Mütter und Väter auf ihren Anspruch pochen werden. Kann eine Gemeinde ihnen dann keine Krippenplätze anbieten, könnten die Eltern für ihren Krippenplatz klagen.

Es wird sich zwar immer noch darum gestritten, ob das Hausmütterchen oder das Karriereweib die schlechtere Mutter ist, aber die Streitgespräche sind längst nicht mehr so erhitzt und so unversöhnlich wie noch vor einigen Jahren. Die Stimmungslage hat sich verändert: Arbeitende Mütter, auch mit kleineren Kindern, sind selbstverständlich geworden. Das von der CSU erkämpfte Betreuungsgeld ist das eindeutigste Zeichen dafür, dass jede Frau (und mittlerweile auch jeder Mann) es sich heute gut überlegen muss, ob und wenn ja, für wie lange sie aus dem Beruf aussteigen kann, um ihre Kinder zu betreuen.

Nach der Änderung des Unterhaltsrechts ist der Versorger der Familie im Falle eines Scheiterns der Ehe nur noch sehr kurz und eingeschränkt unterhaltspflichtig. Es wird immer schwieriger, je länger die Frau (meistens ist es sie) aus dem Beruf ausgestiegen ist, wieder eine angemessene Arbeit zu finden. Somit haben nicht nur emanzipierte Frauen, sondern auch die Politik Fakten geschaffen, die ein Recht auf Kindergarten- und Krippenplätze unverzichtbar machen.

1.2 Ordnen Sie den Bedeutungen die entsprechenden zweiteiligen Konnektoren zu.

> zwar … aber • nicht nur … sondern auch • sowohl … als auch • entweder … oder

Zweiteilige Konnektoren: Bedeutung

- Gegenüberstellung: _____

- Aufzählung: _____

- Aufzählung mit Betonung des zweiten Teils: _____

- Einwand mit Betonung des zweiten Teils: _____

2.1 Ergänzen Sie in der Lesermeinung die zweiteiligen Konnektoren.

> sowohl … als auch • weder … noch • zwar … aber • entweder … oder

Unproduktive Polemik

Mir scheint die Gegenüberstellung von Bemuttern hier und Selbstverwirklichung dort nicht zu greifen. _____ ist jede Mutter, die zu Hause bleibt, zwangsläufig eine Glucke*, _____ verwirklicht sich jede Frau, die außer Haus arbeitet, automatisch selbst.[1] Was mir in der Diskussion über die Forderung nach Krippenplätzen immer fehlt, ist die Forderung _____ nach flexibleren _____ familienfreundlicheren Arbeitszeiten.[2] Wir sitzen vollkommen der Ideologie auf, dass eine maximale Präsenz am Arbeitsplatz auch maximale Effizienz bedeutet, was nicht der Fall ist, und deshalb

*hier: überfürsorgliche Mutter

muss nun auch schon das Leben der Kleinsten von Anfang an vollkommen durchorganisiert werden. _____ sind Kinderkrippen unbestritten ein gutes Instrument, um sozial benachteiligte Kinder zu fördern, _____ ein allgemeines Kinderrecht auf einen Krippenplatz unterschlägt zu stark die Defizite einer kinderunfreundlichen Arbeitswelt.[3] Wir sollten das Selbstbewusstsein aufbringen, nicht entscheiden zu müssen, ob wir _____ einen Acht-Stunden-Plus-Tag ab der Wiege _____ häusliche Betreuung wünschen.[4]

Lisa Heuser aus Bonn

2.2 Ändern Sie die Wortstellung der nummerierten Sätze wie vorgegeben.

1 *Weder* im Mittelfeld: _____

_____

2 *Sowohl* innerhalb des Subjekts: _____

_____

3 *Zwar* im Mittelfeld: _____

_____

4 *Entweder* vor dem finiten Verb: _____

_____

Zweiteilige Konnektoren: Wortstellung

- *Entweder … oder* und *zwar … aber* sind sehr flexibel in der Wortstellung: *entweder* und *zwar* stehen vor dem finiten Verb oder im Mittelfeld.
- *Nicht nur* kann im Mittelfeld oder auf Position 0 stehen, wenn der folgende (meist elliptische) Satz besonders betont ist:
  Somit haben nicht nur emanzipierte Frauen, sondern auch die Politik Fakten geschaffen, …
  Nicht nur haben somit emanzipierte Frauen, sondern auch die Politik Fakten geschaffen …

---

3 Ergänzen Sie die folgenden Sätze.

Lisa und Peter wollen einen Kindergartenplatz.
Sowohl Peter als auch _____
Sowohl Peter will einen Kindergartenplatz _____
Einen Kindergartenplatz wollen sowohl _____
Es ist klar, dass sowohl _____

4 Was denken Sie zum Thema „Recht auf Krippen- und Kindergartenplätze". Ergänzen Sie die Sätze.

Ich habe weder …   Weder die Frau …
Zwar finde ich eine Kinderbetreuung …   Man kann sich entweder …
Entweder geht der Mann …   Ich finde es nicht nur …

.3 Komplexe Sätze nach semantischen Relationen

> ✔ **Das lernen Sie:**
>
> – Funktion der verschiedenen Nebensätze nach semantischem Kontext (z. B. temporal, lokal, kausal etc.)
> – Konjunktionen, Präpositionen, Verbindungsadverbien und Subjunktionen werden textspezifisch behandelt.

3.1 additiv: Aufzählung, Reihung, Ergänzung

1 Lesen Sie den Auszug aus dem wissenschaftlichen Artikel und unterstreichen Sie alle additiven Konjunktionen und Verbindungsadverbien. Ergänzen Sie dann die Übersicht.

> ✔ **Das lernen Sie:**
>
> – besondere Verwendung der additiven Konnektoren in der Wissenschaftssprache
> – Unterscheidung von *sowie* und *sowohl … als auch*

Videokonferenz als interaktive Lernumgebung – am Beispiel eines Kooperationsprojekts zwischen japanischen Deutschlernenden und deutschen DaF-Studierenden (Makiko Hoshii und Nicole Schumacher)

Unsere Videokonferenz Waseda-Humboldt, eine Lernumgebung des Typs „Mehrere-zu-mehrere, technisch vermittelt", vereint in sich viele der Charakteristika der schon stärker etablierteren Lernumgebungen. Es gibt zwei Interaktionsräume (einen an der Waseda-Universität, einen an der Humboldt-Universität) und mehrere Interaktionssphären. Zunächst einmal gibt es die technisch vermittelte Gesamtsphäre. Zudem gibt es die technisch vermittelte Sphäre zwischen einer Lehrperson und einzelnen Lernenden oder der Lerngruppe. Außerdem gibt es mehrere Face-to-face-Interaktionssphären in beiden Räumen: Sowohl in Tokio als auch in Berlin können die Teilnehmer untereinander interagieren. Wie beim klassischen Fremdsprachenunterricht und beim Teamteaching können die Lernenden einander in Produktion und Rezeption unterstützen. Wie beim Teamteaching können zudem die angehenden Lehrenden miteinander interagieren.

Quelle: GFL Journal 1/2010

Additive Satzverbindungen

Konjunktionen	Verbindungsadverbien
sowie, _____, _____	auch, _____, daneben, darüber hinaus, dazu, des Weiteren, ebenfalls, ebenso, erstens … zweitens …, ferner, fernerhin, gleichfalls, noch dazu, obendrein, überdies, weiter, weiterhin, _____, zusätzlich

- Die Konjunktion *sowie* fasst eher entfernte Aspekte zusammen, während *und* mehrere Beispiele auf gleicher Ebene verknüpft.
- *Sowohl … als auch* verknüpft zwei Satzteile, denen gleiches Gewicht zukommt.

---

2 Lesen Sie die den Auszug aus der Einleitung des wissenschaftlichen Artikels und ergänzen Sie die Konjunktionen.

> sowie • sowohl … als auch • und (3x)

Eine Möglichkeit, wie man Lernende in sinnvolle zielsprachliche Interaktionen involvieren (vgl. Rösler 2000: 129), ihnen ‚kommunikative Ernstfälle' bieten kann (vgl. Schlickau 2000: 2), besteht in der Einbindung digitaler Medien, was _____ Lernende_____ Lehrende und damit auch die Lehrerausbildung vor neue Aufgaben stellt (vgl. Schneider & Würffel 2007). Ausgehend von diesen Vorüberlegungen ist 2004 ein Kooperationsprojekt zwischen der Waseda Universität Tokio _____ der Humboldt-Universität zu Berlin entstanden, in dem Studierende der beiden Universitäten gemeinsam per Videokonferenz Deutsch lernen bzw. lernen, Deutsch zu lehren (vgl. Mewes 2005; Hoshii & Niederhaus 2008). […] Ziel dieser Vorstudie war es, die für unsere Videokonferenzen typischen Lernerfragen _____ die sich daran anschließenden Interaktionsmuster zwischen Lernenden _____ zwischen Lernenden _____ angehenden Lehrenden zu beschreiben.

3.1 Fassen Sie die Informationen aus dem Europass-Lebenslauf für eine Biografie zusammen. Verwenden Sie die additiven Konjunktionen und Verbindungsadverbien aus der Tabelle in Aufgabe 1.

Europass-Lebenslauf

Angaben zur Person

Name:	Lena Meier
Staatsangehörigkeit:	Deutsch
Geburtsdatum:	15. Juli 1991
Geschlecht:	Weiblich

Berufserfahrung

Zeitraum:	01.08.2010 – 15.09.2010
Beruf oder Funktion:	Praktikum
Wichtigste Tätigkeiten und Zuständigkeiten:	Literaturrecherche, Erstellung von Texten und Materialien
Name und Adresse des Arbeitgebers:	Firma Meyer & Co, Finkenweg 54, 69115 Heidelberg
Tätigkeitsbereich oder Branche:	Buchbinderei

Schul- und Berufsbildung

Zeitraum:	01.10.2010 – heute
Bezeichnung der erworbenen Qualifikation:	Bachelorstudium „Buchhandel / Verlagswirtschaft"
Name und Art der Bildungseinrichtung:	Hochschule für Technik, Wirtschaft und Kultur
Zeitraum:	01.09.2001 - 03.07.2010
Bezeichnung der erworbenen Qualifikation:	Abitur
Hauptfächer / berufliche Fähigkeiten:	Deutsch, Englisch (Leistungskurse)
Name und Art der Bildungseinrichtung:	Gustav-Theodor-Fechner-Gymnasium

Persönliche Fähigkeiten und Kompetenzen

Muttersprache:	Deutsch		
Sonstige Sprachen:	*Verstehen*	*Sprechen*	*Schreiben*
Polnisch	B2	B1	B1
Französisch	A2	A1	A1
IT-Kenntnisse und Kompetenzen:	Sehr gute Kenntnisse der MS-Office-Anwendungen		
Künstlerische Fähigkeiten und Kompetenzen:	Klavier spielen		
Zusätzliche Angaben:	Aktives Mitglied im Kunstverein Leipzig e.V.		
Anlagen:	Abiturzeugnis; Referenz von Sebastian Dehner, Leiter des Kunstvereins		

Lena Meier absolvierte im Jahr 2010 ihr Abitur und darüber hinaus ein Praktikum in einer Buchbinderei. 2010 begann sie außerdem ihr Studium im Fach Buchhandel / Verlagswirtschaft …

3.2 Fassen Sie nun die wichtigsten Etappen Ihres eigenen Lebenslaufs schriftlich zusammen.

4 Bewerbungsgespräch – Beantworten Sie die Fragen und verwenden Sie dabei additive Konnektoren. Zu zweit können Sie ein Rollenspiel durchführen.

- Bitte beschreiben Sie kurz Ihren Ausbildungsweg.
- Welche Tätigkeiten haben Sie bisher ausgeübt und welche Erfahrungen haben Sie gesammelt?
- Auf welche Leistungen sind Sie in Ihrem bisherigen Lebensweg besonders stolz?
- Wie stellen Sie sich Ihre Tätigkeit in unserem Unternehmen vor?
- …

3.2 temporal: Zeit

1 Hören Sie das Gespräch im Reisebüro und unterstreichen Sie alle temporalen
Konnektoren. Markieren Sie Subjunktionen, Verbindungsadverbien und Präpositionen
unterschiedlich.

 2

HEINRICH:	Wir möchten nächstes Jahr über die Osterfeiertage nach Leipzig fahren und dafür eine Reise buchen. Können Sie uns da vielleicht einen Vorschlag machen?
BERATERIN:	Für Sie beide oder noch jemand anders?
HEINRICH:	Für meine Frau und mich.
BERATERIN:	Und wie lange soll die Reise dauern?
KÄTHE:	Insgesamt 5 Tage.
BERATERIN:	Seit Mitte August haben wir ein Topangebot. Sie starten am Gründonnerstag und wären dann am Ostermontag gegen 18.00 Uhr zurück in Stuttgart. Auf dem Weg nach Leipzig würden Sie einen Zwischenstopp in Dessau machen. Das heißt, bevor Sie nach Leipzig fahren, haben Sie sogar noch die Möglichkeit das Bauhaus und die Innenstadt von Dessau zu besichtigen.
KÄTHE:	Und wann kämen wir dann in Leipzig an?
BERATERIN:	Nach einer Übernachtung in Dessau würden Sie Karfreitag gegen Mittag in Leipzig ankommen. Ihr Hotel würde direkt in der Ritterstraße liegen. Von dort aus starten jeden Tag verschiedene Ausflüge. Das Programm ist sehr vielseitig. Hier, ich gebe Ihnen die Broschüre, damit Sie sich das Programm näher anschauen können.
KÄTHE:	Das klingt wunderbar. Ich würde vorschlagen, dass wir uns nochmal melden, nachdem wir uns einen Überblick verschafft haben.
BERATERIN:	Alles klar, dann bis dahin. Falls Sie Fragen haben, rufen Sie mich doch einfach an.
KÄTHE UND HEINRICH:	Auf Wiedersehen.
BERATERIN:	Auf Wiedersehen.

2.1 Lesen Sie die Postkarte und ergänzen Sie die Konnektoren aus dem Schüttelkasten.

zuvor • während • nach • bis (2x) • nachdem • als

Liebe Hildegard,

wir senden liebe Urlaubsgrüße aus Leipzig! Die Zugfahrt nach Leipzig ist problemlos verlaufen. _____ haben wir einen Stopp in Dessau eingelegt. Das hat sich wirklich gelohnt!
_____ Heinrich sich das bekannte Bauhaus angeschaut hat, bin ich an der Mulde
spazieren gegangen. _____ dem Kurzaufenthalt sind wir dann einen Tag später nach
Leipzig weitergefahren. Gleich als erstes haben wir an einer Führung durch das neue Museum
der Bildenden Künste teilgenommen. Anschließend sind wir durch die wunderschöne
Innenstadt geschlendert, _____ es Abend wurde. _____ wir uns in Auerbachs Keller
(Goethes Faust!) gestärkt hatten, waren wir im Gewandhaus bei Wladimir Kaminer. Wir haben
herzlich gelacht! _____ die Lesung vorbei war, sind wir im Barfußgäßchen in eine Jazz-Bar
eingekehrt und so lange geblieben, _____ die Musiker ihre Instrumente eingepackt haben.
Wenn das Wetter so regnerisch bleibt, dann fällt unser für morgen geplanter Radausflug
wortwörtlich ins Wasser. Drückt uns die Daumen, dass es besser wird!
Viele Grüße senden
Käthe und Heinrich

2.2 Bringen Sie die Ereignisse in die richtige Reihenfolge.

> Spaziergang durch die Innenstadt • Stopp in Dessau • Ankunft in Leipzig • Gewandhaus
> • Jazz-Bar • Führung durchs Museum • Käthe spaziert an der Mulde • es wird Abend •
> Musiker packen Instrumente ein • Auerbachs Keller

	Heinrich besichtigt das Bauhaus							

2.3 Bestimmen Sie, ob es sich bei den Konnektoren aus dem Schüttelkasten in 2.1 um
Subjunktionen, Verbindungsadverbien oder Präpositionen handelt und ob sie Vor-,
Gleich- oder Nachzeitigkeit ausdrücken.

Temporale Satzverbindungen

	Subjunktionen (Nebensatz)	Verbindungsadverbien	Präpositionen
vorzeitig	sobald, _____ , _____	vorher, bis dahin, _____	seit (+ D), _____
gleichzeitig	als, _____ , _____ , solange	währenddessen, inzwischen	bei (+ D), während (+G)
nachzeitig	_____ , bevor, ehe	(gleich) danach, dann, seitdem	vor (+ D), _____ , bis zu (+ D)

Temporale Konnektoren

* verdeutlichen das zeitliche Verhältnis zwischen Ereignissen.
* zeigen, ob etwas vor-, nach- oder gleichzeitig mit anderen Ereignissen stattfindet.
* drücken aus, ob etwas einmalig oder wiederholt geschieht:
  Als die Lesung vorbei war, sind wir im Barfußgäßchen in eine Jazz-Bar eingekehrt. → einmaliges Ereignis in der Vergangenheit
  (Immer) wenn es regnet, findet statt der Radtour ein Ausflug mit dem Bus statt. → wiederholte Handlung in der Gegenwart und Vergangenheit
* drücken auch die Dauer von gleichzeitig ablaufenden Ereignissen aus:
  Während Heinrich sich das Bauhaus angeschaut hat, bin ich spazieren gegangen. → A und B verlaufen vollständig oder teilweise parallel
  Solange wir in Leipzig waren (A), regnete es (B). → B verläuft im gesamten Zeitraum von A
  Seit / seitdem wir in Leipzig sind (A), regnet es (B). → A und B verlaufen vollständig parallel bis zum Sprechzeitpunkt

3 Ergänzen Sie folgende Sätze.

Als ich am Morgen …
Wenn ich morgens aufstehe, …
Solange mein Freund / meine Freundin telefoniert, …
Während mein Freund / meine Freundin schlief, …

4.1 Verbinden Sie die Sätze durch die vorgegebenen Verbindungsadverbien in der Anleitung für den Bootsbau.

> dabei • dann • später • nach • ~~zuvor~~ • danach • nachdem • bevor • inzwischen • als erstes • während

Ein Boot aus Ästen und einer wasserdichten Plastik-Folie ist schnell gebastelt. _Zuvor_ benötigt man drei ca. 4 Meter lange gerade und astfreie Äste von der Stärke eines Besenstiels (zwei kurze können auch zu einem langen zusammengebunden werden). Außerdem benötigt man etwa 15 Stöcke á 150 bis 200 cm. _____ wird Ast a in die Erde gerammt. Er bestimmt Länge und Höhe des Bootes. Darüber spannt man b. Er bestimmt die breiteste Stelle des Bootes. _____ folgen zweimal c. a und 2 x c werden an den beiden Kreuzungspunkten gut zusammengebunden. _____ folgen zwei Ruderbänke d die aber nicht zum Sitzen gedacht sind! Sie sichern das Boot _____ gegen das Wieder-Flach-Werden. Nun folgen etwa acht fingerdicke Spanten, die wie b über den Kiel gebogen werden. Alle Berührungspunkte der Äste werden stramm mit Bindfaden verbunden. _____ legt man die Bindfäden am besten doppelt – das erspart die halbe Arbeit – und schließlich dreimal stramm eine Taille (e). Die weiteren Äste in Längsrichtung können durch die Spanten hindurchgeflochten oder, wie die Zeichnung es zeigt, ebenfalls gebunden werden. Wichtig ist, auf Festigkeit der Bindungen zu achten. _____ zwei Tagen schrumpfen die Äste.

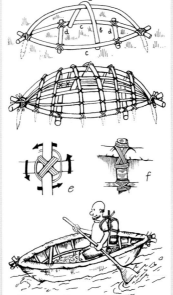

Dann besteht die Gefahr, dass die Bindungen sich lockern. _____ das Gerippe aus dem Boden gezogen wurde, werden alle überstehenden Ast-Enden auf 5 cm Länge gestutzt. Dann wird es, Öffnung nach oben, auf die auf der Erde liegende Folie (oder Rinderhaut) gelegt. Die Folie wird von außen über die Bootsränder nach innen ins Boot eingeschlagen und mit kurzen Bindfäden um die überstehenden Stutzen und an den Spanten verzurrt (f). Diese Bindung muss nicht mehr so stramm sein. Hat man reichlich Folie, genügt ein einfaches Nach-innen-Einschlagen. Ohne Bindungen. _____ man lospaddeln kann, wird das Boot, zum bequemeren Sitzen, halb gefüllt mit Gras o. ä. Polstermaterial. _____ werden die Paddel aus langen Holzstangen besorgt. _____ das Boot ideal auf strömendem Wasser ist, kann es, umgedreht, auch als Zelt dienen. Oder, schräg, als Windschutz. Oder, schräg, als Hitzereflektor, wenn man sich zwischen Feuer und Boot niederlegt oder als Hängematte. Oder zum Transport eines Verletzten mit zwei Trägern über Land.

Dieses Boot ist ein Muss für jedes Survival-Training!

Quelle: Rüdiger Nehberg: Survival-Lexikon. © 1998 Piper Verlag GmbH, München

4.2 Nominalisieren Sie die unterstrichenen Sätze. Verwenden Sie die vorgegebenen Präpositionen.

1. Vor (+ Dativ): _Vor dem Bau eines Bootes benötigt man drei ca. 4 Meter lange gerade und astfreie Äste von der Stärke eines Besenstiels._

2. Nach (+ Dativ): _____

   _____

3. Vor (+ Dativ): _____

   _____

5 Wohin sind Sie zuletzt verreist? Verfassen Sie einen Reisebericht und verwenden Sie dabei temporale Konnektoren.   ⇨ Kapitel 5.2 : Vergangenheit

2.3.3 konditional: Bedingung

1.1 Lesen Sie das Interview mit Roman Rausch und ergänzen Sie in der Tabelle, ob die Bedingung jeweils im Haupt- oder Nebensatz steht.

Interview mit Roman Rausch

Roman Rausch wurde 1961 in Würzburg geboren. Unter anderem schrieb er den deutschen Thriller „Und ewig seid Ihr mein". 2002 gründete er gemeinsam mit Blanka Stipetic die Schreibakademie storials.com. Für die Kilian-Trilogie erhielt er 2002 auf der Leipziger Buchmesse den Books on Demand-Autoren Award. Seit 2003 erscheinen seine Bücher im Rowohlt Verlag. Zu seinem bisherigen Hauptwerk zählen zwei voneinander unabhängige Reihen und ein historischer Roman.

Lieber Herr Rausch, zunächst einmal vielen Dank für die Möglichkeit eines schriftlichen Interviews. In „Und ewig seid Ihr mein" sind die Morde ja recht detailreich beschrieben, wie lange und intensiv haben Sie für diese Praktiken recherchiert?
Sehr, sehr lange, und vor allem intensiv. Ich habe einige Fälle von Serienmördern studiert, insbesondere die des Rhein-Ruhr-Rippers Frank Gust. <u>Wenn man versucht diesen Wahnsinn in Literatur zu verwandeln, dann merkt man, wie schwer das ist</u> [1] – <u>sofern man halbwegs bei der Wahrheit bleiben will</u> [2]. Der Profiler Thomas Müller hat mal geschrieben: „Es gibt Erlebniswelten, die uns verschlossen bleiben." Anders ausgedrückt: <u>Man kann sich nicht vorstellen, was in solchen Hirnen abläuft, es sei denn, man verfügt über hellseherische Kräfte.</u> [3]

<u>Wie viele Stunden verbringen Sie in der Woche mit dem Schreiben und was tun Sie, falls Sie mal eine Schreibblockade haben?</u> [4]
Ab 9 Uhr morgens sorge ich dafür, dass die Muse mich küsst*. <u>Ich sollte dann zum Abendessen pünktlich erscheinen, sonst ärgern sich meine Freundin und mein Sohn.</u> [5] Schreibblockade? Was soll denn das sein? Wer nichts zu sagen hat, braucht auch nicht zu schreiben. Eine Schreibblockade ist ein untrügliches Zeichen dafür, dass der Gedanke nicht klar ist.
Schreiben Sie gerade an einem neuen Roman? <u>Falls ja, verraten Sie uns schon etwas?</u> [6]
<u>Sofern der Verlag akzeptiert, dass ich an einem weiteren historischen Roman schreibe.</u> [7] Ein wahrhaft brenzliges Thema aus Würzburg im Jahr 1628. <u>Die Geschichtskundigen dürften sofort wissen, worum es dabei geht – andernfalls googeln.</u> [8]
<u>Was würden Sie den Lesern raten, wenn Sie selbst einen Thriller schreiben möchten?</u> [9] Gibt es Geheimtipps?
Keine Geheimtipps, sondern profunde Recherche. <u>Recherchieren Sie bloß gründlich, ansonsten merkt man sehr schnell, wenn sich ein Autor nur etwas ausgedacht hat.</u> [10]
Zu guter Letzt haben Sie noch das Wort speziell an Ihre Leser:
Bleiben Sie mir treu und vor allem offen für Neues.
Vielen Dank für die Antworten und den netten Kontakt.

* *von der Muse geküsst werden:* kreativ sein, Inspiration haben

Quelle: Michaela Gutowsky (www.gutowsky-online.de)

| Die Bedingung steht im … | Hauptsatz: __, __, __ |
| | Nebensatz: __, __, __, __, __, __, __ |

1.2 Ordnen Sie die markierten Sätze 5, 8 und 10 den Funktionen zu.

Eine Annahme oder sichere Vermutung wird ausgedrückt:	
Wenn die Bedingung nicht erfüllt ist, entstehen Probleme:	
Ein Befehl oder dringender Ratschlag wird ausgedrückt:	

Konditionale Satzverbindungen

Anweisungen und Bedingungen können unterschiedliche Bedeutungen und Funktionen haben.
Es kann z.B. eine Bedrohung oder Warnung ausgesprochen werden oder deutlich gemacht
werden, dass Probleme entstehen können, falls eine Bedingung nicht erfüllt wird.
* *Falls* bedeutet, dass es eher unwahrscheinlich ist, dass die Bedingung zutrifft.
* *Sonst / ansonsten / andernfalls* wird verwendet, um einen gegensätzlichen Fall auszudrücken.

⇨ Unerfüllbare Bedingungen:
Kapitel 7.3

2.1 Formulieren Sie im folgenden Gespräch Bedingungssätze aus den Elementen. Hören Sie
dann das Gespräch um Ihre Lösung zu überprüfen.

◎ 3

KOLLEGIN:　　　Hallo Roman!
> *Falls Du keinen neuen Roman schreibst, würde ich mich wundern.*

ROMAN RAUSCH: > _____
_____
KOLLEGIN:> _____
_____
ROMAN RAUSCH: > _____
_____
_____
KOLLEGIN:　　　> _____
ROMAN RAUSCH: > _____
_____

(sich wundern – keinen neuen Roman
schreiben – falls)

(keinen guten Thriller schreiben – viel Zeit
einplanen – andernfalls)
(der Verlag akzeptiert ein neues Buch – ein
interessantes Thema wählen – wenn)
(das brenzlige Thema aus Würzburg im Jahr
1628 wählen – der Verlag publiziert den
Roman – falls)
(in Eile sein – wir sprechen morgen – wenn)
(zum Abendbrot nicht pünktlich sein –
rechtzeitig nach Hause müssen – sonst)

2.2 Ergänzen Sie nun die Tabelle mit den konditionalen Konnektoren (später werden
weitere ergänzt).

Konditionale Satzverbindungen

Subjunktionen	Verbindungsadverbien	Präpositionen mit ähnlicher Bedeutung
falls, _____, _____	andernfalls, _____, _____	im Falle (+ Genitiv), _____, _____, ohne (+ Akkusativ)

2.3 Formulieren Sie Konditionalsätze mit den verschiedenen Satzanfängen.

Falls ich eine Schreibblockade habe, (dann) sorge ich dafür, dass die Muse mich küsst.

Gesetzt den Fall, _____
_____.

Angenommen, _____
_____.

41

3.1 Lesen Sie die Bibliotheksordnung und ergänzen Sie die konditionalen Konnektoren.

> falls • andernfalls • wenn • sofern • im Falle • bei

§ 4 Allgemeine Rechte und Pflichten der Benutzer

_____ Schäden und Verluste am Bibliotheksgut während der Benutzung entstanden sind, hat der Benutzer in angemessener Frist vollwertigen Ersatz zu leisten. _____ bleibt es der Zentralen Hochschulbibliothek überlassen, einen Schadensersatzbetrag für die Wiederbeschaffung festzusetzen oder auf Kosten des Benutzers eine Reproduktion zu besorgen. _____ unersetzbaren Werken kann neben dem Ersatz der Kosten für die Herstellung der Reproduktion voller Wertersatz gefordert werden. _____ ein beschädigtes Werk in Stand gesetzt werden kann, ersetzt der Benutzer die Kosten. _____ einer Instandsetzung eines beschädigten Werks, kann die Bibliothek auf einen vollwertigen Ersatz verzichten, _____ die Wertminderung des beschädigten Bibliotheksgutes durch Zahlung eines entsprechenden Beitrags ausgeglichen wird.

Auszug aus einer Bibliotheksordnung

3.2 Nominalisieren Sie die Bedingungen mit den vorgegebenen Präpositionen und ergänzen Sie die Tabelle in Aufgabe 3.

a Falls Schäden und Verluste am Bibliotheksgut während der Benutzung entstanden sind, hat der Benutzer in angemessener Frist vollwertigen Ersatz zu leisten.
  > Im Falle von Schäden und Verlusten am Bibliotheksgut während der Benutzung hat der Benutzer in angemessener Frist vollwertigen Ersatz zu leisten.

b Die Bibliothek kann auf einen vollwertigen Ersatz verzichten, wenn die Wertminderung des beschädigten Bibliotheksgutes ausgeglichen wird.

  > Bei _____

  _____

c Sofern ein beschädigtes Werk in Stand gesetzt werden kann, ersetzt der Benutzer die Kosten.

  > Bei _____

4 Suchen Sie eine Ordnung (Hausordnung, Studienordnung etc.) im Internet. Welche Bedingungen werden formuliert? Ändern Sie Bedingungen, fügen Sie neue hinzu und begründen Sie diese nachvollziehbar.

Falls Sie …, (dann) …
Wenn Sie sich eine DVD ausleihen möchten, (dann) …
Gesetzt den Fall, dass …
Angenommen, dass …
…, es sei denn, man …

8.4 kausal: Begründung

1.1 Was meinen Sie: Warum macht man Salz ins Kochwasser? Warum freut man sich wie ein Schneekönig? Warum gibt es in südlichen Regionen mehr Gifttiere als in Deutschland? Formulieren Sie Begründungen.

> ✔ **Das lernen Sie:**
> – kausale Konnektoren und die Besonderheiten bei der Wortstellung
> – alltagssprachliche Verwendung von *weil*

1.2 Hören Sie nun die Erklärungen des Berliner Rundfunks aus der Sendung „Warum? Darum!" und unterstreichen Sie die kausalen Konnektoren.

◎ 4

„Warum macht man Salz ins Kochwasser?
Schlaubi Schlümpfe werden jetzt sofort rufen: „Na weil das Salz den Siedepunkt des Wassers erhöht und weil das Gemüse dann schneller gar ist!" Schöne Idee, ist aber trotzdem falsch, denn wenn man 30 Gramm in ein' Liter Wasser gibt, dann erhöht sich die Siedetemperatur gerade mal um ein halbes Grad Celsius und die Kochzeit verkürzt sich um weniger als eine Sekunde. Andere werden jetzt sagen: „Das Salz gibt man ins Kochwasser, damit die Kartoffeln oder Nudeln den Salzgeschmack annehmen." Ja, nee, stimmt so nicht, wie ich auf einer schlauen Internetseite und in einem alten Schulbuch gefunden habe. Wenn Sie mal an ihren Biologieunterricht zurückdenken, dann erinnern Sie sich bestimmt daran, dass da auch mal das Wort Osmose gefallen ist. Das meint, dass sich Lösungen, wenn sie aufeinander treffen, in ihrer Konzentration ausgleichen. Das Salz sorgt nun dafür, dass das Gemüse nicht sein Aroma verliert, denn es verhindert, dass zu viel Wasser in das Gemüse wandert und all die Würze des Gemüses ins Wasser. Warum? Warum, Warum? Darum! Beim Berliner Rundfunk 91.4. Mit Simone Panteleit. "

„Warum freut man sich eigentlich wie ein Schneekönig?
Schneekönig ist eine andere Bezeichnung für den Zaunkönig, ein ziemlich unscheinbarer Singvogel, der im Winter nicht nach Süden zieht, sondern hier bei uns bleibt. Den umgangssprachlichen Namen Schneekönig hat er bekommen, weil er selbst im tiefsten Schnee und Eis noch fröhlich vor sich hin trällert, als wäre es bereits schönster Frühling und deshalb werden Menschen, die sehr gute Laune haben und sich freuen, ebenfalls als Schneekönige bezeichnet. Warum? Warum, Warum? Darum! Beim Berliner Rundfunk 91.4. Mit Simone Panteleit."

„Warum gibt es im Süden mehr Gifttiere als bei uns?
In Südeuropa, Südamerika und Afrika gibt es wegen der höheren Durchschnittstemperaturen grundsätzlich eine größere Artenvielfalt als hier bei uns. Die Konkurrenz um Lebensraum und Futter ist da deshalb auch deutlich größer. Ein gutes Mittel um störende Mitbewohner aus dem Weg zu räumen oder für eine schnelle Mahlzeit zu sorgen ist da Gift. Deshalb gibt es in den südlichen Ländern mehr Gifttiere als bspw. in Deutschland. Das könnte sich aber in naher Zukunft ändern. Durch den Klimawandel könnten nämlich viele gefährliche Tiere auch hier bei uns heimisch werden. […]"

1.3 Ordnen Sie nun die unterstrichenen Beispiele in die Tabelle ein.

Hauptsatz und Nebensatz	Konjunktion auf Position 0	Nebensatz

Hauptsatz	Subjunktion	Nebensatz
		, …

Hauptsatz (Verbindungsadverb auf Position 1 oder im Mittelfeld)

1.4 Lesen Sie die Sätze aus Aufgabe 1.3 noch einmal und ergänzen Sie die Erklärung.

> Hauptsatzes • Grund • zweiten • Nebensatz

Kausale Satzverbindungen

- *Weil* leitet einen Nebensatz ein, der den Inhalt des _____ begründet.

- *Denn* (und *da*) gibt eher einen zusätzlichen _____ an oder eine Begründung für die Äußerungen an sich. *Denn* ist also meistens keine direkte Begründung für das im Hauptsatz Geäußerte.

- Der _____ mit *weil/da* steht vor oder nach dem Hauptsatz.

- *Denn* steht immer im _____ Hauptsatz.

1.5 Welche Redewendungen kennen Sie im Deutschen und wo haben sie ihren Ursprung? Recherchieren Sie in einem Lexikon der sprichwörtlichen Redensarten. Benutzen Sie bei Ihrer Erläuterung kausale Konnektoren.

> Man sagt im Deutschen „Ach du grüne Neune!" aufgrund …
> Man sagt „wie das Schwein ins Uhrwerk gucken", weil…
> …

2 Hören Sie das Gespräch in der Wohngemeinschaft (WG) und unterstreichen Sie die kausalen Konnektoren und Präpositionen.

🔊 5

ANDREA:	Ich konnte letzte Nacht wirklich überhaupt nicht schlafen, weil die haben da drüben wirklich alle fünf Minuten rumgebrüllt.
MARTIN:	Ich wollte zur Abwechslung mal durchschlafen, deswegen hab ich bei Thorsten übernachtet. Denn ich hab mir schon gedacht, dass im Maximus wieder die Post abgeht!
ANDREA:	Ich halte das nicht mehr aus, wir müssen jetzt endlich was unternehmen.
MARTIN:	Aber nur wegen Lärm gleich die Polizei rufen? Das ist doch voll spießig …
ANDREA:	Mir ist das mittlerweile echt egal. Vor lauter Schlafmangel hab ich ständig Kopfschmerzen. Wir sollten wirklich nicht länger zögern, nur weil es uns zu peinlich ist, uns zu beschweren.
MARTIN:	Na gut, dann lass uns gleich mal nen Brief schreiben. Kannst du mal deinen Bruder fragen, bei wem wir uns beschweren müssen, ich hab nämlich keine Ahnung, ob Polizei oder Ordnungsamt oder was weiß ich wo …
ANDREA:	Okay, dann ruf ich ihn deshalb gleich mal an …

  Das hört man auch:

Ich konnte letzte Nacht wirklich überhaupt nicht schlafen, weil die haben da drüben wirklich alle fünf Minuten rumgebrüllt.
In informellen Texten wird *weil* wie eine Konjunktion mit gleicher Wortstellung wie in Hauptsätzen verwendet; quasi wie eine alltagssprachliche Variante von *denn*.

3   Ergänzen Sie in dem Brief an das Ordnungsamt die Konnektoren aus dem Schüttelkasten.

> aufgrund • weil • daher • da

Martin Kreiner
Hansedorfstraße 5
13362 Berlin

Ordnungsamt Berlin
Fröbelstraße 17
10405 Berlin

Berlin, den 15.11.2011

Betreff: Nächtliche Ruhestörung durch Diskothek

Sehr geehrte/r Mitarbeiter/in des Ordnungsamtes,

gegenüber unserer Wohnung in der Hansedorfstraße 5 in 13362 Berlin
befindet sich die Diskothek „Maximus". In der Nacht werden wir oft um
den Schlaf gebracht, _____ durch die ständig offen stehende Tür die
Musik zu hören ist. Zusätzlich ist unser nächtliches Wohlbefinden
permanent gestört, _____ die Diskothek eine extrem starke
Reklamebeleuchtung hat, die ab 21 Uhr eingeschaltet wird. _____
der chronischen Schlafstörungen ist unsere Gesundheit zunehmend
strapaziert. _____ bitten wir um eine Prüfung, ob Dämmung sowie
Leuchtanlage der Diskothek einer Wohngegend angemessen sind.

Falls Sie Fragen haben sollten, zögern Sie bitte nicht mich zu
kontaktieren.

Mit freundlichen Grüßen
Martin Kreiner

4   Schauen Sie sich die Position der kausalen Konnektoren und Präpositionen in den Texten
der Aufgaben 1.2, 2 und 3 noch einmal an. Ordnen Sie diese dann in die Tabelle ein.

Kausale Satzverbindungen

Konjunktion	Subjunktionen	Verbindungsadverbien (Position 1 oder Mittelfeld)	Präpositionen
_____	_____, _____	nämlich (nicht Position 1), aus diesem Grund, _____, _____, _____	wegen (+ G oder D), _____, _____, _____

5   Nun haben Sie die Möglichkeit sich zu beschweren. Verfassen Sie einen Beschwerdebrief
an Ihren Vermieter wie in Aufgabe 3.

2.3.5 final: Absicht

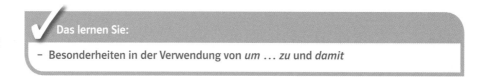

Das lernen Sie:

– Besonderheiten in der Verwendung von *um … zu* und *damit*

1.1 Lesen Sie den Artikel aus einem Ratgebermagazin und entscheiden Sie, ob es sich bei den unterstrichenen Sätzen jeweils um das Ziel (Z) oder die Handlung (H) handelt.

Auf einen Blick: Ärzte und Gesundheit

Gesund durchs ganze Jahr
Um gesund zu bleiben (Z), benötigt man mehr als nur gute Ärzte (H). Gesundheit liegt zu einem großen Teil in unserer eigenen Hand. Die deutsche Gesundheitspolitik und das Gesundheitswesen nehmen immer mehr den Einzelnen in die Verantwortung ( ), damit die Krankenkassen und Ärzte entlastet werden ( ).

Was kann man tun, um gesund durchs ganze Jahr zu kommen? Im Winter grassieren Erkältungskrankheiten mit Schnupfen und Husten. Kaltes und feuchtes Wetter verlangt unserem Immunsystem einiges ab. Um den Erregern eine geringe Angriffsfläche zu bieten und das Immunsystem zu stärken ( ), ist eine gesunde Lebensweise mit vitaminreicher Ernährung und ausreichendem Schlaf besonders wichtig ( ).

Zur körperlichen Abhärtung tragen Wechselduschen und Saunen bei. Damit man eine so genannte Winterdepression eindämmt ( ), die bei geringer Tageslichtdauer auftritt, kann man an sonnigen Tagen spazieren gehen, das Solarium besuchen oder pflanzliche Heilmittel wie Johanniskraut einnehmen ( ). Wenn dies nicht ausreicht, sollte eine richtige Lichttherapie ins Auge gefasst werden.

1.2 Lesen Sie noch einmal die unterstrichenen Sätze im Ratgebertext und ergänzen Sie die Erklärung.

> damit • um … zu • können

Finale Satzverbindungen

- Wenn im Haupt- und Nebensatz das gleiche Subjekt verwendet wird, dann kann der Nebensatz mit _____ gebildet werden.

- Wenn das Subjekt im Haupt- und Nebensatz unterschiedlich ist, dann muss der Nebensatz mit _____ gebildet werden.

- Bei Nebensätzen mit *damit* kann unter Umständen das Modalverb _____ eingefügt werden.

- Bei Hauptsatz-Hauptsatz-Verbindungen mit Verbindungsadverb werden häufig *möchte, wollen, sollen* eingefügt, um die Absicht zu verdeutlichen.

2 Hören Sie das Gespräch und ordnen Sie die fehlenden Handlungen und Ziele zu. ⑨ 6

Handlung	Ziel
am Wochenende frühstücken	_____
Klavier üben	_____
Hausaufgaben machen	_____
_____	Photosynthese erklären

3 Nominalisieren Sie die Sätze mit den angegebenen Präpositionen.

a Damit wir den anstehenden Geburtstag von Oma Hilde besprechen können.
  > *Für die Besprechung des anstehenden Geburtstags von Oma Hilde …*

b Um dich auf den Auftritt vorzubereiten, den du am Wochenende hast.

  > Zur _____

c Damit du dein Allgemeinwissen verbesserst.

  > Zur _____

4 Ergänzen Sie den Ratgebertext mit den entsprechenden finalen Konnektoren.

> zu diesem Zweck • für • damit (2x)

Reisen – Ärzte und Gesundheit im Ausland

Nicht an allen Urlaubsorten gibt es deutschsprachige Ärzte. _____ man auch im Ausland ärztlich gut versorgt ist, sollte man sich vor der Reise über Kliniken und Arztpraxen mit deutschsprachigem Personal informieren. _____ empfiehlt es sich, Ärztelisten von den Webseiten der deutschen Botschaft im Urlaubsland herunterzuladen bzw. die Ratschläge des Gesundheitsdienstes des Auswärtigen Amtes auf deren Webseite anzuschauen. Wer verschreibungspflichtige Medikamente benötigt, sollte sich diese vor dem Urlaub in ausreichender Menge verschreiben lassen, _____ man auch dann mit Medikamenten versorgt ist, wenn der Urlaub, z.B. wegen eines Streiks, kurzfristig verlängert werden muss. Lebenswichtige Medikamente gehören ins Handgepäck, denn das Klima im Gepäckraum ist nicht ideal für alle Medikamente, abgesehen von der Gefahr eines Gepäckverlusts.
Wegen der verschärften Sicherheitsbestimmungen an EU- und US-Flughäfen ist es ratsam, ein ärztliches Attest oder eine beglaubigte Rezeptkopie (auch in englischer Sprache) mitzuführen. _____ Medikamente, die unter das Betäubungsmittelgesetz fallen, ist dies Pflicht!

Finale Satzverbindungen

Subjunktionen	Verbindungsadverbien	Präpositionen
um … zu, damit	dafür	zwecks (+ G), für (+A), zu (+D), zu diesem Zweck (+G)

5 Welche Empfehlungen würden Sie für bestimmte Reiseorte geben? Ergänzen Sie weitere Länder und verwenden Sie bei den Empfehlungen die Beispiele aus der Tabelle.

> Spanien im Sommer: *Damit Sie Ihre Haut ideal vor der Sonne schützen, ist es empfehlenswert, Sonnencreme mit einem hohen Lichtschutzfaktor zu verwenden. …*
> Norwegen im Winter: …
> …

2.3.6 konsekutiv: Folge

> **Das lernen Sie:**
>
> – Verwendung und Funktion von konsekutiven Konnektoren
> – Unterscheidung von *so ..., dass* und *sodass*

1.1 Lesen Sie das Interview und markieren Sie die konsekutiven Konnektoren. Ergänzen Sie die Verbindungsadverbien in der Übersicht (später werden weitere ergänzt).

Tipps für Autofahrer beim Verkehrsunfall: Interview mit Wolfgang Schmidt, Experte für Verkehrssicherheit

Herr Schmidt, vielen Dank, dass Sie sich für unser Interview Zeit nehmen.

W.S.: Guten Tag. Sehr gern.

Also lassen Sie uns anfangen mit der ersten Frage. Was würden Sie mir als Autofahrer als erstes raten, wenn ein Unfall passiert ist?

W.S.: Das erste Gebot: Anhalten! Das Gesetz verpflichtet jeden, dessen Verhalten zum Unfall beigetragen haben kann, zunächst am Unfallort zu bleiben. Ausnahmen gelten nur in Notfällen, z. B. wenn ein schwer Verletzter versorgt werden muss. Dann müssen Sie aber unverzüglich nachträglich die notwendigen Feststellungen ermöglichen.

Anhalten und Melden sind also das A und O. Was passiert ansonsten?

W.S.: Unfallflucht wird streng geahndet, sodass Sie das Führerschein und Versicherungsschutz kosten kann. Obendrein bringt sie Ihnen eine empfindliche Strafe ein. Nach § 142 des Strafgesetzbuchs macht sich grundsätzlich strafbar, wer sich als Unfallbeteiligter vom Unfallort entfernt, ohne die Feststellung seiner Personalien, seines Fahrzeugs oder der Art seiner Beteiligung zu ermöglichen.

Was muss ich denn bei einem Unfall alles angeben?

W.S.: Also, Sie müssen auf Verlangen Ihren Namen und Ihre Anschrift angeben, Führerschein und Fahrzeug-schein vorweisen und nach bestem Wissen Angaben über Ihre Versicherung machen. Außerdem müssen Sie berichten, in welcher Weise Sie an dem Unfall beteiligt waren. Andernfalls machen Sie sich strafbar!

Also sollte ich mir den Unfallhergang möglichst gut einprägen. Ist denn bei der Schilderung des Unfallhergangs etwas Bestimmtes zu beachten?

W.S.: Ja, berichten Sie so genau, dass man den Tathergang gut nachvollziehen kann und der Bericht trotzdem leicht verständlich ist. Ist niemand an der Unfallstelle zu sehen, z. B. weil Sie gegen ein geparktes Auto gestoßen sind, so müssen Sie in jedem Fall eine angemessene Zeit warten.

Wie lange müsste ich am Unfallort warten?

W.S.: Das hängt von den Umständen ab, also etwa Tageszeit, Ort und Schwere des Unfalls. Kommt in dieser Zeit niemand, so dürfen Sie sich entfernen, haben aber unverzüglich dem Geschädigten oder einer nahe gelegenen Polizeidienststelle zu melden, dass Sie am Unfall beteiligt gewesen sind.

Muss ich eine solche Meldung auch machen, wenn ich mich berechtigt vom Unfallort entfernt habe, z. B. weil ich mich um einen Verletzten gekümmert habe?

W.S.: Wie gesagt, laut Gesetz müssen Sie als Beteiligter am Unfallort bleiben. Verlassen Sie einfach den Unfallort, machen Sie sich demzufolge strafbar!

Konsekutive Satzverbindungen

Subjunktionen	Verbindungsadverbien	Präpositionen mit ähnlicher Bedeutung
zu ..., als dass; sodass;	demnach, _____, _____, _____,	*zu* (+D)
so ..., dass	_____, _____	

- *Sodass* leitet einen Nebensatz ein, in welchem die Folge des Hauptsatzes genannt wird.

- *So ..., dass* kann mit einem Adjektiv oder Adverb verwendet werden, die Folge steht dann im Nebensatz.

1.2 Im Interview wird häufig *also* verwendet. Lesen Sie den Text noch einmal und achten Sie auf die verschiedenen Bedeutungen. Ordnen Sie den angegebenen Funktionen jeweils einen passenden Beispielsatz zu.

Exkurs: Bedeutungen von *also*

Das Wort *also* ist nicht nur ein konsekutiver Konnektor, sondern hat verschiedene Bedeutungen:

- Einleitung eines neuen Themas oder Gesprächabschnitts und Gewinnung von Planungszeit
  > *Also lassen Sie uns anfangen mit der ersten Frage.*

  > _____

- Einleitung einer Erläuterung oder Präzisierung

  > _____

2.1 Sie haben einen Verkehrsunfall beobachtet und sollen nun den Hergang der Polizei aus Ihrer Perspektive berichten. Formulieren Sie einen Zeugenbericht und verwenden Sie dabei konsekutive Konnektoren.

Zeugen gesucht! Verkehrsunfall am Mittwochvormittag mit schwer verletzter Radfahrerin

Sie haben einen männlichen Autofahrer vom Grundstück der Landgrafenstraße 3 fahren sehen? Es ist anzunehmen, dass er nach rechts in die Landgrafenstraße in Fahrtrichtung Staufenstraße abbiegen wollte, weil in der oberen Hälfte gebaut wird und die Straße gesperrt ist. Gleichzeitig befuhr eine 55jährige Frau mit ihrem Fahrrad den linken Gehweg der Kölner Straße in Richtung Hainallee. In dieser Fahrrichtung ist kein Radweg vorhanden. Vermutlich erlitt sie einen Schwächeanfall und konnte ihr Fahrrad nicht sicher fahren. Sie prallte auf dem Gehweg gegen die rechte Fahrzeugseite und stürzte über die Motorhaube auf den Boden. Hierbei verletzte sie sich und wurde zur stationären Behandlung ins Krankenhaus gebracht. Der Autofahrer flüchtete.

Autofahrer sind verpflichtet, beim Verlassen von Ausfahrten auf Radfahrer oder Fußgänger zu achten; erwachsene Radfahrer wiederum dürfen nicht auf dem Gehweg fahren.

Bitte ausgefüllt zurücksenden an:

Polizeiwache 203/9   **Zeugendaten:**
Hauptstädter Straße 30   Name: Kleinert, Thomas
44287 Dortmund   Straße: Rahestr. 36
                             Ort: 44122 Dortmund

Zeugenbericht

Ereignisdaten:
Betrifft: Fahrradunfall auf der Landgrafenstraße
vom: 15.08.2011
Ort: Dortmund
Beteiligte: Sabine Strobel und Hannes Rath

Kurze Beschreibung des Beobachteten:
Ich befand mich zum Zeitpunkt des Unfalls auf der Landgrafenstraße, so dass ich den Verlauf gut beobachten konnte. Ich sah eine Frau mit dem Fahrrad auf mich zukommen ....
....
....
....
....

 Tipp:
Berichte schreibt man sehr sachlich und man beantwortet die W-Fragen: Wer? Was? Wann? Wie? Wo? etc.

2.2 Schildern Sie den Tathergang aus Perspektive des Autofahrers oder der Radfahrerin.

Radfahrerin: Die Straße war extrem schmal, man kann als Radfahrer kaum überholt werden. Somit hatte ich keine andere Wahl als auf dem Gehweg zu fahren. ...

Autofahrer: Ich hatte angenommen, dass es an der Straße einen Radweg gibt. Demzufolge hatte ich nicht damit gerechnet, dass ...

3 Formulieren Sie einige Tipps für den Straßenverkehr und verwenden Sie dabei die konsekutiven Konnektoren.

Man sollte also ... / Man sollte also nicht ...
Somit ist es besser, wenn man ...
...

4.1 Lesen Sie den Forumsbeitrag und ergänzen Sie diesen mit den Konnektoren aus dem Schüttelkasten. Markieren Sie Aktivität und Folge jeweils unterschiedlich.

also • demnach • somit • folglich • infolgedessen

Fragen an den Anwalt

Vera Wahren braucht dringend Geld. Sie will deshalb ihr geliebtes Auto verkaufen. Sie einigt sich mit dem Autoliebhaber Anton Bettinger auf einen angemessenen Preis. Frau Wahren und Herr Bettinger vereinbaren, dass Herr Bettinger den Wagen schon am 1. Mai abholen darf, den Kaufpreis jedoch erst am 15. Mai zu zahlen braucht. Sie einigen sich weiterhin darauf, dass das Eigentum an dem Fahrzeug erst übergehen soll, wenn Herr Bettinger den Kaufpreis vollständig bezahlt hat. Herr Bettinger holt das Auto am 1. Mai ab. Am 2. Mai brennt das Fahrzeug bei einem Unfall aus. Das Auto wird dabei vollständig zerstört. Der Unfall war von Herr Bettinger nicht zu vertreten. _____ verweigert er die Kaufpreiszahlung. Herr Bettinger meint, Frau Wahren könne ihm das Eigentum an dem Wagen nicht mehr verschaffen, _____ sei er nicht mehr zur Zahlung verpflichtet. Kann Frau Wahren die Zahlung des Kaufpreises verlangen?

Das sagt der Anwalt

Frau Wahren könnte einen Anspruch auf Zahlung des vereinbarten Kaufpreises haben. Frau Wahren und Herr Bettinger hatten einen Kaufvertrag über das Auto geschlossen. _____ wäre ein Anspruch auf den vereinbarten Kaufpreis zu bejahen. Frau Wahrens Anspruch könnte aber entfallen sein. Das wäre der Fall, wenn auch sie von ihrer Leistungspflicht befreit ist. Frau Wahren ist dazu verpflichtet, Herrn Bettinger das Eigentum an dem Fahrzeug zu verschaffen. Die Eigentumsverschaffung könnte _____ unmöglich geworden sein. Die Gefahr des zufälligen Untergangs der verkauften Sache geht mit Übergabe auf den Käufer über. Übergabe ist die Übertragung des unmittelbaren Besitzes. Frau Wahren müsste die Sachherrschaft vollständig aufgegeben haben, und Herr Bettinger müsste sie vollständig erlangt haben. Beides kann im vorliegenden Fall unproblematisch bejaht werden. _____ kann Frau Wahren weiterhin die Zahlung des vereinbarten Kaufpreises verlangen.

4.2 Ergänzen Sie die konsekutiven Konnektoren in der Übersicht in 1.1.

.7 adversativ: Einwand, Gegensatz

> ✓ **Das lernen Sie:**
> - adversative Konnektoren und die Besonderheiten bei der Wortstellung
> - Unterscheidung von *doch*, *sondern* und *jedoch*

1.1 Lesen Sie den Forumseintrag aus dem Internetforum.
Unterstreichen Sie die adversativen Konnektoren.

Darf bei einer Wohnung Wasser durch den Keller laufen?

Logan
01.03.12
15:38

Hey Leute!
Zu meiner Mietwohnung gehört zwar ein Keller, aber dessen Wände sind sichtbar feucht. Ein, zwei Ziegel fehlen auch, damit das Grundwasser abfließen kann. Einen guten Schrank musste ich auch schon wegen Schimmelbefall entsorgen, sprich der Raum an sich ist eigentlich nicht nutzbar ...
Der Vermieter sagte mir, dass ich selber keine baulichen Änderungen an den Wänden vornehmen darf. Sie selber würden jedoch auch nichts unternehmen, da das Grundwasser bei starkem Regenfall irgendwo abfließen müsse.
Meine Frage: Kann das Wasser nicht durch meinen Keller, sondern durch ein Abflussrohr fließen?
Was kann ich tun?
Vielen Dank im Voraus!

Max
02.03.12
19:21

Normalerweise sollte gar kein Wasser im Keller sein. Während dein Vermieter untätig bleibt, würde ich sofort aktiv werden. Denn wenn man gegen Wasser im Mauerwerk nichts unternimmt, dann wird dieses geschwächt. Während das Wasser vielleicht nicht so schnell nach oben zieht, kann sich rasch Schimmel an den Wänden bilden, was gesundheitliche Schäden zur Folge haben kann. Jeder Hausbesitzer würde sofort aktiv werden, dein Vermieter macht hingegen gar nichts. Die Wände werden schnell feucht, das Mauerwerk trocken zu legen dauert dagegen sehr lang. Ich würde an deiner Stelle so schnell wie möglich umziehen!

> Meinung schreiben

1.2 Lesen Sie den Forumseintrag noch einmal und achten Sie auf die Wortstellung der Sätze
mit adversativen Konnektoren. Ordnen Sie dann diese Sätze in die Tabelle ein.

Hauptsatz	Konjunktion auf Position 0	Hauptsatz
Zu meiner Mietwohnung gehört zwar ein Keller,	aber	dessen Wände sind sichtbar feucht.

Hauptsatz (mit Verbindungsadverb)	Nebensatz

Hauptsatz	Hauptsatz (mit Verbindungsadverb)

Subjunktion	Nebensatz	Hauptsatz

⇨ Konnektoren und ihre Stellung
im Satz: Kapitel 2

1.3 Ordnen Sie die adversativen Konnektoren aus dem Forumseintrag in die Tabelle ein (später werden weitere ergänzt).

Adversative Satzverbindungen: Wortstellung

- Adversative Konnektoren verdeutlichen einen Gegensatz.
- *Sondern* korrigiert eine negative Aussage. Deshalb muss bei der Verwendung von *sondern* im vorangegangenen Hauptsatz eine Verneinung stehen. Die Konjunktion *sondern* steht immer auf Position 0.
- *Zwar* kann entweder im Mittelfeld oder vor dem finiten Verb stehen:
  Zu meiner Mietwohnung *gehört zwar* ein Keller, [...]
  Zwar gehört zu meiner Mietwohnung ein Keller, [...]
- Die Konjunktion *aber* kann auf Position 0 oder im Mittelfeld stehen:
  [...], *aber* dessen Wände sind sichtbar feucht.
  [...], dessen Wände *aber* sind sichtbar feucht.

Konjunktionen	Subjunktion	Verbindungsadverbien	Präpositionen mit ähnlicher Bedeutung
(zwar) ..., aber; _____, _____	_____	jedoch, _____, _____, _____	im *Gegensatz zu* (+D)

⇨ zwar ..., aber: Kapitel 2.3

2 Vervollständigen Sie den Eintrag mit den Konnektoren aus dem Schüttelkasten.

> im Gegensatz zu • doch • aber (2x) • jedoch

Darf bei einer Wohnung Wasser durch den Keller laufen?

Logan
03.03.12
10:38

Vielen Dank für die Infos! _____ dir könnte ich leider nicht so schnell umziehen. Ich werde mich _____ noch einmal mit meinen Nachbarn austauschen, ob sie ein ähnliches Problem haben. Letztens hatten wir auch einen Kurzschluss im Haus, der durch das Wasser im Keller verursacht wurde. Ich hatte deshalb die Hausverwaltung angeschrieben, _____ sie hat bis jetzt nichts unternommen. Inzwischen bin ich _____ davon überzeugt, dass der Vermieter etwas gegen den nassen Keller unternehmen muss. Das Haus fault ihm von unten nach oben weg, _____ ihn scheint der sinkende Wert des Hauses bis jetzt noch nicht zu interessieren.

Meinung schreiben

Adversative Satzverbindungen: Wortstellung

- Die Konjunktion *doch* steht, ähnlich wie *sondern*, auf Position 0: Nora hat keine Probleme mit ihrem Vermieter, *doch* Logan hat große Schwierigkeiten.
- Das Verbindungsadverb *jedoch* steht im Mittelfeld: Es gibt *jedoch* Probleme mit dem Vermieter.

3 Formulieren Sie jeweils zwei Hauptsätze und verbinden Sie diese mit dem angegebenen Verbindungsadverb. Variieren Sie die Stellung im Satz und achten Sie dabei auf Betonung.

- a Während dein Vermieter untätig bleibt, würde ich sofort aktiv werden. (jedoch)
  > *Dein Vermieter bleibt untätig. Ich würde jedoch sofort aktiv werden. / Ich jedoch würde sofort aktiv werden.*
- b Während jeder Vermieter sofort aktiv werden würde, unternimmt dein Vermieter gar nichts. (hingegen)
- c Während die Wände schnell feucht werden, dauert es sehr lang das Mauerwerk trocken zu legen. (dagegen)
- d Während Du an meiner Stelle schnell umziehen würdest, könnte ich nicht so schnell umziehen. (allerdings)
- e Während das Wasser vielleicht nicht so schnell nach oben zieht, kann sich rasch Schimmel an den Wänden bilden, was gesundheitliche Schäden zur Folge haben kann. (jedoch)

4.1 Hören Sie den Dialog und unterstreichen Sie die adversativen Konnektoren.
Ergänzen Sie dann die Tabelle in 1.3.

⊚ 7

LOGAN:	Guten Tag Frau Müller! Ich bin Ihr Nachbar von unten aus der ersten Etage.
FRAU UND HERR MÜLLER:	Guten Tag!
LOGAN:	Sie wohnen hier schon sehr lange. Im Gegensatz zu Ihnen bin ich erst vor einem Monat eingezogen. Deshalb möchte ich Sie fragen, ob Sie eventuell auch einen Wasserschaden im Keller bemerkt haben?
HERR MÜLLER:	Natürlich! Wir haben bereits mehrfach Beschwerden beim Vermieter eingereicht, doch dieser hat nicht viel unternommen. Wir hätten schon längst ausziehen sollen!
FRAU MÜLLER:	Die anderen sind ausgezogen. Wir sind allerdings hier wohnen geblieben.
LOGAN:	Und warum?
FRAU MÜLLER:	Wissen Sie, wir wohnen schon so lange hier. Mein Mann ist nun auch schon fast 80 Jahre alt.
HERR MÜLLER:	Die jungen Leute sind mobil und flexibel. Wir jedoch haben kein Auto und auch einfach keine Lust mehr umzuziehen.
LOGAN:	Ja, außerdem sind die Wohnlage und die Wohnung ja auch sehr schön. Ich bin mir einfach nicht sicher, was ich machen soll?
FRAU MÜLLER:	Sie zweifeln noch. Wir an Ihrer Stelle wären dagegen schon längst ausgezogen.
HERR MÜLLER:	Mit dem Vermieter haben Sie wirklich nichts als Ärger! Glauben Sie uns!

4.2 Hören Sie den Dialog noch einmal und achten Sie auf die Betonung der Sätze mit
adversativen Verbindungsadverbien. Ordnen Sie die unterstrichenen Sätze zu.

Element vor dem adversativen Adverb wird betont

_____

Element vor dem adversativen Adverb wird nicht betont

_____

_____

Adversative Satzverbindungen: Betonung und Wortstellung

• Adversative Verbindungsadverbien können direkt hinter dem Element stehen, das betont
werden soll, um den Gegensatz hervorzuheben:
Sie zweifeln noch. Wir dagegen wären an ihrer Stelle schon längst umgezogen.
Die anderen sind umgezogen. Wir allerdings sind hier wohnen geblieben.

4.3 Verbinden Sie die folgenden Hauptsätze mit der adversativen Subjunktion *während* wie
im Beispiel.

a Sie wohnen hier schon sehr lange. Im Gegensatz zu Ihnen bin ich erst vor einem Monat
eingezogen.
> *Während Sie hier schon sehr lange wohnen, bin ich erst vor einem Monat eingezogen.*

b Wir haben bereits mehrfach Beschwerden beim Vermieter eingereicht. Doch dieser hat nicht viel
unternommen.

c Die anderen sind ausgezogen. Wir sind allerdings hier wohnen geblieben.

d Die jungen Leute sind mobil und flexibel. Wir jedoch haben kein Auto und auch einfach keine
Lust mehr umzuziehen.

e Sie zweifeln noch. Wir an Ihrer Stelle wären dagegen schon längst ausgezogen.

5 Was würden Sie Logan raten? Formulieren Sie Hinweise und verwenden Sie dabei die adversativen Konnektoren aus der Tabelle in Aufgabe 1.3.

Im *Gegensatz zu* Logan würde ich …
Während Logan …
Ich würde als Vermieter nicht …, *sondern*
Logan unternimmt nichts, *doch* …
…

6.1 Logan möchte seine Wohnung kündigen. Ergänzen Sie das Kündigungsschreiben an die Hausverwaltung mit den Konnektoren aus dem Schüttelkasten.

> hingegen • während • dagegen • im Gegensatz zu • sondern • doch

SOZIOBAU AG
z.H. Herrn Panitzsch
Wilhelmsruher Damm 142

13435 Berlin

Berlin, 28.03.2012

Kündigung des Mietvertrages Nr. 11 00158

Sehr geehrter Herr Panitzsch,

leider muss ich feststellen, dass Sie _____ Ihren Ankündigungen den Wasserschaden im Keller noch nicht behoben haben.
_____ Sie mich wegen meiner Mietminderung abmahnen, _____ an den unerträglichen Zuständen nichts geändert haben, hat es bereits weitere Kurzschlüsse gegeben.

Auch hat die Anti-Schimmelpilzfarbe nichts bewirkt, _____ der Schimmel scheint sich weiter auszubreiten. Daher kündige ich den oben genannten Mietvertrag außerordentlich zum 31.10.2012.

Bitte bestätigen Sie den Erhalt des Kündigungsschreibens schriftlich. Sollte ich _____ bis zum 15.10. nichts von Ihnen gehört haben, werde ich meinen Anwalt einschalten. Unsere zukünftige Anschrift teilen wir Ihnen so bald wie möglich mit. Für einen Termin zur Übergabe der Wohnung erreichen Sie mich _____ schon jetzt unter der bekannten Telefonnummer.

Falls Sie weitere Fragen haben sollten, zögern Sie nicht, mich zu kontaktieren.

Mit freundlichen Grüßen

Logan Schmidt

6.2 Verfassen Sie selbst ein Kündigungsschreiben an Ihren Vermieter. Sie können sich an der Kündigung in Aufgabe 6.1 orientieren.

3.8 konzessiv: unerwartete Konsequenz, Widerspruch

Das lernen Sie:

- Verwendung von konzessiven Konnektoren und Besonderheiten bei der Stellung

1.1 Lesen Sie die Filmrezension und unterstreichen Sie die konzessiven Konnektoren.

Fleisch ist mein Gemüse

Die Verfilmung von Heinz Strunks Bestseller feiert diese Woche Premiere. Obwohl für den Film „Fleisch ist mein Gemüse" hervorragende Schauspieler, authentische Ausstattung und echte Kneipen als Kulissen gewählt wurden, berührt der Film nicht.

Der „Jägerhof" in Hamburg-Harburg ist voll mit Leuten aus der Filmbranche. Die Meute ist in den Hamburger Vorort eingefallen, um die Premiere des Films „Fleisch ist mein Gemüse" stilgerecht zu feiern – mit Würstchen statt Salat.

Das 2004 erschienene Buch wurde überraschend zum Bestseller. Der Hamburger Künstler und Humorist Heinz Strunk erzählt darin von seiner verheerenden Jugend auf der falschen Seite der Elbe, in Harburg. Zwar erzählt Strunk gern von seiner fiktiven Jugend als Musiker, ansonsten regieren aber Ödnis und Trübseligkeit und selbst die Partys, die Strunk beschreibt,

sind alles andere als hip. Es sind Dorffeste, Schützenfeste und Hochzeiten in der norddeutschen Provinz. So schrecklich das klingt: Für den 25-jährigen Strunk ist der Musiker-Job trotzdem der rettende Strohhalm.

Gleich zu Beginn des Films ist es mit der Ruhe allerdings vorbei: Die Mutter (Susanne Lothar) bricht zusammen und wird in eine Nervenklinik eingeliefert. Indessen muss sich Strunk mit seiner sagenhaft schlechten Band über Wasser halten. Die grellen Auftritte der Tiffanys mit Andreas Schmidt als Frontmann „Gurki" zählen zu den Highlights des Films: Stilechte Bühnen-Outfits aus den 80er Jahren, wie

etwa knallenge Leggings, rote Angorapullis oder die rosafarbenen Glitzerjackets, katapultieren den Zuschauer direkt in das geschmacksfreie Jahrzehnt zurück. Maxim Mehmet in der Rolle des Heinz Strunk bleibt derweil neben Schauspielern wie Andreas Schmidt oder Livia Reinhardt etwas blass – trotz seiner erstaunlichen Ähnlichkeit mit dem echten Strunk.

Dennoch ist „Fleisch ist mein Gemüse" kein Film zum Schenkel klopfen. Er hinterlässt eher ein beklommenes Gefühl und wirkt seltsam unentschlossen zwischen der Absicht zu unterhalten und die dunklen Seiten des Lebens zu präsentieren.

1.2 Formulieren Sie die Sätze mit den angegebenen Konnektoren wie im Beispiel um. Unterstreichen Sie den Teil, in dem die unerwartete Handlung geschieht.

a Obwohl für den Film „Fleisch ist mein Gemüse" hervorragende Schauspieler, authentische Ausstattung und echte Kneipen als Kulissen gewählt wurden, berührt der Film nicht. (trotzdem)

 > *Für die Verfilmung wurden hervorragende Schauspieler, authentische Ausstattung und echte Kneipen als Kulissen gewählt.* <u>*Trotzdem berührt der Film nicht.*</u>

b Zwar erzählt Strunk gern von seiner fiktiven Jugend als Musiker, ansonsten regieren aber Ödnis und Trübseligkeit. (dennoch)

c So schrecklich das klingt: Für den 25-jährigen Strunk ist der Musiker-Job trotzdem der rettende Strohhalm. (obwohl)

d Maxim Mehmet in der Rolle des Heinz Strunk bleibt derweil neben Schauspielern wie Andreas Schmidt oder Livia Reinhardt etwas blass - trotz seiner erstaunlichen Ähnlichkeit mit dem echten Strunk. (obwohl)

1.3 Lesen Sie noch einmal die Rezension und ergänzen Sie dann die Regel.

Handlung • obwohl • Hauptsatz

Konzessive Satzverbindungen

- Konzessive Nebensätze werden bspw. durch *obwohl* eingeleitet und drücken einen Gegengrund oder Widerspruch aus.
- Im eingeleiteten Nebensatz mit _____ werden die Umstände präsentiert, die gegen die im _____ folgende Handlung sprechen könnten, dies jedoch nicht tun.
- Verbindungsadverbien wie *trotzdem, dennoch, allerdings* etc. leiten die (unerwartete) _____ ein.
- *Obgleich, gleichwohl* und *ungeachtet* (+G) werden vor allem in formellen Kontexten verwendet, im Mündlichen sind sie eher unüblich.

2 Ergänzen Sie das Gespräch mit den Konnektoren aus dem Schüttelkasten. Hören Sie dann das Gespräch um Ihre Lösung zu überprüfen.

> obwohl • zwar ... aber • trotzdem • dennoch • allerdings

⊚ 8

PETER:	Wie fandest du denn den Film?
SABINE:	_____ ich die Handlung ganz witzig fand, war er eher so lala!
PETER:	Wie bitte? Der Film war doch spitze! Also ich komme vom Land und kann nur sagen: Wie wahr!
SABINE:	Ja, das war ja auch nicht zu überhören, dass du dich amüsiert hast! Und ich gestehe dem Film auch einige lustige Szenen zu, _____ war er insgesamt eher deprimierend!
PETER:	Deprimierend?! Kann es sein, dass wir _____ im selben Saal saßen, du _____ einen anderen Film gesehen hast?
SABINE:	Nein, wir reden vom selben Film. _____ hat dieser nur deinen derben Humor angesprochen, mir war er viel zu flach.
PETER:	_____ musst du zugeben, dass die Idee spitze war, auch wenn dir die Umsetzung nicht gefallen hat.
SABINE:	Ja, das stimmt. Auf jeden Fall besser als ein Hollywood-Blockbuster.

3 Ordnen Sie die Konnektoren aus der Rezension und dem Gespräch aus 1.1 und 2 in die Tabelle ein. Die schriftsprachlichen Konnektoren sind bereits vorgegeben (blau).

Konzessive Satzverbindungen

Konjunktion	Subjunktionen	Verbindungsadverbien	Präpositionen mit ähnlicher Bedeutung
zwar ..., aber	wenn ... auch, obgleich, _____	gleichwohl, _____, _____,	ungeachtet (+ G), _____

- Ähnlich wie die Nebensätze mit den Subjunktionen *obwohl*, *obgleich* und *wenn ... auch* stellen eingeleitete Sätze mit den Präpositionen *trotz* (+ G) oder *ungeachtet* (+ G) die Umstände dar, die gegen die Handlung sprechen könnten, dies aber nicht tun:
  Trotz der unnötigen Überlänge des Films war er sehr unterhaltsam.
  Obwohl der Film unnötig lang war, fand ich ihn sehr unterhaltsam.

4 Welchen Film haben Sie zuletzt gesehen? Schreiben Sie eine kurze Rezension wie in Aufgabe 1.1.

- Titel, Regisseur, Schauspieler etc.
- kurze Darstellung des Filminhalts
- Auffälligkeiten (Darstellung, Lichteffekte, Ton etc.)
- Zusammenhänge des Films (zeitliche Einordnung, gesellschaftlicher Bezug etc.)
- kritische Betrachtung des Films

 Tipp:

Die Rezension (Film, Buch, Theater, wissenschaftlicher Werke, u.a.) ist ein bewertender Text. Beurteilen Sie bei der Filmrezension den Inhalt des Films kritisch und stellen Sie Bezüge her.

3.9 modal-substitutiv: Ersatz

 Das lernen Sie:

- besondere Verwendung von *stattdessen*, *statt dass* und *statt ... zu*

1.1 Hören Sie zunächst den Fußballkommentar. Welche modal-substitutiven Konnektoren hören Sie?

1.2 Lesen Sie nun den Fußballkommentar. Unterstreichen Sie die modal-substitutiven Konnektoren.

⑨ 9

„Die Führung der Deutschen durch Klose vom FC Bayern. Der lange Ball von Pogatetz kommt zwar präzise, aber was Royer draus macht, bleibt mir ein Rätsel. Anstatt den Ball zu sichern, lässt er ihn weit von der Brust abprallen. Der zweite Fehler: Der Innenverteidiger Schiemer kommt nicht zwischen Ball und Klose. So fällt das erste Tor für Deutschland gegen Österreich.

...

Bei Deutschland steht der erste Wechsel an. Joachim Löw wird wohl Schmelzer bringen. Oder es kommt mit Jerome Boateng der achte Bayern-Spieler. Höwedes muss nach 50 Minuten runter, kein schlechtes, aber auch kein auffälliges Spiel. Für ihn kommt nun doch Boateng anstelle von Schmelzer.

...

Da kommt Arnautovic. Freunde des österreichischen Fußballs aufgepasst! Immer noch Arnautovic. Tor! Ein fast schon historischer Moment - das erste Tor für Österreich gegen die Deutschen in dieser Qualifikation! Hummels und Badstuber greifen nicht ein. Stattdessen laufen sie nur nebenher wie zwei Jogger. So macht Arnautovic fast ungehindert den Anschlusstreffer."

Modal-substitutive Satzverbindungen

- Die erwartete Handlung wird durch *anstatt ... zu* und *anstelle von* eingeleitet.
- *Stattdessen* hingegen leitet die Handlung ein, die entgegen der Erwartungen tatsächlich ausgeführt wird.
- *Anstatt ... zu*, *statt ... zu* und *statt dass* geben an, was eigentlich erwartet wird. Der Hauptsatz gibt die tatsächliche Handlung an.
- *Anstelle von* gibt an, was ersetzt wird.
- *Stattdessen* gibt an, welche Handlung / welcher Vorgang alternativ für eine andere Möglichkeit passiert.

2.1 Vervollständigen Sie den Zeitungsartikel mit den gegebenen Konnektoren aus dem Schüttelkasten.

> statt • stattdessen • statt dass • statt ... zu

Schönsein _____ Sommermärchen

Die Leistung sollte im Mittelpunkt stehen. _____ entbrennt zur WM ein Wettstreit, welche Spielerin das schönste Glitzer-Girlie im DFB-Trikot ist. Warum konzentrieren wir uns nicht einfach auf den Sport? Der Frauenfußball hätte es verdient.

Offiziell freuen sich alle Deutschen auf die Weltmeisterschaft. Aber das Aussehen der Spielerinnen steht im Mittelpunkt, _____ über die Leistungen der Spielerinnen diskutiert wird. Eine Fußballspielerin muss scheinbar erst einmal beweisen, dass sie auch wirklich eine Frau ist.

«Da läuft etwas falsch», glaubt Andrea Schartner. _____ Misstrauen angesichts Fußball spielender Frauen _____ hegen, sollten wir wieder den Sport in den Mittelpunkt stellen.

Dann würden wir sehen, dass die Randsportart Frauenfußball gerade dabei ist, aus ihrer Nische herauszutreten. Und dann hätte Deutschland auch die Chance auf ein neues Sommermärchen.

Quelle: www.news.de; Artikel vom 25.06.2011

2.2. Formulieren Sie die Sätze aus den Zeitungsartikeln mit dem Verbindungsadverb *stattdessen* um. Das Modalverb *sollen* kann Ihnen helfen.

a Aber das Aussehen der Spielerinnen steht im Mittelpunkt, statt dass über die Leistungen der Spielerinnen diskutiert wird.
   > *Das Aussehen der Spielerinnen steht im Mittelpunkt. Stattdessen sollte über die Leistungen der Spielerinnen diskutiert werden.*
b Statt Misstrauen angesichts Fußball spielender Frauen zu hegen, sollten wir wieder den Sport in den Mittelpunkt stellen.
c Anstatt den Ball zu sichern, lässt er ihn weit von der Brust abprallen.
d Für ihn kommt nun doch Boateng anstelle von Schmelzer.

⇨ Kapitel 3.4.1: Infinitivsätze nach Nomen

 Das hört man auch:

Statt dem Sohn spielt nun die Tochter in einer Fußballmannschaft.
Manchmal wird umgangssprachlich *statt* (+ Dativ) verwendet.

3.1 Formulieren Sie jeweils Sätze und verwenden Sie dabei die angegebenen Konnektoren.

a Birgit Prinz Absturz / Krönung (statt)
Rekord-Nationalspielerin / Frauen-Weltmeisterschaft im eigenen Land / werden / die Kapitänin
der DFB-Elf nach zuletzt schwachen Leistungen beim Triumph der deutschen Damen über
Frankreich nicht einmal mehr in die Startelf / berufen werden (statt ...zu)

> **Birgit Prinz: Absturz statt Krönung**
>
> Statt Rekord-Nationalspielerin der Frauen-
> Weltmeisterschaft im eigenen Land zu wer-
> den, wurde die Kapitänin der DFB-Elf nach
> zuletzt schwachen Leistungen beim Triumph
> der deutschen Damen über Frankreich nicht
> einmal mehr in die Startelf berufen.

b Löw startet EM-Casting
Ballack (34) mit seinem 99. Länderspiel in den ungewollten Ruhestand / verabschieden werden /
Löw / Sven Bender / testen (statt dass).
Knallharter Kandidaten-Check / Abschiedsgala / stattfinden (anstelle)

c Ein Transfer mit zwei Verlierern
Der Club / Talente / fördern / er / den vielversprechenden Spieler Toko / entlassen (statt dass).
Was denken Sie, liebe Leserinnen und Leser: Verliert der Club nicht die Glaubwürdigkeit, wenn
er wieder und wieder seine Talente weggibt / etwas Konstantes / aufbauen (anstatt...zu)?

3.2 Schauen Sie sich die Sätze mit *statt dass* und *statt ... zu / anstatt ... zu* an und
bestimmen Sie die Subjekte in den Sätzen. Ergänzen Sie dann die Regel. Ordnen Sie
die Konnektoren aus den Aufgaben 1-3 in die Tabelle ein.

> statt dass • statt ... zu / anstatt ... zu

Modal-substitutive Satzverbindungen

- _____ wird verwendet, wenn der Haupt- und Nebensatz unterschiedliche
  Subjekte haben.
- Die Infinitivkonstruktion mit _____ wird verwendet, wenn es sich um das
  gleiche Subjekt im Hauptsatz und in der Infinitivkonstruktion handelt.

Konjunktion (nur zwischen Satzgliedern)	Subjunktionen	Verbindungsadverbien	Präpositionen mit ähnlicher Bedeutung
_____	_____ ,	_____	_____ ,
	_____		_____

4 Schauen Sie sich die Spielfelder an und beschreiben Sie die Spielzüge wie im Beispiel.
Variieren Sie die Wortstellung in den Nebensätzen.

Spielfeld 1

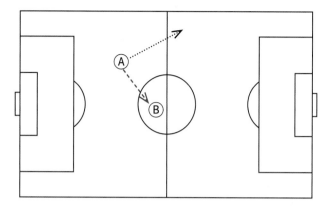

Legende:

................⇒ : Laufweg mit Ball (Spieler A dribbelt ...)
————⇒ : Passweg (Spieler A passt / spielt den Ball ...)
-------⇒ : empfohlener, alternativer Passweg

> Spieler A soll den Ball nach rechts ins Mittelfeld spielen. Stattdessen dribbelt er nach links außen.
Anstatt den Ball nach rechts ins Mittelfeld zu spielen, dribbelt Spieler A nach links außen.

Spielfeld 2

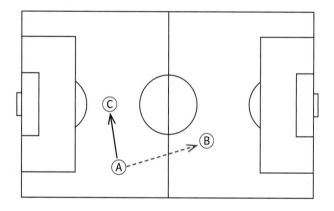

Spielfeld 3

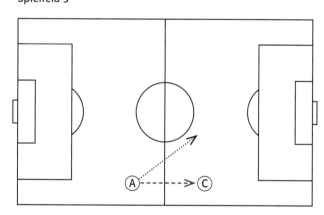

Spielfeld 4

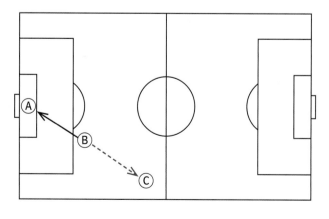

Spielfeld 5

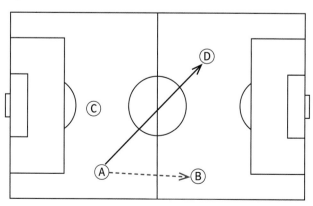

5 Tragen Sie weitere Spielzüge in die Spielfelder ein und erklären Sie diese einem Partner.
Verwenden Sie dabei modal-substitutive Konnektoren.

10 modal-instrumental: Art und Weise, Mittel

Das lernen Sie:

– Gegenüberstellung von *ohne, ohne dass, ohne zu*

1.1 Lesen Sie den Magazinartikel und markieren Sie die Passagen, die ausdrücken, wie oder mit welchen Mitteln etwas passiert.

Netzwerk Angehörigenhilfe

Seit 2007 hat der ASB in Hamburg seine Aktivitäten für pflegende Angehörige verstärkt und im Netzwerk Angehörigenhilfe gebündelt. Dabei geht es zum einen darum, die pflegenden Angehörigen zu unterstützen, indem Wege aufgezeigt werden, wie die Pflege und Betreuung geleistet werden kann, ohne dass sie auf Kosten der eigenen Gesundheit gehen muss. Zum anderen sollen die Angehörigenhelfer entlastet werden, indem die Pflege und Betreuung zeitweilig und nach Möglichkeit kostengünstig – d. h. für breite Bevölkerungsschichten finanzierbar – durch andere übernommen wird.

Der ASB Hamburg versucht, hinreichend Informationen für die Angehörigen zur Verfügung zu stellen, indem geeignete Materialen zur Verfügung gestellt werden und diese über geeignete Wege die pflegenden Angehörigen erreichen. Durch 65.000 Mitglieder und damit jeden 25. Hamburger bestehen diese finanziellen Fördermöglichkeiten über Mitgliedsbeiträge.

So verfügt der ASB bewusst über eine hohe Zahl von 17 Sozialstationen im Stadtgebiet. Sie bilden die lokale Basis des Netzwerkes Angehörigenhilfe. Dadurch können die Einrichtungen von allen Angehörigen gut erreicht werden; vor Ort kann Information und Beratung umfassend geleistet werden. Durch die Verankerung vor Ort ist der ASB in Hamburg bekannt und gut mit allen Institutionen im Stadtteil – von den Ärzten, der bezirklichen Altenhilfe über die Kirchengemeinden bis hin zu den Krankenhaussozialdiensten – vernetzt.

Quelle: www.asb-hamburg.de

1.2 Ordnen Sie die modalen Konnektoren in die Tabelle ein (später werden weitere ergänzt).

Modal-instrumentale Satzverbindungen

Subjunktionen	Verbindungsadverbien	Präpositionen mit ähnlicher Bedeutung
soweit / soviel, dadurch, dass, _____, _____	auf diese Weise, _____,	mit (+ D), mit Hilfe von (+D), durch (+ A), wie, nach (+ D), ohne (+ A)

- Modale Satzverbindungen drücken aus, auf welche Art und Weise etwas passiert.
- Sie können zudem einen Vergleich darstellen:
  Das Netzwerk Angehörigenhilfe ist größer und hat mehr Mitglieder, als ich angenommen habe.   ⇨ Kapitel 2.3.11: Vergleich

2 Formulieren Sie die Sätze um und variieren Sie dabei die Wortstellung wie im Beispiel.

a Die Sozialstationen bilden die lokale Basis des Netzwerkes Angehörigenhilfe. Dadurch können die Einrichtungen von allen Angehörigen gut erreicht werden.

> *Dadurch, dass die Sozialstationen die lokale Basis des Netzwerkes Angehörigenhilfe bilden, können die Einrichtungen von allen Angehörigen gut erreicht werden.*

> *Alle Angehörigen können die Einrichtungen dadurch gut erreichen, dass die Sozialstationen die lokale Basis des Netzwerkes Angehörigenhilfe bilden.*

b Die Familie ist ein wichtiger Anker im Alter. Dadurch kann man Geborgenheit und Sicherheit finden, wenn man Hilfe braucht.

c Durch berufliche Verpflichtungen ist es nicht immer möglich die Eltern zu pflegen. Dadurch sind die Netzwerke Angehörigenhilfe eine gute Möglichkeit trotzdem die ausreichende Betreuung zu gewährleisten.

d Jeder sollte so früh wie möglich an seine Altersvorsorge denken. Dadurch kann man sehr zuversichtlich dem Alter entgegen sehen.

3 Vervollständigen Sie den Zeitschriftenartikel mit den Konnektoren aus dem Schüttelkasten.

> ohne ... zu (2 x) • ohne dass (2x) • ohne (2x)

Die Wohngemeinschaft als Lebens- und Betreuungsform

Alt werden, _____ die eigene Selbständigkeit ____ verlieren, nimmt für die meisten Menschen einen hohen Stellenwert ein.

Eine Gemeinschaft von 7-9 Personen lebt, wie früher als Großfamilie, gemeinsam in einer großen Wohnung. Die zentrale Idee ist eine an der „Normalität" orientierte Organisation des Tagesablaufs, _____ es zu Isolation des Einzelnen kommt.

_____ die Hilfe der Gruppe und des Pflegeteams könnte der / die Einzelne seine / ihre erlernten sozialen Verhaltensmuster nicht (wieder) finden. Ihr / sein Leben erhält wieder einen Inhalt und sie / er einen neuen Platz in dieser Welt.

Hierbei kommt es darauf an, dass die täglichen Alltagsabläufe durch sie / ihn selber gemeistert werden können, _____ auf Anleitungen und Impulse des Pflegepersonals verzichtet werden muss.

Zur Pflege dementiell erkrankter Menschen werden Geduld und Ruhe benötigt, vor allem wenn die Abläufe nicht gleich koordiniert bzw. umgesetzt werden können.

_____ ein ständiges Üben würden die alltäglichen Abläufe in Vergessenheit geraten. Aus diesem Grund werden die Bewohner in die täglichen Hausarbeiten, wie z. B. Beteiligung am Tischdecken, Essensvorbereitungen usw. einbezogen.

Jede/r Bewohner/in wird mit all ihren / seinen Stärken und Schwächen akzeptiert, _____ das Recht auf Privatheit gerade im Gemeinschaftsleben ____ vernachlässigen. So werden z. B. der Wunsch nach Ruhe und Rückzug unbedingt erfüllt und respektiert.

Quelle: www.curadomo.vis.de

Modal-instrumentale Satzverbindungen

• *Ohne ... zu* wird verwendet, wenn das Subjekt im Hauptsatz und das logische Subjekt im Nebensatz (der Infinitivkonstruktion) identisch sind.

4 Ergänzen Sie das Interview mit den Konnektoren aus dem Schüttelkasten.
Hören Sie dann das Gespräch um Ihre Lösung zu überprüfen.

durch • indem • dadurch, dass

⊚ 10

Altersvorsorge: Je früher, desto besser

Im Interview mit „pressetext" spricht Walter Glanz, Pressesprecher der Deutschen Rentenversicherung Bund, über die Herausforderungen der finanziellen Altersvorsorge und geht auf die verschiedenen Formen der Alterssicherung ein. Sein Credo lautet: „Je früher, desto besser"

Altersvorsorge ist wichtig. Aber ab wann sollte man damit beginnen? Welche grundlegenden Faustregeln gibt es hier?
Glanz: Eine Faustregel ist: Je früher man mit der Vorsorge beginnt, desto besser. _____ man bereits in jungen Jahren mit dem Aufbau einer zusätzlichen Altersvorsorge beginnt, kann man besonders vom Zinseszinseffekt profitieren. _____ eine Beratung bei der Deutschen Rentenversicherung kann man sich über die unterschiedlichen Modelle der zusätzlichen Altersvorsorge informieren.
Auf welchen Säulen baut die deutsche Alterssicherung auf?
Glanz: Die deutsche Alterssicherung beruht auf drei Säulen: Die erste Säule ist vor allem die Absicherung über die gesetzliche Rentenversicherung, die zweite Säule ist die betriebliche Absiche-

rung und die dritte Säule ist die rein private Absicherung. _____ die Menschen immer länger leben, viele früher als mit dem regulären Eintrittsalter in Rente gehen sowie einer sehr niedrigen Geburtenrate in Deutschland, ist die gesetzliche Rente in den letzten Jahren des Öfteren reformiert worden. So wurde die Absenkung des Rentenniveaus sowie die stufenweise Einführung der Rente mit 67 beschlossen. Damit ein Ausgleich der Niveauabsenkung erfolgen konnte, wurde mit der Reform 2001 die staatlich geförderte kapitalgedeckte Altersvorsorge, die sog. Riester-Rente, benannt nach dessen Erfinder und seinerzeitigen Sozialminister Walter Riester, eingeführt.

Quelle: Michael Fiala - Focusthema Finanzvorsorge,
www.finanz-duell.de, adaptiert

⇨ Kapitel 2.3.11 Vergleich

5 Beantworten Sie die Fragen zum Thema Altersvorsorge und verwenden Sie modal-instrumentale Konnektoren und Präpositionen. Zu zweit können Sie ein Rollenspiel gestalten und weitere Fragen ergänzen.

- Was glauben Sie, wann sollte man mit der Altersvorsorge beginnen?
- Wie wollen Sie Ihre Rente ansparen?
- Wie wichtig ist für Sie die Familie beim Thema Altersvorsorge?
- Haben Sie bereits etwas für das Alter geplant?
- Wie ist die Altersvorsorge in Ihrem Land organisiert?
- …

2.3.11 Vergleich

> ✔ **Das lernen Sie:**
>
> - Unterscheidung von *wie* und *als*
> - einen realen oder fiktiven Vergleich auszudrücken
> - Besonderheiten bei der Wortstellung bei *je … desto* bzw. *je … umso*

1.1 Lesen Sie den Artikel und unterstreichen Sie die Vergleichssätze.

So tun als ob

Verhältst du dich bewusst auf eine bestimmte Weise, verändert das deine Gefühls- und Gedankenwelt. Anders gesagt: mit dem Ausdruck kommt die Emotion.

In einer Studie forderte man eine Gruppe von Personen dazu auf, die Stirn zu runzeln, während man eine andere Gruppe dazu anhielt, ein leichtes Grinsen aufzusetzen. Unschwer zu erraten: <u>Die „Grinser" fühlten sich so glücklich, wie wir gehofft haben.</u> Die „Stirnrunzler" hingegen fühlten sich viel unglücklicher, als sie selbst vor Beginn der Studie erwartet haben.

Teilnehmer einer anderen Studie sollten verschiedene Produkte, die sich über einen Computer-Bildschirm bewegten, visuell fixieren und schließlich bewerten, ob ihnen die Artikel gefielen oder nicht. Manche Dinge wanderten dabei auf dem Bildschirm auf und ab (was beim Beobachten ein unbewusstes Nicken hervorrief), während andere sich horizontal bewegten (und eine Kopfbewegung von einer Seite zur anderen erforderten). Wie wir erwartet haben, bevorzugten die Probanden jene Produkte, deren Beobachtung eine „Ja"-Kopfbewegung provozierte. Das lässt uns schlussfolgern: Wenn du dich aufmuntern willst, dann verhalte dich nicht nur so, als ob du bereits glücklich wärst. Handle auch so, als wärst du glücklich!

Quelle: www.stilles-glueck.net, adaptiert

1.2 Lesen Sie die unterstrichenen Vergleichssätze noch einmal und ordnen Sie diese in die Tabelle ein.

	Nebensatz	Hauptsatz	Nebensatz	Nebensatz mit Verb an 2. Position
1		Die „Grinser" fühlten sich so glücklich,	wie wir gehofft haben.	
2		_____ _____ ,	_____ _____ .	
3	_____ _____ ,	_____ _____ ,	_____ _____ .	
4	_____ _____ ,	_____ ,	_____ .	
5		_____ ,		_____ _____ .

1.3 Ergänzen Sie nun die Erklärungen.

> Komparativ • übereinstimmt • nicht übereinstimmt • variabel

Reale Vergleichssätze

- Zu den realen Vergleichssätzen zählen Sätze 1, 2 und 3 mit *(so)* … *wie* und der *Komparativ + als*.
- Bei Vergleichssätzen mit *so* (+ Adjektiv im Positiv) steht *wie* im Nebensatz.
- Bei Vergleichssätzen mit Komparativ steht *als* im Nebensatz.
- Der Nebensatz mit *wie* wird verwendet, wenn die Erwartung mit der Aussage im Hauptsatz
  _____ . Der Nebensatz mit *wie* kann _____, d.h. vor oder
  nach dem Hauptsatz im komplexen Satz stehen.
- Der Nebensatz mit *als* wird verwendet, wenn die Erwartung mit der Aussage im Hauptsatz
  _____ . Der Hauptsatz enthält dann einen _____.

> Nebensatz • an zweiter Position • Konjunktiv II • in fiktiven Vergleichssätzen

Fiktive Vergleichssätze

- In den Sätzen 4 und 5, die einen fiktiven Vergleich ausdrücken, wird der Nebensatz mit *als ob*
  und *als* eingeleitet.

- Das Verb steht bei fiktiven Vergleichssätzen im _____.

- Der _____ mit *als ob* wird verwendet, wenn das Subjekt im Haupt- und
  Nebensatz gleich ist.

- Wenn *als* _____ allein den Nebensatz einleitet, steht das

  Verb _____.

⇨ Kapitel 7.3

2 Beschreiben Sie, wie die Personen auf sie wirken. Äußern Sie fiktive Vergleiche und
verwenden Sie dabei *als ob* und *als* wie im Beispiel.

Sie sieht so aus, als ob sie jemanden anlachen würde.
Sie freut sich so sehr, als ob sie sich verliebt hätte.
Sie freut sich so sehr, als hätte sie ihren Traummann gefunden.

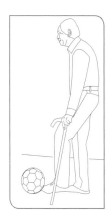

Das hört man auch:

> Wenn du dich aufmuntern willst, dann verhalte dich so, als ob du bereits glücklich wärst.
> Wenn du dich aufmuntern willst, dann verhalte dich so, als ob du bereits glücklich bist.
> **In der gesprochenen Sprache wird anstatt des Konjunktivs II auch oft der Indikativ verwendet.**

3 Denken Sie sich eine besonders peinliche oder gefährliche Situation aus. Was würden Sie tun, um diese zu überspielen? Zu zweit können Sie sich auch gegenseitig Situationen schildern.

Ich würde so tun, als ob ….
Ich habe so getan, als wäre ich …
…

4 Lesen Sie den Artikel und ergänzen Sie die Erklärung.

Umso besser

Andere anzutreiben macht Spaß. Daher stehen die Wörtchen „umso" und „desto" in unzähligen Anzeigen und Artikeln. Je schneller, desto besser. Je früher, umso schöner. Je länger, desto lieber. Je höher, umso besser. Da schnallt sich der Leser im Geiste schon die Joggingschuhe an.

Nur was ist richtig – „umso" oder „desto"? Heißt es korrekt: Je mehr Sie investieren, umso reicher werden Sie? Oder: Je fixer Sie damit anfangen, desto eher füllt sich Ihr Konto ?

Beides ist richtig: „umso" und „desto". Nur wurde die Formulierung „umso" früher häufiger gebraucht, während „desto" in den Ohren vieler Menschen moderner klingt. […]

Ihre
Josefine Janert

Quelle: www.freie-journalistenschule.de

---

am Ende • Hauptsatz • zwei Komparativen

Reale Vergleichssätze: Wortstellung

- Sätze mit *je … desto* und *je … umso* zählen zu den realen Vergleichssätzen.

- Sätze mit *je … desto* bzw. *je … umso* sind auffällig durch die Verwendung von_____

  _____ . Der Satz mit *je* ist ein Nebensatz, d.h. das Verb steht _____ . Der

  Satz mit *umso* bzw. *desto* ist ein _____ .

5 Wie war Ihr letzter Urlaub? Sprechen Sie über Ihre Erwartungen und die Realität am Urlaubsort. Verwenden Sie dabei Komparativ + *als, so…wie, je…desto* und *je…umso*.

Je länger ich am Strand liege und einen Schmöker nach dem anderen lese, desto mehr kann ich den üblichen Alltagstrubel vergessen und mich vollkommen entspannen.
Je näher wir unserer Unterkunft kamen, umso …
Das Hotel war schöner, als ich …
Der Urlaub war so, wie ich …
…

.4 Weitere komplexe Sätze

4.1 Infinitivkonstruktionen und *dass*-Sätze

> **✓ Das lernen Sie:**
>
> – Unterscheidung von *dass*-Sätzen und Infinitivkonstruktionen nach Nomen, Verben und Adjektiven
> – unterschiedliche Verwendung und Funktion von Ergänzungs- und Subjektsätzen

1.1 Lesen Sie das Interview mit der Arbeitsministerin. Untersteichen Sie die *dass*-Sätze und die Infinitivkonstruktionen.

Ursula von der Leyen im Interview

„Lehrlinge werden mehr bekommen"

von EVA QUADBECK

(RP) Bundesarbeitsministerin Ursula von der Leyen spricht mit unserer Redaktion über den wachsenden Fachkräftemangel.

Der Fachkräftemangel macht sich schon bemerkbar: Zurzeit stehen wir vor der ungewohnten Situation, dass es mehr Ausbildungsplätze als geeignete Bewerber gibt. Was müssen Sie da unternehmen?

Von der Leyen: Die Jugendlichen haben in dieser Situation mehr Möglichkeiten bei der Auswahl eines Berufes. Den Unternehmen muss klar werden, dass Azubis* nicht mehr im Überangebot da sind. Sie müssen lernen, auch den auf den ersten Blick weniger geeigneten Bewerbern eine Chance zu geben. Die Politik begleitet den Prozess, indem wir den Übergang von der Schule in die Ausbildung erleichtern. Dazu gehört, dass kein Kind mehr die Schule ohne Abschluss verlässt. Bereits in der Schule beraten wir über Berufe und begleiten zögernde Jugendliche bis in die ersten Monate der Ausbildung, damit sie Fuß fassen.

Müssen die Azubis auch besser bezahlt werden?

Von der Leyen: Das wird nicht die Politik entscheiden, sondern automatisch kommen. Wo Knappheit herrscht, steigen die Preise. Die Unternehmen werden sich künftig mehr anstrengen, attraktivere Angebote zu machen. Wir unterstützen dabei mit Rat und Tat, und werden bei Interesse dabei helfen, größere Anreize für Auszubildende zu schaffen.

Quelle: www.rp-online.de, gekürzt

* *Azubis*: kurz für Auszubildende

1.2 Formen Sie die Infinitivkonstruktionen in *dass*-Sätze um und markieren Sie die Subjekte in den Sätzen. Ergänzen Sie dann die Regel.

Sie müssen lernen, auch den auf den ersten Blick weniger geeigneten Bewerbern eine Chance zu geben.

_____

_____

Die Unternehmen werden sich künftig mehr anstrengen, attraktivere Angebote zu machen.

_____

_____

Wir unterstützen dabei mit Rat und Tat, und werden bei Interesse dabei helfen größere Anreize für Auszubildende zu schaffen.

_____

_____

1.3 Ergänzen Sie die Erklärung.

> Dopplung • verschiedene • Erlaubnis • dieselbe

Infinitivkonstruktionen und *dass*-Sätze

- Infinitivkonstruktionen ersetzen einen *dass*-Satz, um eine _____ des Subjekts zu vermeiden: *Sie müssen lernen, auch den auf den ersten Blick weniger geeigneten Bewerbern eine Chance zu geben.*

- Eine Infinitivkonstruktion kann auch folgen, wenn sich die Ergänzung im Einleitungssatz und das logische Subjekt in der Infinitivkonstruktion auf _____ Person beziehen: *Wir unterstützen dabei mit Rat und Tat und werden bei Interesse dabei helfen, größere Anreize für Auszubildende zu schaffen.*

- Wenn im Haupt- und *dass*-Satz _____ Subjekte stehen, kann der *dass*-Satz nicht durch einen Infinitiv ersetzt werden: *Den Unternehmen muss klar werden, dass Azubis nicht mehr im Überangebot da sind.*

- Der Infinitiv mit *zu* steht nach bestimmten Verben der _____ (*Es ist erlaubt, kurze private Telefonate am Arbeitsplatz zu führen.*), Absicht (*Wir haben vor, neue Maßnahmen einzuführen.*) oder des Gefühls (*Es ist großartig, mehr Lehrstellen anbieten zu können.*)

- *Dass*-Sätze stehen nach Verben des Sagens, der persönlichen Haltung, Verben mit festen Präpositionen oder unpersönlichen Ausdrücken.

2 Gespräch unter Arbeitskolleginnen – Ergänzen Sie die Infinitivkonstruktionen wie im Beispiel. Hören Sie dann das Gespräch und überprüfen Sie ihre Lösung.

🔊 11

FRAU SCHMIDT: Frau Schulze ist nun endgültig von ihrem Chef gefeuert worden. Sie behauptet aber, nicht gefeuert worden zu sein. (Sie ist nicht gefeuert worden.)

FRAU MAIER: Ja, ich weiß! Sie hat mir erzählt, _____. (Sie hat den Job gekündigt.)

FRAU SCHMIDT: Das verstehe ich nicht. Sie glaubt auch noch daran, _____. (Sie findet rasch einen neuen Job.)

FRAU MAIER: Sie ist überzeugt davon, _____. (Sie ist sehr kompetent.)

FRAU SCHMIDT: Wie sie meint. Also mir gefällt es hier – ich bin mir sicher, _____. (Ich will in meinem Betrieb bleiben.)

FRAU MAIER: Ich weiß nicht. Ich denke, _____. (Ich will irgendwann auch noch mal etwas anderes machen.)

Infinitivkonstruktionen: Kommasetzung

- Bei Infinitivkonstruktionen kann man zur besseren Strukturierung der Sätze ein Komma setzen. Werden die Infinitivsätze durch ein hinweisendes Wort, bspw. *es* oder *davon* im Hauptsatz eingeleitet, muss ein Komma gesetzt werden.

3.1 Hören Sie das Interview. Formulieren Sie aus den Antworten *dass*-Sätze. Überlegen Sie, welche Funktionen die *dass*-Sätze haben: sind sie Subjekt (Wer? / Was?) oder Ergänzung (Wen? / Was?)

⊚ 12

Zeitmanagement – Wege aus dem Stress

Was erwartet grundsätzlich der Chef?

Jürgen Claas: In der vorgegebenen Zeit müssen die Aufgaben erledigt werden.

Aber ist es nicht richtig, dass der Chef die Aufgaben an seine Angestellten verteilt?

JC: Der Chef überträgt in einer klassischen hierarchischen Arbeitsstruktur die Aufgaben an seine Angestellten.

Aber was ist das eigentliche Problem?

JC: Heutzutage kommen auf immer weniger Arbeitnehmer immer mehr Aufgaben zu.

Dies führt wozu?

JC: Der Arbeitsverdichtung folgt schnell Zeitmangel beim Arbeitnehmer.

Sollte man den Chef darüber informieren?

JC: Dem Chef sollte man solche Überlastungssituationen mitteilen.

Was kann der Arbeitnehmer selbst dagegen unternehmen?

JC: Das richtige und effektive Zeitmanagement ist für jeden Arbeitnehmer sehr bedeutend.

a Der Chef erwartet, dass die Aufgaben in der vorgegebenen Zeit erledigt werden.
   → Ergänzung: (Wen oder)Was erwartet der Vorgesetzte?

b Grundsätzlich gehe ich davon aus, _____

   _____

   → _____

c Das Kernproblem ist doch aber, _____

   _____

   → _____

d Es ist nicht verwunderlich, _____

   _____

   → _____

e Es ist ratsam, _____

   → _____

f Es lässt sich daher schlussfolgern, _____

   _____

   → _____

3.2 Ergänzen Sie nun die Erklärung.

> Ergänzungssatz • es • Fragepronomen • Subjektsatz

---

dass-Sätze

- Der Subjektsatz übernimmt die Rolle des Subjekts im Hauptsatz, der _____ die Rolle einer Ergänzung im Hauptsatz.
- Steht ein _____ in Endstellung, wird er oft durch das Pronomen _____ angekündigt:
  Es ist ratsam, dass ...
- Subjekt- und Ergänzungssätze werden durch *dass* oder auch *ob* eingeleitet:
  Ob die Aufgaben in der vorgegebenen Zeit erledigt werden können, ist zum heutigen Stand nicht sicher.
- Subjekt- und Ergänzungssätze können auch durch ein _____ eingeleitet werden:
  Wer die Aufgaben in der vorgegeben Zeit erledigen wird, ist bis zum heutigen Stand nicht sicher.

⇨ Kapitel 2.4.3: Indirekte Fragesätze

3.3 Formulieren Sie die Sätze aus Aufgabe 3.1 wie im Beispiel um, indem Sie mit dem *dass*-Satz beginnen. Achten Sie auf die Wortstellung im Hauptsatz.

Dass heutzutage auf immer weniger Arbeitnehmer immer mehr Aufgaben zukommen, ist doch das Kernproblem.

_____

_____

_____

_____

_____

4 Lesen Sie die Zitate. Formulieren Sie Ihre Meinung mit *dass*- und Infinitivsätzen – widersprechen Sie oder stimmen Sie zu?

> Zwei Dinge sind zu unserer Arbeit nötig: Unermüdliche Ausdauer und die Bereitschaft, etwas, in das man viel Zeit und Arbeit gesteckt hat, wieder wegzuwerfen.
> Albert Einstein

> Weil Denken die schwerste Arbeit ist, die es gibt, beschäftigen sich auch nur wenige damit.
> Henry Ford

> Mein Großvater sagte mir einst, dass es zwei Sorten von Menschen gäbe. Die, die arbeiten und die, die sich die Lorbeeren für diese Arbeit einheimsen. Er sagte mir, ich solle versuchen in der ersten Gruppe zu sein; es gäbe dort viel weniger Konkurrenz.
> Indira Gandhi

> Müde macht uns die Arbeit, die wir liegen lassen, nicht die, die wir tun.
> Marie von Ebner-Eschenbach

> Manche halten einen ausgefüllten Terminkalender für ein ausgefülltes Leben.
> Gerhard Uhlenbruck

Ich denke, dass...
Ich bin davon überzeugt, ...
Dass man ..., ...
Ich bin (nicht) der Meinung, dass ...
Es ist ratsam, ...

4.2 Relativsätze

1.1 Hören Sie die Zeugenvernehmung und unterstreichen Sie die Relativpronomen.

🔊 13

KOMMISSAR: Können Sie bitte den Mann beschreiben, den Sie gestern beobachtet haben.

ZEUGIN: Ja. Er trug dunkle Kleidung und Handschuhe sowie eine schwarze Mütze, die er tief ins Gesicht gezogen hatte.

KOMMISSAR: Konnten Sie das Gesicht des Mannes erkennen?

ZEUGIN: Ganz kurz. Alles ging so schnell. Er hatte ein schmales Gesicht und war rasiert. Ich erinnere mich an eine goldene Uhr, die kurz zwischen Handschuh und Ärmel zu sehen war.

KOMMISSAR: Ich zeige Ihnen nun Fotos von den verschiedenen verdächtigen Personen. Zeigen Sie bitte auf denjenigen, den Sie von dem Überfall wiedererkennen.

ZEUGIN: Moment, noch mal das letzte Foto, bitte. Ah, genau das ist der Mann, den Sie suchen. Ich erkenne ihn ganz genau, ich werde diesen kühlen Gesichtsausdruck nie vergessen.

KOMMISSAR: Sind Sie sich ganz sicher, dass das die Person ist, die den Mann gestern überfallen hat?

ZEUGIN: Ja, das ist der Mann, der auf den älteren Herrn eingeschlagen und ihn ausgeraubt hat.

KOMMISSAR: Vielen Dank! Ich habe erstmal keine weiteren Fragen.

1.2 Ergänzen Sie die Zeitungsmeldung mit den angegebenen Relativsätzen.

> der zuvor durch schnelle Fahndungsmaßnahmen festgenommen worden war. • das er einem Passanten entrissen hatte, in Richtung Innenstadt geflohen. • der an einer Telefonzelle gestanden hatte. • mit denen er flüchtete. • der bereits polizei-bekannt ist, schnell ausfindig machen und festnehmen.

Detaillierte Täterbeschreibung führt zur Ergreifung eines Räubers

Die Osnabrücker Polizei konnte einen Räuber überführen,_____
_____
_____.

Der Räuber hatte zunächst vor den Augen von zwei Frauen auf einen Mann eingeschlagen, _____
_____.

Danach hat er dem Opfer zwei Handys abgenommen, _____
_____.

Danach war er mit einem Fahrrad,_____
_____
_____.

Aufgrund der sehr detaillierten Personenbeschreibung von drei Zeugen konnte eine Polizeistreife den Mann, __
_____
_____
_____.

1.3 Lesen Sie die Zeitungsmeldung noch einmal und achten Sie auf die Relativsätze. Markieren Sie das Bezugswort des Relativpronomens für Genus und Numerus und das Bezugswort für den Kasus unterschiedlich.

Relativsätze

- Das Relativpronomen bezieht sich auf ein Nomen im vorangegangenen Hauptsatz und stimmt mit diesem in Numerus und Genus überein.
- Der Kasus des Relativpronomens wird durch das Verb im Relativsatz oder durch die Präposition beim Relativpronomen bestimmt.
- Der Relativsatz schließt meist direkt ans Nomen an oder kann in den Hauptsatz eingebettet sein.

⇨ Anhang 2: Übersicht der Relativpronomen

Relativsätze: Relativpronomen und Präpositionen

- Wenn Relativpronomen mit einer Präposition verbunden sind (z. B. bei Verben mit festen Präpositionen), ist die Präposition dem Relativpronomen vorangestellt (*von der, in die, für den*).
- Bezieht sich ein vorangestellter Relativsatz mit *was* auf einen Satz mit Präpositional-Ergänzung, steht die Präposition mit *da(r)-* im nachfolgenden Satz an der 1. Position:
  Was damals war, daran kann ich mich nicht mehr erinnern.
  Was mir passiert ist, davon kannst du dir keine Vorstellung machen!
- Ist der Relativsatz mit *was* jedoch nachgestellt oder eingeschoben, steht die Präposition mit Artikel im vorangestellten Satz: *Von dem, was mir passiert ist, kannst du dir keine Vorstellung machen!*

2.1 Anna und Peter – Teil 1: Ergänzen Sie das Gespräch mit den Relativpronomen aus dem Schüttelkasten. Hören Sie dann das Gespräch, um Ihre Lösung zu überprüfen.

> von der • in die • von denen • von dem • auf den

Das Rendezvous am Freitag

🔊 14

MARIA:	Hier sind die aussortierten Klamotten, _____ ich dir erzählt habe.
ANNA:	Ist das die Hose, _____ du erzählt hast? Die sieht ja super aus! Bist du dir sicher, dass du die hergeben willst?
MARIA:	Ja! Das hab ich dir doch schon gesagt. Das ist die, _____ ich nicht mehr reinpasse. Also nimm schon!
ANNA:	Darin sehe ich heute Abend bestimmt fabelhaft aus. Endlich kommt der Tag, _____ ich so lange gewartet habe!
MARIA:	Wo trefft ihr euch gleich nochmal?
ANNA:	Vor dem neuen indischen Restaurant, _____ ich dir schon mal erzählt habe.

2.2 Anna und Peter – Teil 2: Ergänzen Sie die Gespräche mit den jeweiligen Pronomen aus dem Schüttelkasten. Hören Sie dann das Gespräch um Ihre Lösung zu überprüfen.

> wer (2x) • wem • was • dem • der (2x)

Elternabend

🔊 15

PETER:	_____ ist das, _____ da drüben mit der Lehrerin spricht?
ANNA:	Das ist der Vater von Edith, mit der Malte in der Schule so gut befreundet ist.
PETER:	Könntest du bitte nicht so offensichtlich auf die beiden zeigen!
ANNA:	Ach, Peter!
PETER:	_____ das sieht, _____ denkt doch, dass wir schlecht über ihn reden.
ANNA:	Die meisten denken doch: _____ ich nicht weiß, macht mich nicht heiß. Die kümmert es gar nicht, ob ich auf sie zeige oder nicht. Und _____ ich meine Meinung sagen möchte, _____ sage ich die schon persönlich!
PETER:	Jetzt sprich doch bitte nicht so laut! Da hat sich gerade jemand nach uns umgedreht.

Relativsätze

- *Wer, wen, was, wem* können verkürzte Relativsätze einleiten. Es folgt ein Hauptsatz, der mit einem Demonstrativpronomen eingeleitet wird: *der, den, das, dem.*
- Verkürzte Relativsätze beziehen sich auf unbestimmte Personen: *Aber derjenige, der das sieht, der muss sich wundern.* → *Wer das sieht, (der) muss sich wundern.*
- Wenn der Kasus des Relativpronomens mit dem Demonstrativpronomen übereinstimmt, kann das Demonstrativpronomen weggelassen werden:
  Was ich nicht weiß, (das) macht mich nicht heiß!
- Wenn dem Relativpronomen eine Präposition vorangestellt ist und sich der Relativsatz auf die gesamte Aussage des vorangestellten Satzes bezieht, verwendet man *wo(r)* + Präposition:
  Peter hat mir zu unserer ersten Verabredung Blumen mitgebracht, worüber ich mich sehr gefreut habe.
- Nach *das, alles, nichts, etwas, einiges* und Superlativen steht oft ein mit *was* eingeleiteter Relativsatz:
  Das war das Schönste, was ich je erlebt habe.

2.3 Anna und Peter – Teil 3: Ergänzen Sie die Aussagen mit den Relativpronomen aus dem Schüttelkasten. Hören Sie dann das Gespräch, um Ihre Lösung zu überprüfen.

> was (3x) • worüber • wovon • worauf (2x)

Rückblick

◎ 16

PETER: Es war die Geburt unserer Kinder, _____ ich mich am meisten gefreut habe. Unsere Kinder sind einfach das, _____ wir ganz besonders stolz sind.

ANNA: Freundschaft ist das, _____ das Leben reicher macht. Mit Maria habe ich immer noch eine gute Freundschaft. Unserer Freundschaft verdanke ich vieles, _____ ich heute erreicht habe.

PETER: Ich bin immer noch sehr glücklich mit Anna. Sie gibt mir alles, _____ ich schon immer geträumt habe. Wir reden über vieles, _____ uns im Alltag widerfährt. Das ist glaub ich das, _____ es ankommt.

3 Was bedeutet für Sie Freundschaft? Bilden Sie Sätze und begründen Sie Ihre Meinung.

Freundschaften hat jeder. Das Wichtigste, was / worauf …
In der Freundschaft gibt es vieles, was / worauf / wozu …
Eine Beziehung / Ehe sollte wie eine Freundschaft sein. Das ist das gewisse Etwas, was …

2.4.3 Indirekte Fragesätze: Zeit, Grund, Art und Weise, Ort

1   Lesen Sie die Meinung von Herrn Schmidt zum Auftritt eines Bundestagsabgeordneten
    in der Sendung „Hart aber fair". Unterstreichen Sie <u>direkte</u> und <u>indirekte</u> Fragesätze
    unterschiedlich.

Frage zum Thema Kultur an den Abgeordneten im Bundestag

Sehr geehrter Herr Abgeordneter,

in der gestrigen Sendung „Hart aber fair" sagten Sie, dass es die Bürger leid
sind, wenn sich Politiker ständig daneben benehmen. Dieser Aussage kann
man nur zustimmen.

Daher möchte ich nachfragen, warum diese Erkenntnis bei Ihnen erst nach
mehreren verlorenen Landtagswahlen kommt und nicht schon viel früher?
Zudem interessiert mich, ob ich Ihnen noch vertrauen kann? Haben Sie
nicht noch vor wenigen Wochen und Monaten eine ganz andere Meinung
vertreten?
Würden Sie einem Politiker einer anderen Partei Glaubwürdigkeit
bescheinigen, wenn er sein Fähnchen so nach dem Wind stellt?
Ich hätte gern gewusst, welche Ihrer Wahlkampfthemen nun über Bord
geworfen werden sollen.
Worauf ist Ihre Kurswende zurückzuführen und wie wollen sie
weiterregieren?

Mit freundlichem Gruß
Gregor Schmidt

Indirekte Fragesätze

- Indirekte Fragesätze werden durch Fragewörter (*wer, welche, wie, warum, ob*) eingeleitet.
- Das finite Verb steht am Ende.
- Indirekte Fragesätze wirken weniger direkt und manchmal höflicher als einfache Fragen.

---

2   Beantworten Sie die Fragen und formulieren und beantworten Sie mindestens fünf
    weitere Fragen. Arbeiten Sie, wenn möglich, mit einem Gesprächspartner zusammen.

    - Ich möchte gerne wissen, wen Sie bei der nächsten Bundestagswahl wählen würden?
    - Was glauben Sie, welche Partei die kommenden Wahlen gewinnen wird?
    - Mich interessiert, welche Politikerin / welchen Politiker Sie schätzen?
    - Sind Sie der Meinung, dass …
    - …

3   Welcher Partei bzw. welchem Politiker würden Sie gerne über die Plattform www.
    abgeordnetenwatch.de eine Anfrage schicken? Formulieren Sie eine schriftliche
    Anfrage, ähnlich wie in Aufgabe 1. Vielleicht erhalten Sie eine Antwort.

5 Nominalisierung

5.1 Nominalisierung von Infinitivsätzen und *dass*-Sätzen

Das lernen Sie:

– Unterscheidung Verbal- und Nominalstil
– Erstellung von Überschriften, Notizen und Exzerpten

---

1 Welche der Überschriften sind im Verbalstil, welche im Nominalstil formuliert?

Es ist wichtig, dass man bis Vierzig durchhält
→ verbal

Ein Gespräch mit Bundesarbeitsministerin Ursula von der Leyen

→ _____

Detaillierte Täterbeschreibung führt dazu, dass der Täter nach monatelanger Suche ergriffen wird

→ _____

Polizei gelingt es, den Verdächtigen nach Raubüberfall schnell festzunehmen

→ _____

ABSTURZ STATT KRÖNUNG

→ _____

Das Schönsein zählt mehr als ein Sommermärchen

→ _____

Nominalisierung von Infinitivkonstruktionen und *dass*-Sätzen

- Durch den Nominalstil werden Aussagen (wie z. B. die Schlagzeilen) kürzer und kompakter.
- Statt eines Verbs wird ein entsprechendes Nomen verwendet:
  abstürzen → Absturz
- Neben Verben werden auch Adjektive häufig nominalisiert.
- Personalpronomen werden in der nominalisierten Version zu Possessivartikeln:
  er wird festgenommen → seine Festnahme
- Adverbiale Adjektive werden bei der Nominalisierung zu attributiven Adjektiven:
  schnell festnehmen → schnelle Festnahme
- Die Akkusativergänzung wird durch einen Genitiv oder mit *von* (+D) angeschlossen:
  Polizei gelingt es, den Verdächtigen festzunehmen → Polizei gelingt die Festnahme des Verdächtigen
  Es ist wichtig, Täter genau zu beschreiben. → Die genaue Beschreibung von Tätern ist wichtig.
- Der Urheber der Handlung wird mit *durch* (+ A) angeschlossen, besonders dann, wenn der Anschluss mit *von* missverständlich wäre:
  die Festnahme des Verdächtigen durch die Polizei (im Gegensatz zu: die Festnahme des Verdächtigen von der Polizei).

2.1 Sie sind Gasthörer in einer Lehrerkonferenz und Ihnen werden zu Beginn der Sitzung die Aufgaben erläutert. Hören Sie die Erläuterungen und machen Sie sich kurze Notizen wie im Beispiel.

⊚ 17

1. Beschlussfassung über Organisation und Durchführung der Fachprüfungen
2. Bestellung der Prüfer und Beisitzer für die Prüfungen
3.
4.
5.

2.2 Erläutern Sie mündlich einem Kollegen die übrigen Punkte der Prüfungsordnung. Formulieren Sie die nominalisierten Punkte in Infinitivsätze um.

6. Entscheidung über Anträge zur zweiten Wiederholungsprüfung
7. Zustimmung zu Prüfungsteilnahme bei Gasthörerschaft
8. regelmäßige Berichterstattung an den Fachbereichsrat
9. Anregungen zur Reform von Studium und Prüfungen

> Der Prüfungsausschuss ist befugt, über Anträge zur zweiten Wiederholungsprüfung zu entscheiden.

> Er ist dafür zuständig, _____
  _____ .

> Der Prüfungsausschuss ist dazu verpflichtet, _____
  _____ .

> Der Prüfungsausschuss ist dafür zuständig, _____
  _____ .

Nominalstil vs. Verbalstil

- Nominalisierungen führen – neben zusammengesetzten Nomen, Attributen und Appositionen – zu einer inhaltlichen Verdichtung, dem so genannten Nominalstil.
- In wissenschaftlichen und fachsprachlichen (z. B. Verwaltung, Recht, Wirtschaft) Texten, in Vorträgen und Reden, aber auch in Zeitungsartikeln wird Nominalstil verwendet.
- Durch die hohe inhaltliche Dichte und Komplexität ist der Nominalstil oft schwer verständlich und für die Alltagskommunikation eher ungeeignet.
- In der Erzähl- und Alltagssprache wird daher vor allem Verbalstil verwendet.

3   Lesen Sie den Text und erstellen Sie ein Exzerpt wie im Beispiel, in dem Sie die
wichtigsten Punkte im Nominalstil zusammenfassen.

 Exzerpieren: wichtige Aussagen aus einem Text notieren

Das Exzerpt dient dazu, einen gelesenen Text zusammenzufassen, einzuordnen und zu
verarbeiten. Es ist hilfreich, bereits beim Exzerpieren wörtliche Zitate zu notieren, aber auch
bereits den Inhalt zu interpretieren. Dadurch wird die spätere Erstellung eines eigenen Textes
erleichtert.

Was sind Schlüsselqualifikationen?

Wir wollen in dem folgenden Text vier Schwerpunkte der Schlüsselqualifikationen im Studium vorstellen.

Der erste Schwerpunkt umfasst das Vermögen, erfolgreich präsentieren zu können. Die Voraussetzung für den Erfolg eines Vortrages ist, dass dieser ausreichend geplant und strukturiert wird. Dabei ist es das Ziel, zielgruppengerecht zu präsentieren. Deshalb sollte man verschiedene Präsentationstechniken beherrschen, verbale und nonverbale Kommunikation trainieren und Feedbackregeln beachten.

Der zweite Schwerpunkt ist es, erfolgreich argumentieren zu können. Entsprechende Voraussetzung ist, in einer Diskussionsrunde wichtige Argumente zu erkennen und angemessen damit umzugehen. Das Ziel besteht darin, eigene Argumente zu formulieren und Gegenargumente entkräften zu können. Deshalb sollten die wichtigsten Argumentationstechniken bekannt sein, damit diese auch richtig angewendet werden können.

Als dritten Schwerpunkt wollen wir das wissenschaftliche Schreiben hervorheben. Voraussetzung hierzu ist, den formalen Aufbau einer wissenschaftlichen Arbeit genau zu kennen. Das Ziel besteht darin, sicher eigene Texte zu verfassen und dazu gezielt erlernte Methoden des wissenschaftlichen Schreibens einzusetzen. Doch nicht nur der Aufbau und die Gliederung wissenschaftlicher Texte sollten bekannt sein, auch Formalia wie Zitationsregeln müssen beachtet werden. Zudem sollte strukturiert an das Verfassen wissenschaftlicher Texte herangegangen werden.

Als viertes wollen wir auf den Aspekt der interkulturellen Kommunikation aufmerksam machen. Dieser wird in Zeiten der Globalisierung immer bedeutender. Voraussetzung dafür ist, sich eingehend mit anderen Kulturen auseinanderzusetzen. Dies ist vonnöten, um im interkulturellen Umfeld kommunizieren und präsentieren zu können. Es ist das Ziel, dass auch Projekte im interkulturellen Kontext durchgeführt werden können. Wichtig ist dabei, dass die jeweiligen Kulturstandards, typische Rhetorik und Kommunikations- und Vortragsstile beachtet werden.

Beispiel-Exzerpt:

Was sind Schlüsselqualifikationen?

4 Schwerpunkte fürs Studium:

1. Voraussetzung für erfolgreiches Präsentieren:
   - ausreichende Planung und Strukturierung von Vorträgen
   - zielgruppengerechtes Präsentieren
   - Beherrschung von Präsentationstechniken, Training von verbaler und nonverbaler Kommunikation, Beachtung der Feedbackregeln

   - ....
   - ....
   - ....

2.5.2 Nominalisierung von weiteren Haupt- und Nebensätzen

Das lernen Sie:

– Wiederholung von nominalen Konstruktionen
– Bedeutungsähnlichkeiten zwischen Präpositionalkonstruktionen und Sätzen mit
  Konjunktionen, Subjunktionen und Verbindungsadverbien

1.1 Lesen Sie den Zeitungsartikel und bestimmen Sie die semantische Relation der
markierten Nominalisierungen wie im Beispiel.

> modal-substitutiv • final • konzessiv • temporal • kausal (2x) • konditional

---

Küsten in der Arktis auf dem Rückzug

Durch die Erwärmung des Klimas ziehen sich die Dauerfrost-Küsten der Arktis jedes Jahr durchschnittlich um einen halben Meter zurück. (modal-instrumental)

Zur Erforschung der Veränderung hatten das Helmholtz-Zentrum Geesthacht und das Alfred-Wegener-Institut für Polar- und Meeresforschung 100.000 Kilometer arktischer Küstenlinie untersucht. (_____) Am Zustandsbericht „Stand der Arktikküste 2010" waren zudem Forscher aus zehn Ländern beteiligt.
Statt aus Fels bestehen zwei Drittel der arktischen Küsten aus dauerhaft gefrorenem Boden, dem so genannten Permafrost. (_____) Dieser taut nun teilweise. Die Wissenschaftler warnen vor den großen Veränderungen für die küstennahen arktischen Ökosysteme und die dort lebende Bevölkerung. Trotz der dünnen Besiedelung der arktischen Landstriche sind auch im Hohen Norden die Küsten wichtige Achsen für das wirtschaftliche und gesellschaftliche Leben. (_____)

Bisher seien die arktischen Küsten vor der erodierenden Kraft der Wellen durch ausgedehnte Meereisflächen geschützt, heißt es in der Untersuchung. Infolge des kontinuierlichen Rückgangs des Meereises sei dieser Schutz nun gefährdet. (_____)
Seit dem Anwachsen des Bedarfs an globalen Energiessourcen und dem zunehmenden Tourismus und Gütertransport wird der menschliche Einfluss auf die Küstenregionen verstärkt. (_____) Aufgrund der Zunahme der Erosion änderten sich die ökologischen Bedingungen für Wildtierbestände wie die großen Karibuherden des Nordens erheblich, warnen die Experten. (_____)
Neue Messungen hatten gezeigt, dass manche Gletscher in Grönland schneller tauen. Im Falle einer Erhärtung dieses Verdachts würde sich der Anstieg der Meeresspiegel beschleunigen. (_____)

1.2 Ergänzen Sie die Tabelle mit den Präpositionen aus dem Text. Welche äquivalenten
Subjunktionen, Konjunktionen oder Verbindungsadverbien können Sie ergänzen?

Bedeutung	Präpositionen	Äquivalente (Subjunktionen, Konjunktionen, Verbindungsadverbien)
modal-instrumental	durch	indem, _____
final	_____	um … zu
adversativ		während, _____, _____
konzessiv	_____	_____
konsekutiv		_____, infolgedessen, _____, _____, _____
temporal	_____	_____
kausal	_____	_____, _____, _____
konditional	_____	_____
modal-substitutiv	statt	_____, _____

1.3 Formulieren Sie mithilfe der Tabelle folgende Sätze in Verbalstil um.

a Durch die Erwärmung des Klimas ziehen sich die Dauerfrost-Küsten der Arktis jedes Jahr durchschnittlich um einen halben Meter zurück.

> *Dadurch, dass sich das Klima erwärmt, ziehen sich die Dauerfrost-Küsten der Arktis jedes Jahr durchschnittlich um einen halben Meter zurück.*

b Zur Erforschung der Veränderung hatten das Helmholtz-Zentrum Geesthacht und das Alfred-Wegener-Institut für Polar- und Meeresforschung 100.000 Kilometer arktischer Küstenlinie untersucht.

> _____

  _____

c Trotz der dünnen Besiedelung der arktischen Landstriche sind auch im Hohen Norden die Küsten wichtige Achsen für das wirtschaftliche und gesellschaftliche Leben.

> _____

  _____

d Infolge des kontinuierlichen Rückgangs des Meereises sei dieser Schutz nun gefährdet.

> _____

  _____

e Seit dem Anwachsen des Bedarfs an globalen Energieressourcen und Zunehmen von Tourismus und Gütertransport wird der menschliche Einfluss auf die Küstenregionen verstärkt.

> _____

  _____

f Aufgrund der Zunahme der Erosion änderten sich die ökologischen Bedingungen für Wildtierbestände wie die großen Karibuherden des Nordens erheblich, warnen die Experten.

> _____

  _____

g Im Falle einer Erhärtung dieses Verdachts würde sich der Meeresspiegel schneller heben.

> _____

  _____

2 Ergänzen Sie die Lexikonartikel jeweils mit den Präpositionen aus den Schüttelkästen.

zur • durch (2x)

Erosion (lat.), Vorgänge, die _____ Abtragung von Gestein u. Boden _____ Bildung der Oberflächenformen der Erde beitragen: a) *Fluss-E.*, ausfurchende und einschneidende Arbeit des fließenden Wassers (Täler, Schluchten); b) *Wind-E.* (Deflation), Abtragung _____ Windeinwirkung (bes. in Gebieten mit spärl. Vegetation); c) *Glazial-E.*, ausräumende Wirkung der Gletscher; d) *marine E.* (Abrasion), abtragende Wirkung von Brandung, Gezeiten u. Meeresströmungen.

durch • ohne

Ökosystem, funktionelle Einheit von Lebensraum (Biotop) u. Lebensgemeinschaft (Biozönose); _____ störende äußere Einflüsse _____ stete Selbstregulierung im biol. Gleichgewicht.

wegen • zur

Polarstern (Nordstern), Stern 2. Größe im kleinen Bären. Dient _____ seines geringen Abstandes vom Himmelspol (ca. 1) _____ Bestimmung der Himmelsrichtungen u. der geograph. Breite.

3 Nominale Gruppen

3.1 Nominale und präpositionale Gruppen erkennen

1.1 Lesen Sie die Reisebeschreibung von Ror Wolf und beantworten Sie dann die Fragen.

Soeben ist mir ein Fall von gewaltiger Zeitverschwendung zu Ohren gekommen. In Island passierte es einem Mann, der über Sonntag einen Bekannten besuchen wollte und ein in der Gegend verkehrendes Schiff bestieg, dass dieses Schiff infolge der ungewöhnlichen Strömungsverhältnisse nicht an der beabsichtigten Stelle anlegen konnte. Der Mann, der ohne Gepäck reiste, musste nun weiter nach England fahren, und da er dort keine baldige Rückfahrgelegenheit vorfand, reiste er weiter nach Kopenhagen, um von dort aus den vier Wochen später fälligen Postdampfer nach Island benutzen zu können. Er kam auch glücklich an, aber die Jahreszeit war inzwischen so rauh geworden, dass er die lange Landreise in den Norden der Insel, aus dem er gekommen war, nicht mehr antreten* konnte. Deshalb kehrte der Mann von seinem Sonntagsausflug erst im folgenden Sommer, also ein Jahr nach dem Aufbruch, zurück.

* hier: beginnen

aus: Ror Wolf: Nachrichten aus der bewohnten Welt. 1991, Frankfurter Verlagsanstalt, Frankfurt (Main), S. 101

a Warum verreiste der Mann?   Er wollte *einen Bekannten* besuchen.

b Was nahm er auf die Reise mit? Er reiste _____ .

c Warum reiste der Mann weiter nach Kopenhagen?
Er fand in England _____ .

d Welches Verkehrsmittel wohin benutzte er von Kopenhagen aus?
Er benutzte _____ .

e Welche Reise konnte er wegen der rauhen Jahreszeit nicht mehr antreten?
Er konnte _____ nicht mehr antreten.

f Wann kehrte der Mann von seinem Sonntagsausflug nach Hause zurück?
Er kehrte _____ nach Hause zurück.

g Woher genau kommt der Mann, dessen Reise hier beschrieben wird?
Er kommt _____ .

h Warum handelt es sich um „einen Fall von gewaltiger Zeitverschwendung"?
Ein Mann will am Sonntag _____ besuchen, benötigt aber für den Besuch und die Rückkehr nach Hause ein ganzes Jahr.

1.2 Im Text sind einige Nomen hervorgehoben. Unterstreichen Sie jeweils das zugehörige Artikelwort.

1.3 In der folgenden Tabelle finden Sie in der linken Spalte nominale Gruppen mit verschiedenen Artikelwörtern und Erweiterungen (Attributen). Ergänzen Sie in der rechten Spalte Beispiele aus dem Text, die die gleiche Form haben.

Zeit	Gepäck / Island / Sonntag / _____ / _____
die Zeit	die Gegend / _____ / _____
eine Zeit	ein Fall / _____ / _____
diese Zeit	dieses _____
deine Zeit	sein _____
die Zeit des Wartens	der Norden _____
die Zeit, die mir fehlt	der Mann, der _____ ein Mann, _____
keine anstrengende Zeit	_____
die schlimmste Zeit	die _____ Strömungsverhältnisse / _____
eine Zeit nach dem Studium	ein Fall _____

Nominale Gruppen

Es gibt Wortgruppen, die zusammengehören und bei Umstellungen im Satz zusammenstehen, z. B. nominale Gruppen.
- Nominale Gruppen bestehen mindestens aus:
  - einem Nomen   *Der Mann, der ohne <u>Gepäck</u> reiste, …*
  - einem Nomen mit Artikelwort   *<u>Dieses Schiff</u> konnte nicht anlegen.*

Das Nomen ist der „Kopf" oder „Kern" der nominalen Gruppe. Die anderen Elemente der Nominalgruppe beziehen sich auf das Nomen. Das Nomen legt das Genus fest (maskulin, feminin oder neutrum). Artikelwörter und Adjektive vor dem Nomen richten sich in Genus, Numerus (Singular oder Plural) und Kasus (Nominativ, Akkusativ, Dativ oder Genitiv) nach dem Nomen.

Präpositionale Gruppen

- Präpositionalgruppen bestehen aus einer Präposition und einer nominalen Gruppe.

in	*der Gegend*
nach	*dem Aufbruch*
Präposition	nominale Gruppe

- Präpositionalgruppen können als Attribut eine nominale Gruppe erweitern:
  der Sommer <u>nach dem Aufbruch</u>
- Präpositionalgruppen können auch Teil eines Attributs sein:
  ein <u>in der Gegend</u> verkehrendes Schiff

2.1 Unterstreichen Sie im folgenden Text alle zusätzlichen Informationen zu den markierten Nomen. Welche stehen links, welche rechts vom Nomen?

Kernenergie und Emissionsproblematik

Bei der industriellen Nutzung der Kernenergie war es von Beginn an zu Unfällen mit zum Teil schweren Umweltbelastungen gekommen. Doch erst die Reaktorkatastrophen von Harrisburg 1979 und Tschernobyl 1986 sowie das nach wie vor ungeklärte Problem der sicheren Entsorgung nuklearer Abfälle führten weltweit auch in Bezug auf die Kernenergie zu einem Umdenken. Die immer wieder als Energiequelle der Zukunft angeführte Kernfusion, nach deren technischer Ausnutzung bereits über ein halbes Jahrhundert geforscht wird, hat die Hoffnungen, die in sie gesetzt wurden, bisher nicht erfüllen können.

Im Bereich der traditionellen fossilen Energieträger wie Steinkohle, Braunkohle und Erdöl war es vor allem der Anstieg an klimagefährdenden Emissionen, der auch hier zu einer verstärkten Suche nach Alternativen geführt hat. In letzter Zeit gewinnt dabei neben der Verwendung des emissionsärmeren Erdgases und Anstrengungen zur Energieeinsparung besonders die Rückkehr zu regenerativen Energieträgern wie Wind, Sonne, Erdwärme und Biogas an Bedeutung.

aus: GEO Themenlexikon Geschichte (Band 17). 2007, Bibliographisches Institut, Mannheim, S. 215

2.2 Ergänzen Sie in der Tabelle die nominalen Gruppen mit ihren Erweiterungen aus dem Text. Trennen Sie nominale Gruppen, die links und die rechts stehen. Verwenden Sie den Nominativ.

Erweiterungen rechts vom Nomen-Kern	
Unfälle mit zum Teil schweren Umweltbelastungen	
die **Reaktorkatastrophen** _____	Präpositionalattribut
der **Anstieg** _____	
eine **Suche** _____	
die **Rückkehr** _____	
das **Problem** _____	Genitivattribut
die **Kernfusion,** _____	Relativsatz
Hoffnungen, _____	

	Erweiterungen links vom Nomen-Kern	
Adjektivattribut / Partizipialattribut	das nach wie vor ungeklärte **Problem**	
	_____	**Suche**
	_____	**Kernfusion**

Nominale Gruppen

- Nominale Gruppen können durch verschiedene sprachliche Mittel erweitert werden. Man spricht auch von Attributen. Diese Attribute geben weitere Informationen zum Nomen. Der Mann konnte *die* lange Reise in den Norden der Insel nicht mehr antreten.
- Attribute sind immer Teil der nominalen Gruppe und können nicht unabhängig verschoben werden: Die lange Reise in den Norden der Insel konnte der Mann nicht antreten.
- Häufig sind Erweiterungen durch folgende Attribute:
  - Adjektive: Er fand *keine* baldige *Rückfahrgelegenheit.* Das ist gewaltige *Zeitverschwendung.*
  - Partizipialattribute: Er bestieg *ein* in der Gegend verkehrendes *Schiff.*
  - Präpositionalattribute = Präposition + Erweiterung (meist Nominalgruppe) Ich hörte über *einen Fall* von gewaltiger Zeitverschwendung. Er bestieg *den Postdampfer* nach Island.
  - Genitivattribute: Die Reise *in den Norden* der Insel *konnte er nicht antreten.*
  - Relativsatz: *Der Mann,* der ohne Gepäck reiste, *musste nach England weiterfahren.*
  - Apposition: *Im folgenden Sommer,* ein Jahr nach dem Aufbruch, *kehrte er zurück.*

3.1 Lesen Sie den Text und markieren Sie die Artikelwörter der hervorgehobenen Nomen. Unterstreichen Sie anschließend alle Ergänzungen rechts und links der Nomen.

Ernährung

Die Empfehlungen für die tägliche Aufnahme der wichtigsten Nährstoffe wurden im frühen 20. Jahrhundert ursprünglich im militärischen Kontext entwickelt. Wenn sich ein einzelner Mensch falsch ernährt, ist das sein Privatproblem. Hat man aber eine große Menge Menschen zu ernähren, also etwa Soldaten, Flüchtlinge oder die Bewohner eines Staats, in dem Lebensmittelrationierung herrscht, dann ist es nützlich zu wissen, welche Nährstoffe diese Menschen brauchen.

Das herauszufinden ist aber keine triviale Aufgabe. Der einzige Mensch, dessen Nährstoffbedarf relativ genau bekannt ist, ist ein Säugling, der von einer gesunden Mutter gestillt* wird. Da die Natur in solchen Dingen üblicherweise weiß, was sie tut, kann man davon ausgehen, dass die Muttermilch nicht mehr und nicht weniger als die für den Säugling erforderlichen Nährstoffe enthält. Sobald der Mensch aber anfängt, an Bananen, Brezelstücken und Tischbeinen zu kauen, wird es kompliziert.

So beruht die Empfehlung, täglich mindestens 130 Gramm Kohlenhydrate zu verzehren, auf dem errechenbaren Energiebedarf des Gehirns und der Annahme, dass das Gehirn diesen Energiebedarf am liebsten aus Stärke oder Zucker deckt.

*stillen = durch Muttermilch ernähren

aus: Kathrin Passig / Aleks Scholz / Kai Schreiber: Das neue Lexikon des Unwissens. 2011, Rowohlt, Berlin, S. 68-69

3.2 Der Text enthält neue Strukturen (im Vergleich zu 2.1 und 2.2), durch die weitere Informationen zu Nomen gegeben werden können. Ergänzen Sie die folgende Tabelle.

Erweiterungen rechts vom Nomen-Kern	
die **Empfehlung**, täglich mindestens 130 Gramm Kohlenhydrate zu verzehren, …	Infinitivkonstruktion
Die **Annahme**, _____.	*dass*-Satz

3.3 Ergänzen Sie die folgenden Relativsätze mit Inhalten aus dem Text.

a ein Staat, _____

b ein Säugling, _____

c die Nährstoffe, _____

d der Energiebedarf, _____

Tipp:

die Empfehlung für die tägliche Aufnahme der wichtigsten Nährstoffe Beachten Sie die Reihung von Attributen (z. B. Präpositional- und Genitivattribut).

.2 Artikelwörter

1.1 Lesen Sie den Romanauszug und unterstreichen Sie die Artikelwörter, die zu den hervorgehobenen Nomen gehören.

> **Herr Jensen steigt aus**
>
> Am nächsten Morgen wachte Herr Jensen pünktlich in seinem Sessel auf. Pünktlich wozu, dachte er frustriert. Lächerlicherweise plagten ihn Kopfschmerzen, obwohl er am Vorabend keinen Alkohol getrunken hatte. Spielend hätte er es nun zur Arbeit geschafft, die er nicht mehr hatte, und das, wo es ihm in allen Jahren, in denen er diese Arbeit noch hatte, immer so schwer gefallen war, pünktlich aufzustehen, und er sich jeden Morgen gewünscht hatte, noch liegenbleiben zu können. – Herr Jensen stand ächzend auf und probierte durch vorsichtige Bewegungen aus, welches Gelenk am schlimmsten schmerzte.
>
> aus: Jakob Hein: Herr Jensen steigt aus. 2007, Piper, München, S. 29

1.2 Zu welcher Deklinationsgruppe gehören die Artikelwörter? Ordnen Sie die Beispiele zu. Variieren Sie die Geschichte, indem Sie Nomen und Artikelwörter verändern.

Artikelwörter

	Deklinationsgruppe	Beispiel	Variation
1	der / die / das dies-, jen-, welch-, manch-, jed-	Er probierte aus, *welches Gelenk* schmerzte. *diese Arbeit* *jeden Morgen*	Er merkte, dass *jedes Gelenk* schmerzte. *jene Arbeit* *manchen Morgen*
2	ein / eine / ein mein-, … irgendein-, was für ein-, kein-	Er wachte in *seinem Sessel* auf. _____.	_____. *Was für einen Kaffee trinkst du?*
3	all-, einig-, irgendwelch-, etlich-, mehrer- (solch-)	_____	*an einigen Tagen*

- Die Artikelwörter der 3. Gruppe treten v. a. bei Pluralen auf. Bei Substanznomen (z. B. *alles Geld*) und abstrakten Nomen (z. B. *etlicher Mut*) werden sie auch im Singular verwendet.
- *Jed-* und *irgendein-* werden nur im Singular verwendet.　　　　　　　⇨ vollständige Übersicht: Anhang 3

2 Beobachten Sie anhand des Beispiels eine Besonderheit von *solch-*. Wie wird *solch-* hier verwendet?

> **Elektrofahrzeuge**
> China kündigt an, dass bis zum Jahr 2020 die Hälfte aller Autos in China elektrisch betrieben werden sollen – und dass man dafür mehrere zehn Milliarden Dollar in Forschung und Entwicklung investieren wird. Ein solcher Schritt könnte China eine Führungsposition in der Automobiltechnologie der Zukunft verschaffen

Verwendung von *solch-*

- *Solch-* wird bei Singularausdrücken wie ein Adjektiv verwendet. Es greift Eigenschaften heraus und bezieht sich meist auf vorher Gesagtes.
- Als Artikelwort tritt es nur bei Pluralen und Substanznomen (z. B. Wasser), nicht aber bei abstrakten Nomen auf.

3 Ergänzen Sie in den Sätzen *viel* und *wenig* sowie die Adjektive *gering* und *hoch* in der richtigen Form.

a Schon _____ Worte Spanisch helfen beim Ferienaufenthalt. Der Kurs im August richtet sich an Personen, die bereits _____ Spanischkenntnisse haben.

b Obst und Gemüse haben _____ Fett, eine _____ Energiedichte, einen _____ Vitamingehalt und sind schmackhaft. Deshalb soll man _____ frisches Obst und Gemüse essen.

c Zu _____ Wähler gingen zur Wahl. Es habe eine _____ zu _____ Wahlbeteiligung gegeben, so das Ergebnis einer Wahlanalyse.

---

viel und *wenig*

- Die quantifizierenden Ausdrücke *viel* und *wenig* sind eine Mischform zwischen Artikelwort und Adjektiv. Sie treten im Singular nur bei Substanznomen und abstrakten Nomen auf und werden dann nicht dekliniert.
- *viel* dient auch zur Graduierung: Er hat *eine viel zu kleine Wohnung.*
- Dagegen sind *gering* und *hoch* vollwertige Adjektive: Mit *geringem Aufwand* wird *die gleiche Leistung* erreicht.

---

4 Lesen Sie den TV-Hinweis. Warum steht bei den markierten Nomen kein Artikelwort (= Nullartikel)? Ergänzen Sie die Tabelle und die fehlenden Artikelwörter im Text.

> ### Kleine Abfallgeschichte(n)
>
> *Arte 19.30 Neue Reihe: Umwelt-Doku „Paris"*
>
> Jeden Tag produziert _____ Menschheit gewaltige Mengen Abfall – doch wohin mit _____ Müll? Noch vor wenigen hundert Jahren lief man in _____ Städten durch Müll und Exkremente. Erst im 19. Jahrhundert entwickelten sich in Ballungsgebieten Abfallentsorgung, Abwassersysteme und auch _____ erste Mülltrennung.
>
> _____ Doku-Reihe von Nick Quinn zeigt, wie dies _____ Städtebau veränderte und sogar Revolutionen auslöste.

	Nomen ohne Artikelwort
Plural unbestimmt	Mengen, _____, _____, _____
abstrakte Nomen	Intelligenz, Mut
Substanznomen	Wasser, Obst, Geld, _____, _____
Institutionen oder abstrakte Vorgänge	Abfallentsorgung
Namen	Nick Quinn

5 Wann werden im Text bestimmter oder unbestimmter Artikel verwendet? Tragen Sie die markierten Beispiele in die Tabelle ein. Ergänzen Sie auch die fehlenden Artikelwörter.

> ### Fahrer eines Rettungswagens verursacht Unfall
>
> *Helmstedt.* Bei einem Verkehrsunfall auf der Landesstraße 292 wurden gestern Mittag drei Menschen leicht verletzt. Dazu zählt der 35 Jahre alte Fahrer eines Rettungswagens aus Helmstedt. Zum Hergang machte die Polizei folgende Angaben: Der Helmstedter erlitt während der Fahrt einen Schwächeanfall und geriet dadurch mit seinem Fahrzeug auf die Gegenfahrbahn. Eine entgegenkommende 65-jährige Fahrerin eines Pkws konnte noch ausweichen, trotzdem stießen beide Fahrzeuge zusammen. Während der 35-jährige Krankenwagenfahrer bei dem Aufprall _____ Schock erlitt, wurden _____ Pkw-Fahrerin und ihre Beifahrerin leicht verletzt. _____ zum Unfallort bestellter Rettungssanitäter brachte die drei Leichtverletzten ins Wolfsburger Klinikum. _____ Patienten im Rettungswagen sei laut Polizeiangaben nichts passiert

Bestimmter und unbestimmter Artikel

bestimmter Artikel	die Person oder Sache ist persönlich oder allgemein bekannt	die Polizei
	eine Sache / Person / ein Ereignis wurde im Text bereits eingeführt	der Helmstedter _____
	etwas ist einmalig (Unikat: z. B. *die Erde*)	_____
	etwas gehört zu einer Sache oder Person, die aus dem Kontext bereits bekannt ist	_____
	die Sache oder Person wird im Text genauer bestimmt, z. B. durch einen Relativsatz oder ein anderes Attribut	_____ _____
unbestimmter Artikel	eine Sache oder Person wird neu eingeführt	_____
	man bezieht sich auf eine beliebige Sache / eine beliebige Person	Ein Pkw ist ein Auto.

6   Ergänzen Sie im folgenden Text passende Artikelwörter. Welchen Artikel wählen Sie für das Nomen *Gruppe* und warum?

Weisheit der Vielen

In _____ Gruppe treffen Menschen klügere Entscheidungen als allein, wie Experimente schon mehrfach nachgewiesen haben. So lässt sich beispielsweise ____ Gewicht eines Rindes relativ präzise bestimmen, wenn man _____ Mittelwert vieler individueller Schätzungen bildet. Auf _____ Weise kann der Einzelne von der sogenannten „Weisheit der Vielen" profitieren.

Artikelverwendung in allgemeinen Aussagen

In allgemeinen Aussagen kann der bestimmte Artikel, der unbestimmte Artikel und auch der Nullartikel (= kein Artikel) verwendet werden:

In einer Gruppe / In der Gruppe / In Gruppen treffen Menschen klügere Entscheidungen als allein.

7   Formulieren Sie anhand der Notizen eine Zeitungsmeldung. Ergänzen Sie bestimmte und unbestimmte Artikel und wählen Sie passende Verben.

– Peine: gestern 08.20 Uhr, zwischen Peine-Ost und Hämelerwald:
    Zusammenstoß von fünf Autos

– laut Polizeiangaben: Fahrer wollte Spur wechseln, übersah dabei anderes Auto

– übrige drei Fahrzeuge: Wegen zu hoher Geschwindigkeit: rechtzeitiges
    Bremsen nicht möglich

– wie die Polizei sagte: keine Verletzten, großes Glück für alle Beteiligten

– während Unfallaufnahme und Bergung der Fahrzeuge: Beeinträchtigung des
    Verkehrs

Gestern kam es um 08.20 Uhr zwischen Peine-Ost und Hämelerwald ...

3.3 Komplexe nominale Gruppen

3.3.1 Adjektivattribute

1.1 Unterstreichen Sie die Adjektive, die zu den markierten Nomen gehören.

> **Neugier**
>
> Neugier ist ein Glücksfaktor. Mit ihr suchen wir nach neuen Genüssen, probieren fremde Speisen, reisen in unbekannte Länder, lesen neue Bücher, erweitern ständig unser Wissen, trainieren eine neue Sportart, verfolgen die Nachrichten, lesen Tageszeitungen und Journale, schauen uns neue Filme an, lassen uns im Zirkus (ohne Tiere) von Artisten verblüffen* oder im Theater durch frische Inszenierungen von altem Stoff neu unterhalten und inspirieren. Kleinen Kindern sehen wir schon im Gesicht an, wie Neugier ihnen Freude bereitet, wie sie strahlen, wenn wir sie mit einer Kleinigkeit überraschen. Sie sagen uns deutlich genug, was sie nicht möchten, dass wir ihnen ihre Neugier abgewöhnen.
>
> * freudig überraschen   aus: Margot und Michael Schmitz: Emotions-Management.
> 2009, Piper, München, S. 71

1.2 Ergänzen Sie im folgenden Text Artikelwörter und Adjektive.

Aus Neugier suchen wir nach *einem neuen* Genuss, probieren _____ Speise, reisen in

_____ Land, lesen _____ Buch, trainieren _____ Sportart,

lesen _____ Tageszeitung und schauen uns _____ Film an.

_____ Kind sehen wir schon im Gesicht an, wie Neugier ihm Freude bereitet.

1.3 Markieren Sie in beiden Spalten die Endungen der Artikelwörter und Adjektive. Vergleichen Sie die linke und rechte Spalte: Welchen Zusammenhang gibt es zwischen den Endungen von Artikelwort und Adjektiv?

Aus Neugier probieren wir eine fremde Speise,	Aus Neugier probiert er diese fremde Speise,
reisen in ein unbekanntes Land,	reist in jenes unbekannte Land,
lesen ein neues Buch,	liest dieses neue Buch,
trainieren eine neue Sportart,	trainiert jene neue Sportart,
lesen eine Tageszeitung und	liest die Tageszeitung und
schauen uns einen neuen Film an.	schaut sich jeden neuen Film an.
Einem kleinen Kind sehen wir schon im Gesicht an, wie Neugier ihm Freude bereitet.	Manchem kleinen Kind sieht er schon im Gesicht an, wie Neugier ihm Freude bereitet.

Adjektivdeklination

	stark	schwach	gemischt
maskulin	alter Stoff	der alte Stoff	kein neuer Film
feminin	kindliche Neugier	die neue Sportart	keine fremde Speise
neutrum	neues Wissen	das unbekannte Land	kein neues Buch

Bei der starken Flexion trägt das Adjektiv die Endung, die bei der schwachen Flexion das
Artikelwort trägt. Eine eindeutige Markierung der Kategorien erfolgt also entweder am
Artikelwort oder am Adjektiv.

⇨ vollständige Übersicht:
Anhang 4

1.4   Worauf sind Sie neugierig? Schreiben Sie einen kleinen Text und
verwenden Sie Adjektive mit bestimmtem und unbestimmtem Artikel.

2   Unterstreichen Sie im Text alle Adjektivattribute und erweiterten Adjektivattribute.
Warum tragen die markierten Adjektive keine Flexionsendung?

Komplementär-Kontrast

Ein weiteres Stilmittel ist der Komplementär-Kontrast,
bei dem ein im Farbkreis komplementäres Farbenpaar
gegenübergestellt wird. Dies ist die stärkste Kontrast-
möglichkeit in der Malerei. Beim Auftragen reiner, voll
gesättigter Farben kann ein derartiger Kontrast
eine höchst intensive, oft das Auge des Betrachters
schmerzende Leuchtkraft entwickeln. Dennoch ergibt
sich aus der Gesetzmäßigkeit im Farbkreis gegenüber-
liegender Farben eine harmonische Bildgestaltung.

aus: Norbert Welsch / Claus Liebmann: Farben. Natur Technik Kunst. 2004,
Elsevier, München, S. 39

Modifikation durch Adjektive

- Wenn Adjektive durch vorangestellte Adjektive modifiziert werden, werden sie nicht flektiert.
  Das nicht flektierte Adjektiv bezieht sich nicht auf das Nomen, sondern auf das Adjektiv.

Adjektive und Partizipialattribute

- Bei der Struktur *eine oft das Auge des Betrachters* schmerzende Leuchtkraft handelt es sich
  genau genommen um ein Partizipialattribut, da das Adjektiv *schmerzend* aus einem Verb
  (*schmerzen*) gebildet ist. Der Übergang zwischen diesen Formen ist jedoch fließend.
- Der Unterschied zeigt sich bei der Umwandlung in einen Relativsatz.
  Bei Adjektiven stehen im Relativsatz die Verben *sein* oder *werden*:
  Ein Farbenpaar, das im Farbkreis komplementär ist ...
  Bei Partizipien steht das zugrunde liegende Verb:
  Eine Leuchtkraft, die das Auge schmerzt.

3.3.2 Partizipialattribute

1.1 Lesen Sie die Texte und unterstreichen Sie alle Partizipien (Wörter, die aus Verben gebildet sind, aber in der Funktion und Position eines Adjektivs verwendet werden).

Sprit statt Brot

Vor ein paar Jahren dachten viele, mit Biosprit habe man eine saubere Alternative zum umweltverschmutzenden Öl gefunden. Als im Frühjahr 2008 eine Ernährungskrise ausbrach, fand man als Grund für diese Entwicklung schnell die zur Gewinnung von Energie angebauten Pflanzen. Aufgrund des staatlich geförderten Anbaus hatten sich viele Farmer und Bauern bereits gegen die Erzeugung von Nahrungspflanzen entschieden.

Empfehlungskatalog zum Meeresschutz vorgelegt

Die zunehmenden Konzentrationen des Treibhausgases Kohlendioxid in der Atmosphäre und der dadurch ausgelöste Klimawandel mit steigenden Temperaturen bedrohen die Weltmeere gleich zweifach: Die Ozeane erwärmen sich, außerdem löst sich mehr CO_2 im Wasser und macht es dadurch saurer. Deshalb empfiehlt der Wissenschaftliche Beirat der Bundesregierung für Globale Umweltveränderungen (WBGU) weit reichende Schutzanstrengungen für die Meere sowie Anpassungsmaßnahmen für die Küstenbewohner.

www.spektrumdirekt.de

1.2 Wandeln Sie die Partizipien in Verben um und formulieren Sie einfache Aussagen.

umweltverschmutzendes Öl	Öl verschmutzt die Umwelt.
zur Gewinnung von Energie angebaute Pflanzen	Pflanzen _____ zur Gewinnung von Energie _____.
der staatlich geförderte Anbau	Der Anbau _____.
die zunehmenden Konzentrationen des Treibhausgases Kohlendioxid in der Atmosphäre	Die Konzentrationen des Treibhausgases Kohlendioxid in der Atmosphäre _____.
der ausgelöste Klimawandel	Der Klimawandel wurde ausgelöst.
die steigenden Temperaturen	_____.
weit reichende Schutzanstrengungen für die Meere	_____.

Bildung und Bedeutung von Partizip I und Partizip II

	Partizip I	Partizip II
Bildung	Infinitiv + d	(ge-) Verbstamm + t bei schwachen und gemischten Verben
		(ge-) Verbstamm + en bei starken Verben
Beispiele	kommend, bleibend, schreibend, steigend	gefragt, gesagt, verkauft
		geschrieben, gerufen, versprochen
Bedeutung	Bezeichnung eines andauernden, also noch nicht beendeten, aktivischen Vorgangs oder eines Zustands	Bezeichnung einer abgeschlossenen Handlung bzw. eines abgeschlossenen Vorgangs
Satzbeispiele	Durch steigende Temperaturen erwärmen sich die Ozeane.	Der dadurch ausgelöste Klimawandel bedroht die Weltmeere.

- Bei attributiver Verwendung der Partizipien wird das Partizip wie ein Adjektiv verwendet und hat dieselbe Endung.
- Es gibt eine enge Verbindung von Partizipialattributen und dem Passiv bzw. dem Aktiv bei Handlungsverben:
  Partizip I – Aktivsatz liegt zugrunde, Partizip II – Passivsatz liegt zugrunde. Siehe dazu auch die folgende Grafik.

2.1 Schauen Sie sich die Grafik an und ergänzen Sie die Tabelle. Muss im Attribut Partizip I oder II stehen? Welcher Satz liegt der nominalen Gruppe zugrunde?

Handlungsverben

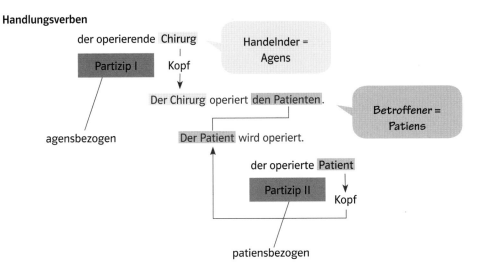

Partizipialattribut		Verb	Satz-Entsprechung
der _____	Student	lesen	Der Student liest.
das _____	Buch	lesen	Das Buch wurde gelesen.
die _____	Prüfung	bestehen	_____.
der _____	Kunde	bezahlen	_____.
das _____	Buch	empfehlen	Das Buch wurde empfohlen.
der _____	Computer	rechnen	_____.
der _____	Brief	schreiben	_____.
der _____	Betrieb	produzieren	Der Betrieb produziert.
die _____	Studentin	lernen	_____.
die _____	Frage	beantworten	_____.

2.2 Schauen Sie sich die folgende Grafik an. Ergänzen Sie dann in den Sätzen entweder das Partizip I oder II des Verbs *steigen*. Von welchen sprachlichen Elementen ist die Wahl abhängig? Unterstreichen Sie die entsprechenden Satzteile.

Vorgangsverben (transformativ) bezeichnen Veränderungen und Prozesse, ein Handelnder/Verursacher ist nicht mitgedacht, z.B.: *erscheinen, gelingen, entstehen, passieren, geschehen, steigen, sinken, wachsen, einschlafen, aufwachen.*

Perfektbildung mit *sein*

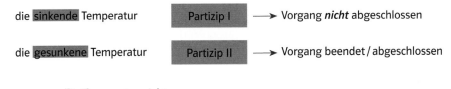

a Der im April 2008 auf ein Rekordniveau *gestiegene* Weizenpreis führte in Frankreich zu einem Baguettepreis von über einem Euro.

b Wir sollten uns nicht von den seit Herbst 2008 kaum _____ Preisen für Agrarrohstoffe und Lebensmittel irritieren lassen. Die Ruhe an der Preisfront ist nur vorübergehend.

c Weiter _____ Rohölpreise werden in diesem Jahrzehnt zu höheren Nahrungsmittelpreisen führen.

d Die im Jahr 2011 um zehn Prozent _____ Produktion konnte den Bedarf trotzdem nicht decken.

e Wir rechnen in den nächsten Tagen mit _____ Milchpreisen.

Zustands- und Bewegungsverben (nicht transformativ) bezeichnen andauernde Zustände / Bewegungen, z. B. *wohnen, liegen, sitzen, besitzen, arbeiten, frieren, gehen, laufen, fahren*. Perfektbildung mit *sein* oder *haben*

Der Patient schläft tief.

der tief schlafende Patient | Partizip I | ⟶ Zustand dauert an

~~der tief geschlafene Patient~~ | Partizip II | ⟶ Das Partizip II bezieht sich immer auf die Beendigung einer Handlung, eines Vorgangs oder eines Zustands. Bei dauerhaften Zuständen / Bewegungen ist die Verwendung des Partizip II deshalb nicht möglich.

3.1 Lesen Sie den Text. Zu jedem der markierten Nomen gibt es weitere Informationen. Unterstreichen Sie die entsprechenden Textstellen.

Mahlzeiten und Grundnahrungsmittel

Hauptmahlzeit der Deutschen war üblicherweise das von der Hausfrau liebevoll bereitete warme Mittagessen, jedenfalls solange der Mann in der Nähe des heimischen Herdes arbeitete. Während morgens und abends das gesunde dunkle Brot nebst Aufstrich – morgens süß, abends deftig – auf den Tisch kam, gab es mittags jahrhundertelang Eintopf: Suppe, Brei und Grütze in verschiedenen Formen. [...] Als Grundnahrungsmittel dienten lange Zeit die in Süddeutschland und Österreich beliebten Mehlspeisen. [...]

Während die Spanier in der Neuen Welt den Weizen einführten, brachten sie von dort die vielfach als „Erdapfel" bezeichnete Kartoffel nach Europa.

Alexander Demandt: Über die Deutschen. 2007, Ullstein, Berlin, S. 95-96

3.2 Formen Sie die Partizipialattribute und erweiterten Adjektivattribute in Relativsätze um.

a Hauptmahlzeit der Deutschen war das warme Mittagessen, das _____.
b Als Grundnahrungsmittel dienten lange Zeit Mehlspeisen, die _____.
c Die Spanier brachten aus der Neuen Welt die Kartoffel mit, die _____.

Partizipialattribute und Relativsätze

- Einfache Adjektivattribute stehen immer vor dem Nomen: *das warme Mittagessen*
- Inhalte von Partizipialattributen und erweiterten Adjektivattributen (*die* <u>in Süddeutschland und Österreich beliebten</u> Mehlspeisen) können auch in Relativsätzen wiedergegeben werden. Zu den Adjektiven treten dann die Verben *sein* oder *werden*: *die in Süddeutschland und Österreich beliebt sind.*

4.1 Lesen Sie den Text. Zu jedem der markierten Nomen gibt es weitere Informationen. Unterstreichen Sie die entsprechenden Textstellen.

Buchdruck

Sowohl die Erfindung des Buchdrucks mithilfe ganzseitig geschnitzter Holzblöcke (868) als auch der erste Einsatz von beweglichen Schrifttypen (um 1045) und der Mehrfarbendruck (1107) gehen auf China zurück.

Dennoch war es die erst um 1440 wohl unabhängig von den Chinesen gemachte Wiedererfindung des Buchdrucks mit beweglichen Lettern durch Johannes Gutenberg, die die kulturelle Landschaft der Welt und namentlich Europas nachhaltig veränderte. Der Buchdruck bewirkte eine „Kommunikationsrevolution". Das mühsame handschriftliche und oft mit Fehlern behaftete Kopieren von Büchern wurde überflüssig. Die Menge der verfügbaren Informationen nahm explosionsartig zu. Bereits um 1500 produzierten Druckerpressen in ganz Europa über 13.000 Buchtitel. Die überall entstehenden Druckereien trugen mit dazu bei, das Bildungsmonopol der Universitäten zu brechen und mit den gelehrten Laien eine neue Gesellschaftsschicht hervorzubringen. Der Buchdruck leistete zudem einen wichtigen Beitrag zur Wiederentdeckung und Verbreitung vieler antiker griechischer Originaltexte, z. B. von Archimedes, und hatte so maßgebliche Wirkung auf die zeitgenössische Wissenschaft.

aus: GEO Themenlexikon Geschichte (Band 18). 2007, Bibliographisches Institut, Mannheim, S. 620

4.2 Formen Sie die Linksattribute in Rechtsattribute um.

a Es war die Wiedererfindung des Buchdrucks mit beweglichen Lettern durch Johannes Gutenberg, _____, die Europa nachhaltig veränderte.
b Das mühsame handschriftliche Kopieren von Büchern, _____, wurde überflüssig.
c Die Menge der Informationen, _____, nahm explosionsartig zu.
d Die Druckereien, _____, trugen mit dazu bei, das Bildungsmonopol der Universitäten zu brechen.

5 Formen Sie die unterstrichenen Relativsätze in Partizipialattribute um. Müssen Sie
Partizip I oder II verwenden? Wovon ist das abhängig? Die Grafiken helfen Ihnen.

Knack den Code

Codes aus unverständlichen Strichen und Ziffern machen Gegenstände für Computer lesbar. Aber auch der Mensch kann den Zeichen wichtige Informationen entnehmen.

Der Barcode: Das erste Produkt, <u>das 1974 gescannt wurde</u>, war eine Packung Kaugummi. Der Code, <u>der aus 15 Zeichen besteht</u>, hat einen rechten und linken Rand sowie einen Mittelbalken.

Das Buch: Jedes Buch, <u>das in Deutschland über den Buchhandel vertrieben wird</u>, hat eine ISBN-Nummer. Die ersten drei Ziffern, <u>die immer für die Branche stehen</u>, beginnen mit 978 oder 979. Die nächste Ziffer bezeichnet die Sprache, in der das Buch geschrieben ist (3 steht für Deutsch). Dann folgt eine drei- bis siebenstellige Zahl für den Verlag (größere Verlage haben kürzere Nummern).

Die Kreditkarte: Die ersten sechs Ziffern bezeichnen das Institut, <u>das die Karte ausstellt</u>. Kartennummern, <u>die mit einer 5 am Anfang beginnen</u>, stammen von einer Bank. Die nächsten neun Ziffern stehen für die persönliche Kontonummer, die letzte Zahl ist eine Prüfziffer. Auch eine Kartennummer, <u>die nach den Regeln erfunden wurde</u>, funktioniert praktisch nie.

a Das _____ Produkt war eine Packung Kaugummi.

b Der _____ Code hat einen rechten und linken Rand sowie
einen Mittelbalken.

c Jedes _____ Buch hat eine ISBN-Nummer.

d Die _____ Ziffern beginnen mit 978 und 979.

e Die ersten sechs Ziffern bezeichnen das _____ Institut.

f _____ Kartennummern stammen von einer Bank.

g Aber auch _____ Kartennummer funktioniert praktisch nie.

6.1 Lesen Sie den Text. Was ist an der hervorgehobenen Struktur besonders?

Arbeit und Leistung

Als die Bundesanstalt für Arbeitsschutz in Dortmund eine größere Zahl von Arbeitnehmern zu ihrer täglich zu leistenden Arbeitsmenge befragte, kam sie zu dem Ergebnis, dass sich höchstens sechs Prozent der Arbeitnehmer unterfordert fühlen. [...]

Die richtige Mischung aus (scheinbarer) Präzision und faktenmildernder Ungenauigkeit hilft, den Erwartungen anderer Menschen leichter gerecht zu werden und so Arbeit, Mühe und Energie zu sparen. Ein simples Beispiel ist, Deadlines auf die Sekunde genau zu benennen, die dann abzugebende Arbeit aber so weit wie möglich im Ungefähren zu lassen: „Ich schicke Ihnen nächsten Mittwoch Punkt 12 Uhr mittags ein entsprechendes Papier."

aus: Kathrin Passig / Sascha Lobo: Dinge geregelt kriegen – ohne einen Funken Selbstdisziplin. 2008, Rowohlt, Berlin S. 118

6.2 Ergänzen Sie die folgenden Sätze und verwenden Sie dabei ein Modalverb.   ⇨ Kapitel 7: Modalität
Welche Art von Modalität wird durch *zu* + Infinitiv ausgedrückt?

Die Bundesanstalt für Arbeitsschutz befragte mehrere Arbeitnehmer zu der Arbeitsmenge, die sie _____.	Man benennt eine Deadline auf die Sekunde genau, lässt aber die Arbeit, die _____, so weit wie möglich im Ungefähren.

Gerundivum

- Mit dem Gerundivum wird neben einer passivischen Bedeutung auch eine Modalität ausgedrückt. Die Struktur hat die Form „*sein + zu* + Infinitiv" (Kapitel 6.4) und drückt – je nach Kontext – eine Notwendigkeit (*müssen / sollen*) oder eine Möglichkeit (*können*) aus.

  die dann abzugebende Arbeit: *die Arbeit, die dann abgegeben werden muss*
  die Arbeit, die dann abzugeben ist

6.3 Bilden Sie Gerundive.

die Arbeit und Mühe, die man einsparen kann: _____

die Deadline, die man genau benennen kann: _____

3.4 Attributsätze und Appositionen

1.1 Lesen Sie den Text und unterstreichen Sie alle satzförmigen sowie satzähnlichen und verblosen Attribute, die zusätzliche Informationen zu den markierten Nomen geben.

Um den Erfinder des Telefons streiten sich die Gelehrten

Es war ein Kopf-an-Kopf-Rennen: Im Endspurt um das Patent für das Telefon hatte der Wahl-Amerikaner Alexander Graham Bell am 14. Februar 1876 um zwei Stunden die Nase vor Elisha Gray, dem Mitbegründer des größten Herstellers für telegrafische Geräte, der Western Electric Manufactoring Company. Dieser dramatische Konkurrenzkampf hatte noch einen zweiten Verlierer, den hessischen Schulmeister Johann Philipp Reis, der bereits am 26. Oktober 1861 einem Kreis Frankfurter Wissenschaftler und Honoratioren ein ähnliches Gerät vorgeführt hatte. „Über Fortpflanzung musikalischer Töne auf beliebiger Entfernung durch Vermittlung des galvanischen Stromes" lautete der Titel des Vortrags vor dem Physikalischen Verein im Senckenberg-Museum. Er war unvorsichtig gewählt. Denn die Tatsache, dass Reis aus dem 300 Fuß entfernten Bürgerhospital ein so zu sagen live gespieltes Lied übertragen ließ, kostete ihn vermutlich den unbestrittenen Platz als Erfinder des Telefons in der Technik-Geschichte. Denn die Frage, ob der damals 27-jährige Pädagoge aus Friedrichsdorf tatsächlich den Fern-Sprecher, oder vielleicht eher eine Art Radio im Sinn hatte, entzweit seitdem die Gelehrten. Während die „Encyclopedia Britannica" nur Bell nennt und den Deutschen mit keinem Wort erwähnt, hält Meyers Konversations-Lexikon im Jahr 1909 den US-Erfinder lediglich für den Urheber eines weiteren Telefons, das ohne Batterie auskam. Arthur Fürst schrieb 1923 in seinem Mammutwerk „Weltreich der Technik": „Es ist Tatsache, dass ein einfacher Lehrer in einem stillen deutschen Dörfchen zuerst einen solchen Apparat erdachte."

1.2 Ordnen Sie den Sätzen die passenden grammatischen Aussagen zu.

> Der *dass*-Satz bezieht sich nur auf das Nomen. • Der *dass*-Satz bildet das Subjekt.

Die Tatsache, dass Reis ein live gespieltes Lied übertragen ließ, kostete ihn den Platz als Erfinder des Telefons.
→ _____

Es ist Tatsache, dass ein einfacher Lehrer einen solchen Apparat erdachte. → _____
_____

dass- und *ob*-Sätze

Attributive *dass*- und *ob*-Sätze treten besonders bei den folgenden Nomen auf:

dass-Satz	die Annahme, die Ansicht, die Auskunft, die Aussage, die Behauptung, der Einwand, die Entscheidung, der Grund, die Möglichkeit, die Tatsache, die Vermutung, die Voraussetzung, die Vorstellung, das Wissen, der Wunsch
ob-Satz	die Frage, der Zweifel

1.3 Die folgenden Attribute bezeichnet man auch als Apposition. Wovon sind die Artikelwörter jeweils abhängig?

Bell hatte die Nase vor Elisha Gray, **dem** Mitbegründer der Western Electric Manufactoring Company.
Elisha Gray ist Mitbegründer des größten Herstellers für telegrafische Geräte, **der** WEM Company.
Der Kampf hatte einen zweiten Verlierer, **den** hessischen Schulmeister Johann Philipp Reis.

Apposition

- Eine Apposition bestimmt ihr Bezugselement (eine nominale Gruppe oder ein Pronomen) näher.
  In flektierten Appositionen richtet sich das Artikelwort nach dem Kasus des Nomens, auf das sie sich bezieht.
  Er half seinem Partner, dem Mitbegründer des Unternehmens.
  Er holte seinen Partner, den Mitbegründer des Unternehmens.
  Er half seinem Partner, einem Studenten des Maschinenbaus.
- In Appositionen wird manchmal auch das direkt vor dem Nomen stehende Artikelwort weggelassen. Das Nomen in der Apposition steht dann im Nominativ: Er half seinem Partner, Student des Maschinenbaus.

1.4 Was unterscheidet Relativsätze von Appositionen? Vergleichen Sie die folgenden Sätze
mit den Sätzen aus Aufgabe 1.3.

Der zweite Verlierer war Philipp Reis, **der** bereits ein ähnliches Gerät vorgeführt hatte.
Meyers Lexikon hält Bell nur für den Erfinder eines weiteren Telefons, **das** ohne Batterien auskam.

Relativsätze

- Relativsätze enthalten immer ein Verb.
- Das Relativpronomen folgt im Kasus nicht dem Nomen, auf das es sich bezieht, sondern seiner syntaktischen
  Rolle im Relativsatz. Mit dem Nomen, auf das es sich bezieht, hat es Genus und Numerus gemeinsam.
  Der zweite Verlierer war Philipp Reis,
  ... der bereits ein ähnliches Gerät vorgeführt hatte. Er führte bereits ... vor.
  ... dessen Name in der Encyclopedia Britannica nicht auftaucht. Sein Name ...
  ... dem kein unbestrittener Platz als Erfinder des Telefons gegeben wird. Ihm wird ...
  ... den seine Unvorsichtigkeit den Platz als Erfinder des Telefons kostete. Ihn kostete ...
- Bei präpositionalem Anschluss steht das Relativpronomen an zweiter Stelle.   ⇨ 2.4.2 Relativsätze

2 Lesen Sie den Zeitungsartikel. Er enthält eine weitere Variation eines satzförmigen
Attributs. Unterstreichen Sie die beiden Beispiele.

Der lange Kampf um die Gleichberechtigung

Am 1. Juli 1958 tritt endlich das Gleichberechtigungsgesetz in Kraft. Fortan dürfen Frauen nach der Heirat ihren Mädchennamen als Zusatz behalten. Die Ehegatten werden gegenseitig zum Unterhalt verpflichtet. Die Frau darf den Haushalt in alleiniger Verantwortung führen und hat nun das Recht, erwerbstätig zu sein. 1977 wird Ehebruch als Straftatbestand abgeschafft. Es gilt das Zerrüttungsprinzip – eine alte Forderung von Elisabeth Selbert.

Für Selbert gab es keine Lorbeeren. Im Gegenteil. Weder ihr Wunsch, in den Bundestag zu kommen, noch der Traum, eine der ersten Richterinnen am Bundesverfassungsgericht zu werden, gehen in Erfüllung. Die SPD verweigert ihr die Unterstützung. „Sie war als streitbare Frau verschrien, die anderen so lange mit ihren Forderungen auf die Nerven gehen konnte, bis sie sich durchgesetzt hatte", sagte die frühere Verfassungsrichterin Jutta Limbach einmal in einem Interview.

Attributive Infinitivkonstruktionen

Neben *dass*- und *ob*-Sätzen können auch Infinitivkonstruktionen Nomen erweitern.
Alle drei Konstruktionen sind grammatisch zwar weglassbar, enthalten aber wichtige inhaltliche Informationen.

3 Äußern Sie zu den folgenden Wünschen, Vorstellungen und Vermutungen Ihre eigene
Meinung. Geben Sie im Nebensatz wieder, um welche Art von Wunsch (Vorstellung,
Ansicht ...) es sich handelt. Begründen Sie Ihre Meinung.

Wenn ich einmal in später Zukunft alt bin, werde ich bestimmt nicht ins Altersheim gehen, sondern auf ein Kreuzfahrtschiff. Die Gründe dafür hat mir unser Gesundheitsminister geliefert:
„Die durchschnittlichen Kosten für ein Altersheim betragen 200 EUR pro Tag." Ich habe eine Reservierung für ein Kreuzfahrtschiff geprüft und muss für eine Langzeitreise als Rentner 135 EUR pro Tag zahlen. Es bleiben mir dann noch 65 EUR pro Tag übrig.

Friedhelm Werner

Zivilisierte Völker sind in der Lage, widersprüchliche Auffassungen nebeneinander zu dulden. Sie sind der Ansicht, dass es Wahrheiten gibt und dass sich ihre Kultur diesen Wahrheiten annähert. Gleichzeitig lassen sie die Möglichkeit zu, dass sie sich im Irrtum befinden könnten.

aus: George Friedman: Die nächsten hundert Jahre.
2009, Campus, Frankfurt (Main), S. 42

Ab dem Jahr 2020 werden die Vereinigten Staaten [...] mit einem zunehmenden Arbeitskräftemangel konfrontiert sein und Einwanderer benötigen, die diese Lücke schließen. Das Problem betrifft auch die anderen Industrienationen, und Arbeitskräfte werden weltweit zur Mangelware. Bestand das Problem im 20. Jahrhundert darin, die Zuwanderung zu beschränken, geht es im 21. Jahrhundert darum, genug Einwanderungswillige zu finden.

aus: George Friedman: Die nächsten hundert Jahre.
2009, Campus, Frankfurt (Main), S. 146-147

Den Wunsch von Herrn Werner, im Alter auf einem Kreuzfahrtschiff zu leben, halte ich für ...
Prinzipiell finde ich Herrn Werners Vorstellung, ...

3.5 Nominalisierung und Genitivattribute

1.1 Lesen Sie den Text und unterstreichen Sie die Attribute rechts von den markierten Nomen. Um welche Attribute handelt es sich?

Getäuschte Zunge

In Deutschland ist Kaffee das Volksgetränk Nr. 1. Kein anderes Getränk wird mehr getrunken als Kaffee. Die meisten Menschen bevorzugen ihn mit Zucker oder Milch oder mit beidem.

Wem Kaffee ohne Zucker oder Milch zu bitter ist, dem könnte vielleicht bald ein Kaffee mit einem Bitter-Blocker angeboten werden. Seit längerem suchen Biotech-Unternehmen nämlich nach Substanzen, die bitteren Geschmack unterdrücken. Ein erstes Patent auf einen solchen Bitter-Blocker hat das US-amerikanische Biotech-Unternehmen „Linguagen" angemeldet. Das weiße Pulver mit der Bezeichnung AMP soll bei der Herstellung von Chips, Cola, Fertigsuppen und anderen Lebensmitteln eingesetzt werden.

Wolfgang Meyerhof, Professor am Deutschen Institut für Ernährungsforschung (DIFE) in Potsdam erwartet, dass sich derartige Substanzen eines Tages für die Hersteller auch finanziell lohnen werden. Doch er sieht diese Entwicklung mit gemischten Gefühlen, denn die Bitter-Blocker gefährden die ursprüngliche Funktion des Bitter-Geschmacks: Die Bitterwahrnehmung dient dem Menschen eigentlich dazu, giftige Substanzen möglichst schnell zu erkennen. Sollten Nahrungsmittel verdorben sein oder ungenießbare Substanzen enthalten, wird der Körper durch den bitteren Geschmack gewarnt. Der bittere Geschmack signalisiert, dass das Produkt möglicherweise giftig ist. Gerade in der frühen Warnung vor einem Verzehr liegt der besondere Vorteil der Bitterwahrnehmung.

Neben der Lebensmittelindustrie dürfte auch die Pharmaindustrie an Bitter-Blockern interessiert sein, um den bitteren Geschmack von Arzneimitteln zu überdecken. Vor einer Anwendung solcher Substanzen in Lebensmitteln und Medikamenten müssten allerdings erst umfangreiche Tests durchgeführt werden, um die Wirksamkeit und Ungefährlichkeit dieser Stoffe zu prüfen.

Der Münsteraner Lebensmittelchemiker Hofmann geht da lieber einen ganz anderen Weg. Er versucht die Herstellungsprozesse in der Industrie so zu optimieren, dass unerwünschte Bitterstoffe gar nicht erst entstehen. Dazu hat er neue physikalisch-chemische Verfahren erprobt, bei denen im Labor die verschiedenen Aroma- und Geschmacksstoffe eines Lebensmittels voneinander getrennt werden. Diese verschiedenen Bestandteile prüft er dann mit seinen speziell geschulten Personen, die den Geschmack der einzelnen Substanzen testen.

Die Industrie zeigt bereits großes Interesse an den Forschungen des Münsteraner Lebensmittelchemikers. Die Hersteller von Babynahrung zum Beispiel hatten viele Jahre lang das Problem, dass ihr Baby-Karottenbrei immer wieder zu bitter wurde. Die Hersteller luden Hofmann ein, ihre Fabriken zu besuchen und Proben aus den verschiedenen Produktionsabschnitten zu nehmen. In seinem Labor entdeckte er schließlich einen Bitterstoff namens Falcarindiol, der im Zusammenhang mit Karotten bislang nicht erwähnt worden war.

Zunächst ging Hofmann davon aus, dass die Bittersubstanz während der Sterilisation des Karottenbreis entstanden war. Dann aber stellte sich heraus, dass einige Karottensorten diesen Bitterstoff bereits in sich trugen, als sie in die Fabrik kamen. Das Ergebnis der Studie war: Die Hersteller müssen die Rohware, die sie einkaufen, genau auf den Bitterstoff hin kontrollieren.

Hofmann meint, dass man die Geschmacksqualität verbessern kann, wenn man hochwertige Ausgangsstoffe nimmt und die Verarbeitung der Lebensmittel optimiert. Seiner Ansicht nach sind dann viele Zusatzstoffe überflüssig.

nach: Bild der Wissenschaft 03/2005, S. 28-32 (www.bild-der-wissenschaft.de)

1.2 Ergänzen Sie die folgende Tabelle. Wovon ist die Verwendung des Genitivattributs bzw. des Präpositionalattributs mit *von* abhängig?

die Herstellung von Lebensmitteln	die Herstellung eines Lebensmittels
die Hersteller von Babynahrung	–
_____	der Geschmack eines Arzneimittels
die Wirksamkeit von Stoffen	_____
der Geschmack einzelner Substanzen	der Geschmack einer einzelnen Substanz
der Geschmack _____	

Genitivattribut und Präpositionalattribut mit *von*

Das Präpositionalattribut mit *von* dient als Ersatz des Genitivs bei nominalen Gruppen ohne Artikelwort (= Nullartikel). Steht bei einem Nomen mit Nullartikel ein Adjektiv, kann auch ein Genitiv verwendet werden. Das Adjektiv flektiert dann stark.

1.3 Ergänzen Sie die Nominalisierungen.

den Geschmack testen	*der Test des Geschmacks*
den Geschmack beeinflussen	*die Beeinflussung des Geschmacks*
chemische Substanzen anwenden	*die Anwendung chemischer Substanzen*
nach einer giftigen Substanz suchen	*die Suche nach einer giftigen Substanz*
die Kosten reduzieren	_____
die Qualität beeinflussen	_____
vor giftigen Stoffen warnen	_____
verschiedene Bestandteile prüfen	_____
Aroma verlieren	_____
Es wird Kaffee mit Bitterblockern angeboten.	*das Angebot von Kaffee mit Bitterblockern*
Der Körper wird gewarnt.	_____
Umfangreiche Tests werden durchgeführt.	_____
Die Wirksamkeit der Stoffe wird geprüft.	_____
Der Herstellungsprozess wird optimiert.	_____
Proben werden entnommen.	_____
Der Bitterstoff Falcaridiol wurde entdeckt.	_____
Die Geschmacksqualität wird verbessert.	_____

1.4 Ergänzen Sie die Sätze, indem Sie nominalisieren.

a Der Bitterblocker dient dazu, bitteren Geschmack zu unterdrücken.
   Der Bitterblocker dient zur *Unterdrückung bitteren Geschmacks.*
b Biotech-Unternehmen suchen nach Substanzen, um bitteren Geschmack zu unterdrücken.
   Biotech-Unternehmen suchen nach Substanzen _____.
c Die Bitterwahrnehmung dient dazu, giftige Substanzen möglichst schnell zu erkennen.
   Die Bitterwahrnehmung dient _____.
d Es werden Tests durchgeführt, um die Ungefährlichkeit der Stoffe zu prüfen.
   Es werden Tests _____.
e Die Geschmacksqualität kann verbessert werden, indem man hochwertige Rohstoffe auswählt.
   _____.
f Die Hersteller luden Hoffmann ein, ihre Fabriken zu besuchen.
   _____.
g Der Einsatz von Bitter-Blocker führt dazu, dass die ursprüngliche Funktion des Bitter-Geschmacks gefährdet wird.
   _____.

1.5 Beantworten Sie die folgenden Fragen zum Text und verwenden Sie dabei alternativ nominale und verbale Strukturen. Verwenden Sie das angegebene Verb.

dienen zu + Dativ (Zweck)
Wozu dient in der Lebensmittelindustrie eine gute Kontrolle der Rohware?
Sie dient zur Verbesserung der Geschmacksqualität des Lebensmittels.
Sie dient dazu, die Geschmacksqualität des Lebensmittels zu verbessern.
Wozu dienen umfangreiche Tests von Bitter-Blockern?
_____.
_____.

führen zu + Dativ (Folge)
Welche Auswirkungen kann die Sterilisation von Lebensmitteln haben?
Die Sterilisation von Lebensmitteln _____.
Die Sterilisation von Lebensmitteln _____.
liegen in + Dativ
Worin liegt der Vorteil der Bitterwahrnehmung?
Der Vorteil liegt _____.
Der Vorteil liegt _____.

4.1 Präpositionen

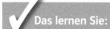

Das lernen Sie:

- Kasus der Präpositionen
- verschiedene Bedeutungen der Präpositionen

4.1.1 Kasus der Präpositionen

1 Lesen Sie den Zeitungsartikel und markieren Sie die Präpositionen. Ordnen Sie die Präpositionen anschließend in die Tabelle ein.

Was ausländische Studierende von Deutschland erwarten

von Amory Burchard

Studierende aus dem Ausland kommen gerne nach Deutschland, sind aber nicht durchweg zufrieden mit den Studienbedingungen. So lautet die Grundaussage gemäß dem International Student Barometer für Deutschland, das der Deutsche Akademische Austauschdienst (DAAD) und die Hochschulrektorenkonferenz (HRK) veröffentlicht haben. Befragt wurden 2009 rund 12.000 Studierende an 45 deutschen Hochschulen und 2010 rund 17.000 junge Ausländer an 46 Standorten.

Den Angaben der Befragten nach sei der Studienort Deutschland für 83 Prozent die erste Wahl gewesen. Gut zwei Drittel hatten sich auch nicht anderswo beworben. Für 97 Prozent war der gute Ruf der deutschen Hochschulausbildung ausschlaggebend, 86 Prozent gaben aber auch an, sich wegen der guten Sicherheitslage für Deutschland entschieden zu haben. Die niedrigen Kosten für ein Studium spielten eine ebenso große Rolle.

Doch die hohen Erwartungen der jungen Leute an ein deutsches Hochschulstudium wurden teilweise enttäuscht. Während nach der internationalen Umfrage des Student Barometer 83 Prozent der insgesamt 160.000 befragten internatonalen Studierenden mit den Lernbedingungen zufrieden sind, waren es in Deutschland nur 73 Prozent. Die Sprachförderung bekam nur von 65 Prozent gute Noten (international 82 Prozent). Laut DAAD wünschen sich ausländische Studierende bei der Betreuung durch Lehrende transparente Anforderungen und eine kontinuierliche Unterstützung. Hinsichtlich der Betreuung äußerten viele der Befragten den Anspruch, auch Hilfen beim Berufseinstieg zu bekommen, was die Hochschulen überraschte.

Infolge der Ergebnisse sollen Universitäten und Fachhochschulen Hinweise erhalten, wie sie an der Verbesserung ihres internationalen Marketings arbeiten können, damit auch in Zukunft viele ausländische Studierende in die deutschen Studienorte an die verschiedenen Hochschulen kommen möchten.

Quelle: Der Tagesspiegel (www.tagesspiegel.de), 16.08.2011, adaptiert

Kasus der wichtigsten Präpositionen

Präpositionen mit Akkusativ	Präpositionen mit Dativ	Präpositionen, die Dativ oder Akkusativ fordern („Wechselpräpositionen")	Präpositionen mit Genitiv
bis, _____, _____, gegen, ohne, um, entlang (nachgestellt)	ab, _____ , außer, _____ , gegenüber, _____ , laut*, mit, _____ , seit, (an)statt*, trotz*, während, wegen*, zu	_____ , auf, hinter, _____ , neben, über, unter, vor, zwischen	aufgrund, außerhalb, entlang (vorgestellt), _____ , _____ , innerhalb, laut*, mithilfe, (an)statt*, trotz*, während*, _____ *

* Präposition kann sowohl mit Dativ als auch mit Genitiv vorkommen.

Verb + Präposition	Nomen + Präposition	Adjektiv + Präposition
erwarten von, _____	Kosten für, _____, _____	_____

- Präpositionen können allein oder in fester Verbindung mit einem Verb, Nomen oder Adjektiv vorkommen.
- Gewöhnlich steht eine Präposition mit einem bestimmten Kasus.
- Manche Präpositionen können je nach Verwendung zwei verschiedene Kasus haben („Wechselpräpositionen").

⇨ Verben, Nomen, Adjektive mit festen Präpositionen: Anhang 1

Verschmelzung bei Präpositionen

- Einige Präpositionen (*an, bei, in, von, zu*) können mit dem bestimmten Artikel verschmelzen:
  Beim Bäcker in der Schlossstraße gibt es das beste Brot.
- Manchmal werden Präposition und bestimmter Artikel getrennt verwendet. Der bestimmte Artikel hat dann eine demonstrative Funktion und wird meist betont:
  „*Beim Bäcker in der Schlossstraße gibt es das beste Brot.*"
  „Wirklich? *Bei dem Bäcker war ich noch nie, den muss ich mal ausprobieren.*"
- Umgangssprachlich können weitere Verschmelzungen (Aufgabe 2.2) vorkommen. Sie dienen der Abkürzung, es gibt keine Bedeutungsunterschiede zur getrennten Variante.

2.1   Ergänzen Sie die standardsprachlichen Verschmelzungen.

an + dem: *am*   in + das: _____

an + das: _____   von + dem: _____

bei + dem: _____   zu + dem: _____

in + dem: _____   zu + der: _____

2.2   Zerlegen Sie die umgangssprachlichen Verschmelzungen wie im Beispiel.

<u>auf + das</u>   : aufs   _____ : übers

_____ : durchs   _____ : ums

_____ : fürs   _____ : unterm

_____ : hinterm   _____ : unters

_____ : hinters   _____ : vorm

_____ : überm   _____ : vors

4.1.2 Lokale Präpositionen

1.1 Lesen Sie die Beschreibung der Tour durch Berlin und markieren Sie alle lokalen Präpositionen.

Berlin in drei Stunden

Tourverlauf: Hauptbahnhof - Regierungsviertel
- Brandenburger Tor - Holocaust-Mahnmal -
Potsdamer Platz
Dauer: ca. 3 Stunden

Zum Start der Tour verlässt man den Berliner Hauptbahnhof, der übrigens der größte Kreuzungsbahnhof Europas ist, durch den Südausgang Richtung Spree. Dort angekommen kann man rechts das Kanzleramt und links den Reichstag sehen. Eine kleine Fußgängerbrücke führt geradewegs ins Regierungsviertel.
Geht man nun rechts, kommt man direkt zum Bundeskanzleramt, das 2001 fertig gestellt wurde. In ihm befinden sich Büros und Arbeitsräume der Bundeskanzlerin. Was man von außen nicht ahnt: Innerhalb des Areals befindet sich ein Hubschrauberlandeplatz und mit dem Kanzlerpark ist das Grundstück 7000 Quadratmeter groß.
Dem Kanzleramt schräg gegenüber steht in einiger Entfernung der Reichstag, die gläserne Kuppel ist gut zu erkennen.

Nachdem man den Reichstag einmal umrundet hat – der Spree entlang gibt es hier einiges zu sehen – führt die Tour weiter zum Brandenburger Tor. Das Brandenburger Tor, von 1788 bis 1791 erbaut, ist Symbol für die deutsche Einheit und die bekannteste Sehenswürdigkeit der Stadt. Auf dem Brandenburger Tor thront die Skulptur eines vierspännigen Wagens, einer sogenannten Quadriga.

Vom Brandenburger Tor verläuft die Tour weiter Richtung Süden zum Potsdamer Platz, wobei man die Botschaft der Vereinigten Staaten von Amerika und das Holocaust-Mahnmal passiert. Auf der anderen Straßenseite des Holocaust-Museums beginnt der Tiergarten, der große Park im Zentrum der Stadt. Vom Holocaust-Mahnmal läuft man nun auf die Skyline des neuen Potsdamer Platz zu. Das Ende der Tour ist zugleich einer der Höhepunkte: Das Sony Center mit seinem zeltartigen Dach, das die Skyline des Potsdamer Platzes prägt.

Quelle: www.berlin.de, leicht adaptiert

1.2 Versuchen Sie die Tour durch Berlin online nachzuverfolgen (z. B. mit Google Street View).

Die lokale Präposition *bis*

Die lokale Präposition *bis* wird verwendet:

- in Kombination mit Lokaladverbien: *Bis oben braucht der Fahrstuhl nur 20 Sekunden.*
- bei Ortsbezeichnungen ohne Artikel: *Der Zug fährt bis Berlin Hauptbahnhof.*
- in Kombination mit weiteren Präpositionen, am häufigsten mit *zu*:
  Die Tour führt vorbei am Holocaust-Mahnmal bis zum Potsdamer Platz.
  Der Bus fährt bis nach Hause / bis an den Bahnhof / bis vor den Reichstag.

2 Entscheiden Sie, ob eine zweite Präposition zusätzlich zu *bis* ergänzt werden muss. Ergänzen Sie – wenn nötig – auch den Artikel.

a Der Zug fährt bis __–__ Potsdam durch, bis _zur_ Bushaltestelle sind es dann nur wenige Meter.

b Fahren Sie bis _____ Hamburg? – Nein, ich fahre nur bis _____ nächsten Station.

c Warte, ich begleite dich bis _____ Bahnhof.

d Ich bin den Bahnsteig von vorn bis _____ hinten abgelaufen, aber ich hab dich nicht gesehen.

e Er geht bis _____ Rand des Bahnsteigs.

> **„Wechselpräpositionen": *an, auf, hinter, in, neben, über, unter, vor, zwischen***

- Die neun lokalen Präpositionen werden als Wechselpräpositionen bezeichnet, weil sie zwischen Dativ und Akkusativ „wechseln", sie verlangen also abhängig von der Verwendung entweder Dativ oder Akkusativ.
- Wenn eine Bewegung und die Überschreitung einer Grenze ausgedrückt wird (auch im übertragenen Sinn) verlangen sie Akkusativ:
  Er geht in die Disko. (Bewegung von Ort A nach Ort B, also in die Disko)
- Wenn keine Überschreitung einer Grenze ausgedrückt wird, verlangen die Präpositionen den Dativ. Die Bewegung findet dann entweder in einem Raum statt oder es gibt keine Bewegung.
  Er tanzt in der Disko. (Bewegung in der Disko)
  Er wartet in der Disko auf seinen Freund. (keine Bewegung)
- Nicht bei allen Wechselpräpositionen sind beide Varianten gleich häufig. Nach *an, auf, hinter, über, unter, vor* folgt besonders oft der Dativ.

3 Formulieren Sie Sätze. Achten Sie auf den richtigen Kasus und ergänzen Sie – wenn nötig – auch den Artikel.

a stehen / vor / Schreibtisch / Fenster > *Der Schreibtisch steht vor dem Fenster.*

b streuen / auf / er / Käse / Pizza

   > _____

c geben / es / in / Zimmer / kein / Schrank

   > _____

d stecken / Lisa / in / Handy / ihr / Tasche

   > _____

e liegen / mitten / in / Innenstadt / Schule

   > _____

f hängen / an / Decke / helle Lampe

   > _____

g kommen / man / über / in / Brücke / Zentrum

   > _____

h halten / zwischen / Stift / seine Finger / Kind

   > _____

4 Ergänzen Sie die Bildbeschreibung mit lokalen Präpositionen und – wenn nötig – dem Artikel.

_____ Gemälde „Badestelle in Asnières" von Georges Suerat kann man Personen beim Baden _____ Fluss sehen. _____ Mitte des Bildes sitzt ein Junge _____ Handtuch, seine Beine hängen _____ Wasser und er schaut _____ vorne. _____ Ufer des Flusses gibt es weitere Personen: _____ _____ Jungen liegt eine Frau mit ihrem Hündchen _____ Wiese und _____ ihm sitzt ein Mann mit Hut. _____ Fluss sind zwei Personen. Weiter hinten im Bild fahren kleine Boote _____ Wasser. _____ Badestelle _____ Stadt ist es nicht weit, denn sie ist _____ Hintergrund zu erkennen. Der Fluss fließt _____ Brücke durch, die die Stadthälften verbindet.

5 Beschreiben Sie einen touristischen Spaziergang durch eine Stadt, die Sie gut kennen.

4.1.3 Temporale Präpositionen

1 Ergänzen Sie im Lebenslauf von Janosch die passenden temporalen Präpositionen.

| für • mit • nach (2x) • innerhalb • ab • seit • im |

Janosch – Kurzbiographie

1931	Geburt
1944	Beginn Schmiede- und Schlosserlehre
1946	Flucht nach Westdeutschland
1953	Umzug nach München
1960	Erscheinen seines ersten Kinderbuches
1975	Literaturpreis der Stadt München
1979	Deutscher Jugendliteraturpreis
1980	Auswanderung aus Deutschland

Janosch wurde am 11. März 1931 als Horst Ecker geboren. _____ 13 Jahren begann er eine Schmiede- und Schlosserlehre. 1946, _____ Kriegsende, flüchtete die Familie in den Westen. In der Gegend von Oldenburg arbeitete Janosch in einer Textilfabrik. _____ kurze Zeit ging er auf die Textilschule in Krefeld. _____1953 lebte er in München, wo er an der Akademie der Bildenden Künste sein Kunststudium wegen „mangelnder Begabung" _____ einigen Probesemestern abbrechen musste. Danach war er freier Künstler. _____ Jahr 1960 erschien sein erstes Kinderbuch. _____ der nächsten 10 Jahre folgten zahlreiche Kinderbücher und er erhielt verschiedene Literaturpreise. Janosch ist heute einer der bekanntesten deutschen Künstler und Kinderbuchautoren und lebt _____ 1980 auf Teneriffa.

Temporale Präpositionen

- Temporale Präpositionen geben Antwort auf die Frage: Wann?
- Folgende Präpositionen können eine temporale Bedeutung haben:
  ab, an, außerhalb, bei, binnen, bis, für, gegen, in, innerhalb, mit, nach, seit, über, um, von, vor, während, zu, zwischen

2 Ergänzen Sie die passenden temporalen Präpositionen, wenn nötig mit Artikel bzw. als Verschmelzung.

| an (3x) • nach • bis (2x) • während • zwischen • von • außerhalb • um (2x) • für |

Orientierungstage: 10. – 14. Oktober 2011

Montag, 10.10.11: Anreisetag

| 08:00–16:00 Uhr: | Abholservice vom Flughafen oder Hauptbahnhof Kaffee und sonstige Unterstützung im Internationalen Zentrum (IZ) |
| 20:00 Uhr: | Begrüßung durch den Rektor der Universität |

Dienstag, 11.10.11

09:00–11:00 Uhr:	gemeinsames Einschreiben, Übergabe Studentenausweise
11:00–12:30 Uhr:	Campusführung
12:30 Uhr:	gemeinsames Mittagessen in der Mensa

Die Orientierungstage für internationale Studierende finden _____ 10. _____ 14. Oktober statt. _____ Montag ist Anreisetag! _____ 8 und 16 Uhr bietet das Akademische Auslandsamt einen Abholservice, sowie gratis Kaffee im Internationalen Zentrum auf dem Campus an. (Achtung: _____ angegebenen Zeit ist das IZ leider geschlossen!) _____ Abend beginnt _____ 20 Uhr die offizielle Begrüßung durch den Rektor der Universität. _____ nächsten Tag kommen Sie bitte pünktlich _____ 9 Uhr zum Studierendensekretariat, damit Sie sich einschreiben und sofort Ihren Studentenausweis mitnehmen können. Da wir eine große Gruppe sind, kann dieser Termin _____ 11 Uhr dauern. Danach erhalten Sie eine Campusführung _____ eineinhalb Stunden, die wir Ihnen sehr empfehlen. _____ Führung würden wir gerne mit Ihnen zusammen in der Mensa Mittagessen. _____ Essens beantworten wir gerne Ihre Fragen.

3 Schreiben Sie eine kurze Autobiographie. Verwenden Sie dabei temporale Präpositionen.

1.4 Kausale und finale Präpositionen

1 Lesen Sie die Texte und ergänzen Sie die markierten Präpositionen in der Übersicht unten.

Auf der A4: Köln Richtung Olpe herrscht zwischen Kreuz Köln-Süd und Dreieck Köln-Heumar aufgrund eines Unfalls 6 km Stau. Es besteht Gefahr durch auslaufenden Kraftstoff. Bitte beachten Sie aktuelle Verkehrshinweise für eine weiträumige Umfahrung der Unfallstelle.

Die A3 Köln Richtung Frankfurt ist im Bereich Königsforst in beide Fahrtrichtungen wegen Bau einer Brücke gesperrt. Aus Sicherheitsgründen wird die Sperrung die ganze Woche andauern.

Zwei auf einen Streich

Gestern Nachmittag überführten Zivilpolizisten zwei 25 und 26 Jahre alte Männer beim illegalen Handel mit Betäubungsmitteln. Dank des Hinweises eines aufmerksamen Anwohners konnten die Beamten gegen 15 Uhr in Charlottenburg den 25-jährigen Tatverdächtigen beobachten, als er mit Betäubungsmitteln handeln wollte. Er war den Polizisten

bereits bekannt, doch bisher konnte er mangels eindeutiger Beweise nicht festgenommen werden. Aufgrund einer von einem Richter angeordneten Durchsuchung der Wohnung des 26-Jährigen konnten die Beamten auch hier Betäubungsmittel sowie Waffen und Bargeld sicherstellen. Zur Fortsetzung der Ermittlungen wurden die Tatverdächtigen an die Kriminalpolizei der Direktion 3 geliefert.

Kausale und finale Präpositionen

- Kausale Präpositionen geben den Grund für etwas an und antworten auf die Frage: Warum?
  anlässlich, _____, _____, _____, _____, _____, um ... willen, _____, zuliebe
- Finale Präpositionen geben das Ziel oder den Zweck einer Sache an und antworten auf die Frage: Wozu?
  _____, _____, zwecks

  ⇨ kausale und finale Satzverbindungen: Kapitel 2.3.4 und 2.3.5

- Kausale und finalen Präpositionen kommen oft in Fachtexten und offiziellen Texten vor. In der Alltagssprache benutzt man für kausale und finale Angaben eher Nebensätze.

---

2 Sie sind Dozent und bewerten eine studentische Arbeit. Verbinden Sie die Gründe aus dem Schüttelkasten mit den Bewertungen zu Sätzen.

wegen der klaren Gliederungen • aufgrund der zahlreichen Beispiele • mangels klarer Argumente • dank des ausführlichen Anhangs • wegen gravierenden formalen Mängeln • durch die Wahl des Titels • mangels korrekter Zitatangaben • dank der präzisen Fragestellung

– leicht nachvollziehbar	– gut illustriert	– ungenügend	– sehr gut verständlich
– nicht überzeugend	– Minderung der Gesamtnote	– sehr übersichtlich	– Thema unklar

> Die Arbeit ist wegen der klaren Gliederung sehr übersichtlich.
> Aufgrund ...

3 In den Sätzen ist der Stil unpassend. Formulieren Sie die unterstrichenen Satzteile um.

a Er nimmt aus Gründen der Schnelligkeit immer den Aufzug statt der Treppe
  > Er nimmt immer den Aufzug statt der Treppe, weil das schneller ist.
b Der Mann wurde auf die Polizeiwache gebracht, um seine Identität festzustellen.
  > _____
c Aufgrund mangelnden Interesses fährt mein Kind nicht mehr mit uns in den Urlaub.
  > _____
d Mangels finanzierbarer Wohnungen ziehen wir doch nicht um.
  > _____
e Es kommt auf der A3 Richtung Frankfurt zu Behinderungen, weil die Sicht eingeschränkt ist.
  > _____
f Zwecks Unterbringung meines Besuchs kaufe ich ein Schlafsofa.
  > _____

4.1.5 Modale, konzessive und adversative Präpositionen

1.1 Lesen Sie die Texte und unterstreichen Sie darin die Präpositionen aus der Tabelle unten.

Gestern Nacht ereigneten sich zahlreiche Unfälle infolge winterglatter Straßen. Auf der B31 kam es zu einer Vollsperrung, nachdem ein LKW, der ins Schleudern geriet, mitsamt seiner Ladung umgekippt ist. Den Beamten zufolge war eine unangepasste Geschwindigkeit Ursache für den Unfall. Für die komplizierte Bergung mittels eines Spezialkrans benötigte die Feuerwehr mehrere Stunden. Auch im gesamten Bodenseekreis kam es entsprechend den Witterungsverhältnissen zu vielen Auffahrunfällen. In den meisten Fällen blieb es bei Blechschäden. Laut den örtlichen Polizeistellen wird der Sachschaden auf ca. 1,5 Mio. geschätzt.

Mit Gentechnik hergestellte Lebensmittel müssen gemäß EU-weiten Vorschriften gekennzeichnet werden. Trotz dieser Regelung kann Gentechnik zum Einsatz gekommen sein, ohne dass Verbraucher davon erfahren. Ungeachtet der mehrheitlichen Ablehnung innerhalb der Bevölkerung wird Gentechnik zum Beispiel bei Futtermitteln für Nutztiere eingesetzt. Auch Zusatzstoffe, Enzyme, Vitamine und

Aromen können mithilfe gentechnisch veränderter Mikroorganismen hergestellt werden, ohne dass ein entsprechendes Kennzeichen angebracht werden muss. Für mehr Transparenz sorgte die Bundesregierung 2009: Anhand des Siegels „ohne Gentechnik" können die Verbraucher seither sicher erkennen, bei welchen Lebensmitteln keine Gentechnik eingesetzt wurde.

_ □ X

Hallo du, wie geht's? Ich bin gestern umgezogen und einiges ging schief! Die Autovermietung hat mir anstelle des reservierten Transporters nur ein kleineres Modell geben können. Und es hat entgegen der Wettervorhersage den ganzen Tag pausenlos geregnet! Aber mithilfe meiner Freunde habe ich den Umzug trotzdem an einem Tag geschafft. Jetzt sitze ich inmitten von Kisten und teste die Internetverbindung – der Anzeige nach funktioniert sie hervorragend. Wir sehen uns spätestens bei meiner Einweihungsparty!

LG Anne

1.2 Ergänzen Sie in der Tabelle die passenden Umschreibungen aus dem Schüttelkasten.

in Übereinstimmung mit / so wie … sagt • ~~ohne Berücksichtigung (von)~~ • statt •
zusammen mit • unter Verwendung von / mit Unterstützung (von) • im Gegensatz zu

Bedeutung

- Modale Präpositionen **bezeichnen die Art und Weise:** *auf, außer, durch, in, mit, ohne, statt, anstelle, nach, entsprechend, mithilfe, gemäß, zufolge, laut, mittels, anhand, mitsamt.*
- Konzessive Präpositionen **bezeichnen eine unerwartete Konsequenz:** *trotz, ungeachtet.*
- Adversative Präpositionen **bezeichnen einen Gegensatz:** *entgegen.*

Präposition	Umschreibung	Präposition	Umschreibung
trotz ungeachtet	ohne Berücksichtigung (von)	entgegen	
mitsamt		mithilfe mittels anhand	
gemäß zufolge entsprechend laut nach		anstelle	

Verwendung und Stellung

- Viele der modalen Präpositionen kommen in der Alltagssprache vor: *auf, außer, durch, in, mit, ohne, statt, anstelle, nach, entsprechend, mithilfe.*
- Folgende Präpositionen kommen eher in schriftlichen Texten (z. B. Zeitungsnachrichten, wissenschaftliche Texte) vor: *gemäß, zufolge, laut, mittels, anhand, mitsamt, infolge, ungeachtet.*
- Die Präpositionen *entgegen, trotz, anstelle, nach, entsprechend, mithilfe* werden auf beiden Stilebenen benutzt.

- Eine Besonderheit ist die Position folgender Präpositionen, denn sie können auch nachgestellt vorkommen: *nach, entgegen, ungeachtet, gemäß, entsprechend.*
- Die Präposition *zufolge* kommt nur nachgestellt vor.

1.3 Ergänzen Sie den Text über die Bologna-Reform mit den Informationen in der Klammer und einer passenden Präposition aus dem Schüttelkasten.

ungeachtet • ~~laut~~ • entgegen • mithilfe

a Laut der Bologna-Erklärung sind eine höhere internationale Mobilität und die Vergleichbarkeit von Abschlüssen die Ziele der Hochschulreform. (so wie die Bologna-Erklärung sagt)

b Eine Kritik an der Reform ist, dass sie _____ durchgeführt wurde. (ohne Berücksichtigung der Meinung der Studierenden)

c Außerdem wird oft bemängelt, dass _____ heute weniger Studenten als früher im Ausland studieren. (im Gegensatz zur Zielsetzung der Reform)

d _____ konnte die Uni Hamburg feststellen, dass Bachelorstudenten im Durchschnitt nur 26 Stunden pro Woche für ihr Studium aufwenden. (mit Unterstützung einer Studie)

2 Entscheiden Sie, welche der beiden Präpositionen passt. Sowohl Bedeutung als auch passender Stil können entscheidend sein.

Sehr geehrter Herr Moser,

_____ (um ... willen / anlässlich) Ihres Schreibens vom 29.06.2011 haben wir Ihren Fall noch einmal geprüft.

_____ (Aufgrund / Dank) Ihres leichten Alkoholkonsums haben Sie auf jeden Fall eine Mitschuld an dem Unfall. Und _____ (trotz / entgegen) Ihrer Aussagen, dass Ihr Mitfahrer angeschnallt war, müssen wir das Gegenteil annehmen. Unserem Gutachter _____ (nach/zufolge) können solche starken Verletzungen nicht entstehen, wenn man angeschnallt ist. Außerdem hatten Sie _____ (entgegen / anstelle) des erlaubten Tempos von 100 km/h mindestens eine Geschwindigkeit von 120 Stunden- kilometern. Und _____ (gemäß / nach) der Verkehrs- ordnung sind außerhalb einer geschlossenen Ortschaft lediglich 100 km/h erlaubt. Wegen des hohen Tempos kam es zu dem Unfall. Wir stellten aber fest, dass auch der andere Fahrer nicht schuldlos ist.

_____ (Zwecks / Zuliebe) weiterer Untersuchungen bezüglich Ihres Falls brauchen unsere Gutachter noch etwas Zeit und wir bitten Sie weiterhin um Geduld.

Mit freundlichen Grüßen
Ihre Versicherungsgesellschaft AG

Hallo Mama,
ich möchte meiner neuen Mitbewohnerin Eva _____ (zu/zwecks) ihrer Begrüßung etwas kochen, denn _____ (aufgrund/dank) ihr haben wir jetzt viele neue Küchengeräte. Finde aber leider das Rezept für die Lasagne nicht mehr. Meiner Meinung _____ (zufolge/nach) liegt es im roten Ordner in der Küche. Kannst du mir kurz die Zutaten schicken, bin gleich im Supermarkt! LG Petra

---

Hallo Petra,
schön, dass du mal wieder etwas kochst! Habe das Rezept leider nicht gefunden, aber schau mal im Supermarkt nach einem Fix-Produkt für Lasagne. _____ (Mithilfe/Mittels) der Anleitung von dort müsste es dir auch gelingen.
LG Mama

3 Ergänzen Sie die Präpositionen und Verschmelzungen aus dem Schüttelkasten.

> auf (2x) • von • über • bei • in (2x) • im • vor (2x) • durch • nach

Noah Gordon: Der Medicus

_____ Alter _____ neun Jahren verliert Rob Jeremy Cole seine Eltern. Seine Mutter stirbt _____ der Geburt des jüngsten Bruders, der Vater erliegt einer Krankheit. Die Londoner Zimmermannszunft bringt Robs Geschwister _____ verschiedenen Familien unter. Nur Rob bleibt übrig, bis ein Bader _____ seiner Tür steht, der ihn als Lehrling aufnimmt. _____ den gemeinsamen Reisen _____ das Land lernt Rob das Jonglieren, das Zaubern und erlangt erste medizinische Grundkenntnisse. Als der Bader _____ einigen Jahren stirbt, zieht der junge Mann allein weiter. Seine Reise führt ihn weit _____ die Grenzen Europas hinaus, was ihn nicht selten _____ Schwierigkeiten stellt. _____ der Zweckgemeinschaft einer Karawane stößt er _____ die unterschiedlichsten Leute ...

> auf • mit • in (2x) • nach • beim • von • im • während

Noah Gordon

Noah Gordon wurde 1926 _____ Worcester, Massachusetts, geboren. _____ seinem Studium wandte er sich dem Journalismus zu. _____ seiner Tätigkeit als wissenschaftlicher Redakteur _____ Bostoner Herald veröffentlichte er eine Reihe _____ Artikeln und Erzählungen _____ verschiedenen Zeitschriften. Sein erster Roman „Der Rabbi" verhalf ihm zu einem spontanen Durchbruch. Besonders erfolgreich sind seine Romane um die Mediziner-Familie Cole.
Noah Gordon hat drei Kinder und lebt _____ seiner Frau Lorraine _____ einer Farm in den Berkshire Hills _____ westlichen Massachusetts.

4 Formen Sie die markierten Teile wie im Beispiel um, verwenden Sie jeweils die angegebene Präposition und denken Sie an die Nominalisierung.

a Ich studiere an einer Privatuni, obwohl die Studiengebühren sehr hoch sind. (trotz)
> Ich studiere trotz der hohen Studiengebühren an eine Privatuni.

b Um Stress zu vermeiden, soll man in seiner Freizeit einen Ausgleich zum Studium haben. (zu)
> _____

c Sie schwitzte während der Prüfung, so nervös war sie! (vor)
> _____

d Ich lerne eine Sprache am besten, indem ich regelmäßig mit Muttersprachlern spreche. (durch)
> _____

e Als ich meinen Professor das letzte Mal traf, hatte er meine Hausarbeit noch nicht korrigiert. (bei)
> _____

f Zwischen 14 und 16 Uhr fahren im Zentrum keine Busse, weil gegen Studiengebühren demonstriert wird. (wegen)
> _____

g Wenn man kein Abitur hat, kann man in Deutschland nicht studieren. (ohne)
> _____

h Wie der Rektor mitgeteilt hat, fallen ab nächstem Semester die Studiengebühren weg. (laut)
> _____

.2 Adverbien

1 Entscheiden Sie, ob es sich bei den markierten Wörtern um ein Adverb oder ein Adjektiv handelt.

> ✓ **Das lernen Sie:**
> – Adverbien von Adjektiven zu unterscheiden
> – Temporal-, Lokal- und Modaladverbien auf Satzebene

Solino

Romano Amato und seine Frau Rosa haben vom Wirtschaftswunder in Deutschland gehört. Mit ihren kleinen Söhnen Gigi und Giancarlo kommen sie 1964 nach Duisburg und hoffen dort auf ein **besseres** Leben. Rosa macht das, was sie **am besten** kann, zu ihrem Beruf. Die Familie eröffnet eine Pizzeria mit dem Namen ihres Heimatdorfes Solino. Der jüngere Gigi freundet sich **schnell** mit Herrn Klasen, dem Inhaber des benachbarten Fotogeschäftes, an und entdeckt **freudig** seine Leidenschaft für Fotografie und Film. Giancarlo buhlt hingegen um mehr Aufmerksamkeit bei der **gemeinsamen** Freundin Jo. Zehn Jahre später mieten sich Gigi, Giancarlo und Jo **gemeinsam** eine Wohnung, nachdem sie sich mit ihrem Vater **stark** gestritten haben. …

	Adverb	Adjektiv
besseres		
am besten		
schnell		
freudig		
gemeinsamen		
gemeinsam		
stark		

Adverbien

Adverbien beschreiben oft Verben näher:
Der jüngere Gigi freundet sich **schnell** mit Herrn Klasen an.
Hier beschreibt das Adverb *schnell* das Verb *anfreunden* genauer.

- Adverbien können sich auch auf ein Nomen (Ich freue mich auf die Party **morgen**.) oder auf ein anderes Adverb (Das Auto steht dort **hinten**.) beziehen.

- Adverbien haben im Gegensatz zu Adjektiven keine Endung.

2 Ordnen Sie den markierten Verben passende Adverbien aus dem Schüttelkasten zu und ergänzen Sie die Adverbien an der richtigen Stelle im Text.

> geschickt • plötzlich • rechtzeitig • unerklärlich • schnell • unbeirrt • umgehend

Tatort (Deutschland 1999)
Mi. 12.10.2011 – 22.55 – WDR

In regelmäßigen Abständen werden in Leipzig Banken überfallen. Die Geldräuber konnte man noch nicht ergreifen. Werden die Täter von einem Maulwurf bei der Polizei über den Stand der Ermittlungen informiert? Die Dresdner Kommissare Ehrlicher und Kain sollen den potenziellen Verräter finden. Da gerät eine Streifenpolizistin in einen der Banküberfälle und stirbt im Kugelhagel. Die nächste Zielscheibe: Ehrlicher selbst! Eine junge Frau namens Jenny, die von Beamten als Augenzeugin des letzten Bankraubes registriert wurde, führt die beiden ermittelnden Polizisten auf die Spur zweier Verdächtiger, die zu erstaunlichem Reichtum gelangt sind. Bob und Frieder Vodenka leben mit Jenny in einer luxuriösen Villa. Jenny verschwindet und hinterlässt ein hochinteressantes Notizbuch. Eine Leiche, eine Verschwundene und zu wenig Beweise, um die Brüder hinter Schloss und Riegel zu bringen – die Kommissare stehen unter Druck. Doch Ehrlicher lässt sich nicht aus der Ruhe bringen und vertraut der Psychologie: „Gefühle tragen weiter".

3 Lesen Sie die Fernsehkritik und sortieren Sie die markierten Adverbien in die Tabelle ein.

Neues aus dem Kuhstall

Montags knistert es wieder im Kuhstall, denn die siebte Staffel der erfolgreichen RTL-Kuppelshow „Bauer sucht Frau" startet. Wieder sollen neun Landwirte die große Liebe finden. Kandidaten zu finden ist kein Problem, denn ständig trudeln neue Bewerbungen ein. Bei der Auswahl wird darauf geachtet, dass sich eine gute Mischung ergibt: Beispielsweise junge und alte Landwirte, vom Acker- bis zum Schweinebauer, verschiedene Charaktere aus möglichst allen Regionen Deutschlands.

Zehn Wochen lang darf das deutsche Fernsehpublikum dann die Bauern bei der Balz beobachten: Schüchterne Männer tasten sich manchmal unbeholfen an das andere Geschlecht heran. Die Liebe wird der Angebeteten schließlich im romantischen Heuhaufen erklärt. Die Frauen werden in das harte Leben auf dem Hof eingeführt, dort müssen sie Kühe einfangen oder kleine, süße Kälbchen tränken oder drinnen bei der Hausarbeit mit anpacken.

Die Stimmung unter den Zuschauern ist geteilt. Es gibt die, welche die Sendung amüsiert anschauen und sie als bloße Unterhaltung ansehen. Und es gibt andere, die sich fragen, was das eigentlich mit der Wirklichkeit eines Lebens als Landwirt zu tun haben soll, die sich über die Show ärgern.

Adverbien

- Adverbien stehen entweder am Satzanfang oder im Mittelfeld des Satzes.
- Adverbien können auch einen ganzen Satz modifizieren.

- Sie geben die Zeit, den Ort bzw. die Richtung oder die Art und Weise an.

Zeit	Ort	Art und Weise
_____	_____	beispielsweise
wieder (2x)	_____	_____
_____	_____	_____
_____	_____	_____
_____	_____	

Zeit: Temporaladverbien antworten auf die Fragen Wann?, Wie oft?, Wie lange? oder geben eine Reihenfolge an.
Ort und **Richtung**: Lokaladverbien antworten auf die Fragen Wo?, Wohin? oder Woher?
Art und **Weise**: Modaladverbien antworten auf die Frage Wie? oder geben die Haltung des Sprechers / Schreibers an.

4 Ergänzen Sie eine passendes Temporaladverb. Es gibt manchmal mehrere Möglichkeiten.

a immer am Nachmittag: _____

b in zwei Tagen: _____

c mehr als einmal: _____

d jede Stunde: _____

e in früheren Zeiten: _____

f nicht regelmäßig: _____

g für viele Tage: _____

h nicht oft: _____

i als Erstes: _____

j in diesem Moment: _____

k ein zweites Mal: _____

l im Anschluss: _____

m in sehr kurzer Zeit: _____

5   Ergänzen Sie jeweils das Gegenteil der Lokaladverbien. Es gibt manchmal mehrere
    Möglichkeiten.

    a draußen – _____
    b links oben – <u>rechts unten</u>
    c überall – _____
    d hinten – _____
    e hierher – _____
    f aufwärts – _____
    g rückwärts – _____
    h irgendwohin – _____
    i von außen – _____

6   Ergänzen Sie die passenden Modaladverbien aus dem Schüttelkasten.
    Es gibt manchmal mehrere Möglichkeiten.

    bestimmt • wahrscheinlich • glücklicherweise • anscheinend • gern •
    hoffentlich • hauptsächlich • leider • eventuell • am besten

    a <u>Leider</u> haben die meisten Gäste abgesagt. Die ganzen Vorbereitungen waren umsonst!
    b _____ komme ich am Wochenende zu Besuch. Ich freue mich darauf.
    c _____ junge Menschen kommen zu der Veranstaltung. Ältere interessieren
       sich nicht so sehr für dieses Thema.
    d _____ habe ich die Prüfung bestanden. Ich freue mich.
    e _____ rufst du mich abends an. Da bin ich meistens zu Hause.
    f _____ können wir am Samstag grillen. Es soll schön werden.
    g _____ hat sie wieder schlecht geschlafen. Sie sieht müde aus.
    h _____ kauft er sich ein neues Auto. Das hängt aber von den Kosten ab.
    i _____ wird dieses Buch ein Bestseller. Der Autor ist so talentiert.
    j _____ sehe ich ihn morgen wieder. Er ist so toll!

7   Formulieren Sie aus den Notizen einen Tagebucheintrag.
    Benutzen Sie dabei Adverbien aus dem Schüttelkasten.

    nirgends • wieder • hoffentlich • endlich • anschließend • glücklicherweise • wahrscheinlich • da • danach •
    abends • bestimmt • heute Morgen • dort • leider • draußen • vorgestern • nachmittags • irgendwohin • gleich

    ---

    Berlin, 19. Oktober

    8:00 Uhr: Wecker klingelte, übliche Morgenroutine und
    zu spät zur U-Bahn (wie jeden Tag ☹)
    9:15 Uhr: Ankunft beim Sender (ein bisschen spät – ich
    hoffe, mein Chef hat es nicht bemerkt ☺). Bei der Arbeit:
    Weiterarbeiten an den Aufzeichnungen zu „Bauer sucht
    Frau", die schon am 17. Oktober begonnen haben.
    Schade, dass zwei Bauern heute krank waren!
    12:30 Uhr: die lang ersehnte Mittagspause. Es war
    schönes Wetter, darum saßen wir im Hof in der Sonne.
    Ich ging mit dem Kamerateam im Anschluss noch ein
    Eis essen.

    14:15 Uhr: War froh, dass Kaffeemaschine wieder
    funktionierte, denn ich brauche am Nachmittag immer
    eine große Tasse.
    19:00 Uhr: War der letzte im Studio! Ich nehme an, dass
    meine Kollegen alle irgendetwas erledigen mussten.
    19-20:00 Uhr: Ging eine Stunde zum Schwimmen.
    Traf im Schwimmbad meine Freunde.
    20:00 Uhr: Nach dem Schwimmen zusammen
    Abendessen
    21:00 Uhr: bin meistens müde am Abend und fühle
    mich an keinem Ort so wohl wie zu Hause.
    22:30 Uhr: bin sicher, in kurzer Zeit fallen mir die
    Augen zu. Gute Nacht – bis morgen!

    Liebes Tagebuch,
    heute Morgen hat um acht Uhr der Wecker geklingelt und nach der üblichen Morgenroutine bin ich ...

4.3 Gradpartikeln

Das lernen Sie:
- die wichtigsten Gradpartikeln und ihre Funktion
- die Bedeutungen der Gradpartikel *ganz*

1.1 Lesen Sie Michaels Frage und die fünf Antworten. Wie bewerten die Personen das Leben in Berlin, positiv oder negativ?

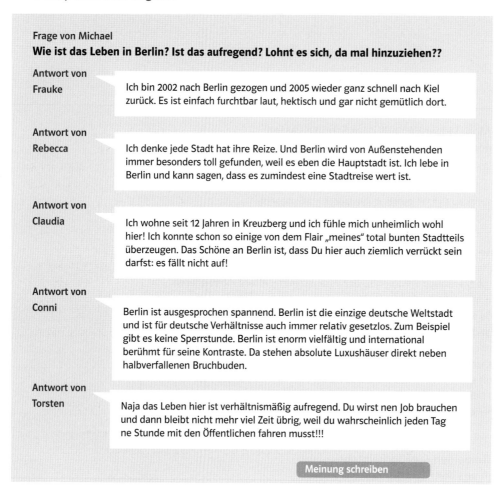

Frage von Michael
Wie ist das Leben in Berlin? Ist das aufregend? Lohnt es sich, da mal hinzuziehen??

Antwort von
Frauke

Ich bin 2002 nach Berlin gezogen und 2005 wieder ganz schnell nach Kiel zurück. Es ist einfach furchtbar laut, hektisch und gar nicht gemütlich dort.

Antwort von
Rebecca

Ich denke jede Stadt hat ihre Reize. Und Berlin wird von Außenstehenden immer besonders toll gefunden, weil es eben die Hauptstadt ist. Ich lebe in Berlin und kann sagen, dass es zumindest eine Stadtreise wert ist.

Antwort von
Claudia

Ich wohne seit 12 Jahren in Kreuzberg und ich fühle mich unheimlich wohl hier! Ich konnte schon so einige von dem Flair „meines" total bunten Stadtteils überzeugen. Das Schöne an Berlin ist, dass Du hier auch ziemlich verrückt sein darfst: es fällt nicht auf!

Antwort von
Conni

Berlin ist ausgesprochen spannend. Berlin ist die einzige deutsche Weltstadt und ist für deutsche Verhältnisse auch immer relativ gesetzlos. Zum Beispiel gibt es keine Sperrstunde. Berlin ist enorm vielfältig und international berühmt für seine Kontraste. Da stehen absolute Luxushäuser direkt neben halbverfallenen Bruchbuden.

Antwort von
Torsten

Naja das Leben hier ist verhältnismäßig aufregend. Du wirst nen Job brauchen und dann bleibt nicht mehr viel Zeit übrig, weil du wahrscheinlich jeden Tag ne Stunde mit den Öffentlichen fahren musst!!!

Meinung schreiben

1.2 Ergänzen Sie die Gradpartikeln aus dem Online-Forum. Entscheiden Sie anschließend, welche Gradpartikeln die Bedeutung der Adjektive verstärken und welche die Bedeutung abschwächen.

	Verstärkung	Abschwächung
Das Leben in Berlin ist …		
… furchtbar laut.		
… _____ nicht gemütlich.		
… _____ toll.		
… _____ bunt.		
… _____ verrückt.		
… _____ spannend.		
… _____ gesetzlos.		
… _____ vielfältig.		
… _____ aufregend.		

Gradpartikeln

- Gradpartikeln drücken die Intensität der Bedeutung eines Adjektivs aus.
- Sie stehen direkt vor dem Adjektiv.
- Man unterscheidet:
  Verstärkung
  Verstärkung einer Negation
  Abschwächung
  über dem Normalmaß

2 Lesen Sie die Aussagen und ordnen Sie die Gradpartikeln in die Tabelle ein.

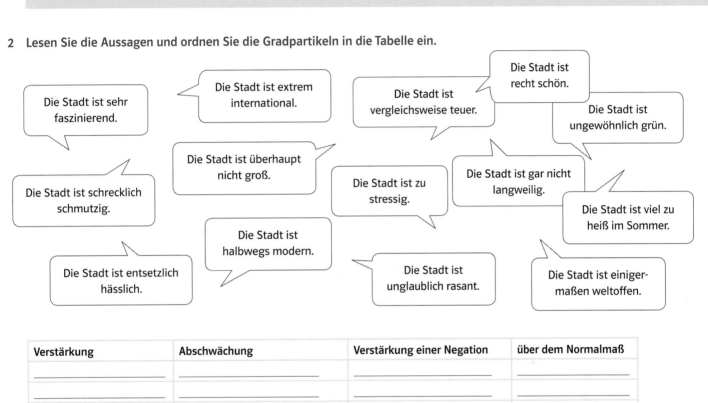

Verstärkung	Abschwächung	Verstärkung einer Negation	über dem Normalmaß
_____	_____	_____	_____
_____	_____	_____	_____
_____	_____		
_____			
_____			
_____			

3 Welche der zwei Umschreibungen entspricht der Bedeutung der Sätze a – d? Kreuzen Sie an.

a Ich komme aus einer relativ kleinen Stadt.
   Meine Heimatstadt ist wirklich klein. ☐
   Meine Heimatstadt ist recht klein. ☐

b Darum war meine Jugend auch ausgesprochen unspektakulär.
   Meine Jugend war deshalb ziemlich unspektakulär. ☐
   Meine Jugend war deshalb sehr unspektakulär. ☐

c Nie passierte eine total unerwartete Sache.
   Es passierte überhaupt nichts. ☐
   Es passierten keine besonders überraschenden Dinge. ☐

d Aber von meinem jetzigen Wohnort bin ich total begeistert.
   Ich finde meinen jetzigen Wohnort unglaublich toll. ☐
   Ich finde meinen jetzigen Wohnort einigermaßen toll. ☐

4.1 Hören Sie das Gespräch und achten Sie auf die Verwendung der Partikel *ganz*.

4.2 Hören Sie das Gespräch noch einmal und entscheiden Sie, ob die Bedeutung der markierten Wörter durch *ganz* verstärkt (+) oder abgeschwächt (-) wird.

🔊 18

LENA BADKE: Guten Tag. Ich möchte mich gerne vorstellen, ich bin Ihre neue Nachbarin. Mein Name ist Lena Badke.

INGRID SCHÄFERMANN: Oh, das ist ja ganz entzückend. Mein Name ist Ingrid Schäfermann. Es ist selten, dass man seine Nachbarn kennenlernt in diesem großen Haus!

LENA BADKE: Das ist aber schade. Ich lege ganz viel Wert auf gute Nachbarschaft.

INGRID SCHÄFERMANN: Sind Sie also neu in der Stadt? Wie gefällt es Ihnen bisher?

LENA BADKE: Ach ja, ganz gut. Ich verfahre mich oft, weil ich das U-Bahn-Netz noch nicht so kenne und die Stadt ist einfach riesig.

INGRID SCHÄFERMANN: Ach, da machen Sie sich mal keine Sorgen, das U-Bahn-Netz werden Sie ganz schnell kennenlernen, das brauchen Sie jeden Tag hier. Haben Sie denn schon eine Stadtführung mitgemacht, das kann am Anfang doch ganz gut helfen.

LENA BADKE: Ja, ich fand die Führung ganz interessant, aber einen Überblick habe ich noch nicht.

INGRID SCHÄFERMANN: Also wenn Sie möchten, kann ich Ihnen am Wochenende gerne einmal unser Stadtviertel zeigen. Das Wetter soll ja ganz schön werden.

LENA BADKE: Das würde mich freuen! Vielen Dank …

4.3 Hören Sie das Gespräch noch einmal und achten Sie auf die Betonung von *ganz*.

4.4 Ergänzen Sie nun die Regel.

Gradpartikel *ganz*

- Die Gradpartikel *ganz* kann sowohl verstärkend als auch abschwächend wirken.
  Die Bedeutung hängt von der Betonung ab:
  Ist *ganz* _____, dann verstärkt es die Bedeutung.
  Ist *ganz* _____, dann schwächt es die Bedeutung ab.

5 Ergänzen Sie das Gespräch mit den Gradpartikeln aus dem Schüttelkasten. Es gibt mehrere richtige Möglichkeiten. Lesen Sie Ihre Version laut vor und achten Sie auf die richtige Betonung.

viel zu • ganz • furchtbar • sehr • relativ • ziemlich • überhaupt • ungewöhnlich • entsetzlich • recht

INGRID SCHÄFERMANN: Hallihallo, Frau Badke!!! Wie geht es Ihnen? Haben Sie sich inzwischen ein bisschen eingelebt?

LENA BADKE: Ach, Frau Schäfermann, guten Morgen! Danke, mir geht es _____ gut.

INGRID SCHÄFERMANN: Das hört sich aber nicht überzeugend an. Was ist denn los?

LENA BADKE: Ach, ich will mich nicht beschweren. Aber es ist _____ laut in meiner Wohnung. Es liegt an dem Nachbarn aus dem 4. Stock. Ein _____ unfreundlicher Mensch!

INGRID SCHÄFERMANN: Oje, das tut mir aber _____ Leid. Ich kenne den Herrn aus dem 4. gar nicht. Um was für Lärm handelt es sich denn?

LENA BADKE: Nun, es beginnt morgens um 5 Uhr mit dem _____ langen Klingeln seines Weckers. Am Abend folgt dann laute und _____ geschmacklose Musik.

INGRID SCHÄFERMANN: Haben Sie denn schon versucht, mit ihm darüber zu sprechen?

LENA BADKE: Ja, ich habe ihn natürlich sofort auf das Problem angesprochen, aber es interessierte ihn _____ wenig. Er meinte, er habe einen _____ tiefen Schlaf und würde nicht so schnell aufwachen, deshalb das lange Klingeln des Weckers. Die Musik sei Geschmackssache, aber er würde die Lautstärke runterfahren. Leider ist sie bisher noch _____ nicht leiser geworden. Jetzt muss ich eben mit Ohrstöpseln schlafen.

INGRID SCHÄFERMANN: Aber Frau Badke, sie geben _____ schnell nach. In einer Wohnung kann man nicht machen, was man will, sondern muss auch Rücksicht auf seine Nachbarn nehmen. Kommen Sie mit, wir sprechen mal mit unserem Vermieter, vielleicht kann der Ihnen behilflich sein.

.4 Wortbildung

4.1 Nomen: Zusammensetzung (Komposition)

1.1 Lesen Sie den Artikel und markieren Sie die zusammengesetzten Nomen.

> **Das lernen Sie:**
> - Möglichkeiten der Wortbildung von Nomen, Verben und Adjektiven
> - Bedeutungen der Präfixe von untrennbaren Verben

Das unterschätzte Tier

Rockender Regent des Gartens

Der Zaunkönig mutet herrschaftlich an, zumindest dem Namen nach. Doch sein braunes Gewand suggeriert eher „angepasstes Fußvolk" als „strahlender Thronerbe". Zudem misst der deutsche Gartenbewohner gerade mal neun Zentimeter und bringt trotz kleinem und pummeligem Körper maximal 11 Gramm auf die Waage. Das macht ihn zu einem der kleinsten Vögel Europas. So wird der Zaunkönig wegen seiner Unscheinbarkeit nicht nur gern übersehen, sondern auch unterschätzt. Dabei ist das Hochverrat! Denn der Sperlingsvogel ist ein Gesangstalent,

ein talentierter Häuserbauer und ein Flattermann mit Familiensinn. Doch der Regent unter den Gartenvögeln kann noch mehr. Der Zaunkönig nämlich ist eine echte Rockröhre. Mit bis zu 90 Dezibel – das entspricht dem Dröhnen eines Lastwagens – schallt sein Gesang durch das Unterholz. Die Lautstärke braucht es, um sich zur Paarungszeit bemerkbar zu machen. Von morgens bis abends schmettert er deshalb Liebeslieder. Zwar klingt sein Gesang eher nach natureller Klassik als nach ultimativen Rock-Love-Songs, doch die Frauen fliegen drauf.

Wohl auch, weil so ein Zaunkönig nicht nur ein Performancekünstler, sondern zudem ein echter Macher ist. Tatsächlich bieten die Männchen ihren Artgenossinnen sogar bis zu zwölf runde Rohbauten als Nistplatz an und bauen erst nach deren kritischer Auswahl ein Nest fertig. Auch bei der Inneneinrichtung mit kolonialen Federn, Moos im Landhausstil oder heimatlicher Wolle lässt er seiner Königin freie Hand. Was für ein Kerl!

Zusammengesetzte Nomen

- Zusammengesetzte Nomen bestehen aus mindestens zwei Teilen:
  Den ersten Teil nennt man Bestimmungswort, den zweiten Teil Grundwort.
- Das Grundwort ist immer ein Nomen, das Bestimmungswort können verschiedene Wortarten bilden.
- Ein zusammengesetztes Nomen wird auch als Kompositum bezeichnet.
- Zusammengesetzte Nomen bieten die Möglichkeit, immer wieder neue Wörter zu bilden. Achten Sie in dem Zeitungsartikel darauf, wie viele verschiedenen Bezeichnungen für den Zaunkönig vorkommen: Thronerbe, Gesangstalent, Häuserbauer, Gartenvogel, Rockröhre, Flattermann.
- Durch die verschiedene Bezeichnungen können Wiederholungen vermieden werden und ein Text bleibt lebhaft, was besonders bei Zeitungsartikeln oder literarischen Texten wichtig ist.
- Durch Komposition können auch komplexe Inhalte knapper wiedergegeben werden, was sich in Kreationen wie „Tierschutzverein" anstatt „ Verein zum Schutz der Tiere" oder „Vogelfuttersorten" anstatt „Sorten von Futter für Vögel" zeigt.
- In wissenschaftlichen Texten oder Anleitungen findet man viele mehrgliedrige Komposita.

1.2 Zerlegen Sie die zusammengesetzten Nomen in der Tabelle in die beiden Teile und bestimmen Sie die Wortart des Bestimmungswortes.

Wortart Bestimmungswort	Bestimmungswort	Grundwort	Kompositum
Nomen	der Zaun	der König	der Zaunkönig
			das Fußvolk
_____	_____	_____	_____
_____	_____	_____	die Lautstärke
_____	_____	_____	_____
_____	_____	_____	der Flattermann
_____	_____	_____	_____
_____	_____	_____	das Unterholz
_____	_____	_____	_____
_____	_____	_____	die Inneneinrichtung

1.3 Finden Sie weitere zusammengesetzte Nomen im Text und ergänzen Sie die Tabelle.

1.4 Sehen Sie sich die Beispiele aus der Tabelle nochmals an. Streichen Sie die falschen Alternativen in der Übersicht durch.

Zusammengesetzte Nomen

- Das Bestimmungswort / Grundwort bestimmt das Genus des gesamten Nomens.
- Das Bestimmungswort spezifiziert das Grundwort. / Das Grundwort spezifiziert das Bestimmungswort.
- Die Betonung des zusammengesetzten Nomens liegt auf dem Bestimmungswort / Grundwort.
- Bei Verben als Bestimmungswort fallen die Endungen *-n* (Flattermann) und *-en* (Nistplatz) des Infinitivs weg.

2.1 Erklären Sie die Komposita, indem Sie möglichst Bestimmungs- und Grundwort benutzen.

Bücherregal = *ein Regal für Bücher*
Kaufhaus = _____
Überstunden = *die Stunden, die man über die Arbeitszeit hinaus arbeitet*
Großstadt = _____
Prüfungsordnung = _____
Abendvorstellung = _____
Trinkwasser = _____
Fahrschule = _____
Gegenargument = _____
Übungsgrammatik = _____
Fingernagel = _____

Zusammengesetzte Nomen: Fugenelemente

- Bei einigen Komposita gibt es zwischen Bestimmungswort und Grundwort ein Verbindungselement. Dieses Fugenelement wird oft aus phonetischen Gründen eingesetzt.
- Für das Einfügen der Fugenelemente gibt es keine festen Regeln. Das Fugenelement *-s-* kommt am häufigsten vor und steht immer nach den Endungen *-ung, -heit, -keit, -tion, -ion, -schaft, -tät, -ling, -tum.*

3.1 Zerlegen Sie die Komposita in Bestimmungswort, Fugenelement und Grundwort.

Kompositum	Bestimmungswort	Fugenzeichen	Grundwort
der Versuchsaffe	der Versuch	-s-	der Affe
die Meeresschnecke	das Meer	_____	_____
der Wüstenfuchs	_____	_____	_____
das Bärenfell	_____	_____	_____
die Rinderherde	_____	_____	_____

3.2 Kombinieren Sie die Verbstämme, Adjektive und Nomen zu mindestens zehn Komposita. Entscheiden Sie, ob ein Fugenzeichen nötig ist und ergänzen Sie auch den Artikel.

Besuch		-baden	*die Besuchszeit, der …*
Fütterung		-platz	
Streichel		-tier	
Elefant		-zeit	
Wasch	+?+	-bär	
Eis		-gehege	
Jung		-verkauf	
Liebling		-service	

.2 Nomen: Ableitung (Derivation)

1.1 Lesen Sie die Hinweise zum Transport von Tieren im Flugzeug. Markieren Sie im Text die Nomen, die von den folgenden Verben abgeleitet sind und ergänzen Sie diese Nomen im Singular.

Tiere

Das Transportieren von Tieren ist bei einem Flug mög-lich. Abhängig von Gewicht und Größe werden die Tiere entweder in der Passagierkabine oder in tierge-rechten Containern in einem klimatisierten Abschnitt des Frachtraums des Flugzeugs transportiert. Bitte beachten Sie, dass die gültigen Bestimmungen des Tierschutzes sowie die Ein- und Ausfuhrbestimmun-gen der betroffenen Länder eingehalten werden müssen. Zur Anmeldung ihres Tieres ist ein Anruf bis spätestens 24 Stunden vor dem Abflug nötig.

Gerne können Sie Ihr Tier auch persönlich anmelden. Erlauben Sie uns den Hinweis darauf, dass aufgrund begrenzter Kapazitäten und abweichender Verbote bei Partnerairlines Ihre Buchung die Akzeptanz von Sondergepäck und Tieren nicht in jedem Falle garan-tiert werden kann. Das Mitnehmen kleiner Hunde und Katzen in der Passagierkabine ist erlaubt, wenn ein Gewicht von 8 kg (inkl. Transportbehälter) nicht überschritten wird.

…

hinweisen: *der Hinweis*

schützen: _____

einführen: _____

verbieten: _____

anrufen: _____

abschneiden: _____

abfliegen: _____

mitnehmen: _____

fliegen: _____

transportieren: _____

1.2 Ergänzen Sie die Erklärung.

Infinitivs • Verbstamms

Ableitung ohne Affixe: Nominalisierung aus Verben

- Nomen können von Verben abgeleitet werden: Entweder aus dem Infinitiv (*das Schützen*) oder aus dem Verbstamm (*der Schutz*).
- Die Nominalisierung des _____ hat immer den Artikel *das*.
- Die Nominalisierung des _____ hat oft den Artikel *der*.

- Die Nominalisierung bietet im Deutschen auch die Möglichkeit, komplexe Informationen verdichtet wiederzugeben:
  Er fragt nach dem Grund für das Verbot von Tierversuchen für Kosmetik. ist kürzer als
  Er fragt nach dem Grund dafür, warum Tierversuche für Kosmetik verboten sind.
- Besonders in wissenschaftlichen Texten oder Anleitungen findet man viele Nominalisierungen.

1.3 Bilden Sie aus den Verben Nomen. Suchen Sie sich drei Nomen aus und schreiben Sie damit einen kurzen Text.

versuchen, laufen, reiten, springen, vergleichen, schließen, verkaufen, schneiden, unterscheiden, unterrichten, reißen

2.1 Hören Sie die Rede des Vorsitzenden des Tierschutzvereins und achten Sie auf den Inhalt.
Hören Sie dann die Rede noch einmal und ergänzen Sie die Lücken.

🔊 19

VORSITZENDER DES TIERSCHUTZVEREINS:

Liebe Mitglieder des Vereins, liebe **Anwesende**. Ich begrüße Sie herzlich zu der heutigen Versammlung. Im vergangenen Jahr ist sowohl _____ als auch _____ in unserer Region passiert. Ich möchte das _____ kurz in Erinnerung rufen und Ihnen einen Ausblick auf unsere kommenden Projekte liefern.

Im Sommer hatten wir große Probleme mit _____, die im Seewald Partys veranstaltet haben. Die _____ hinterließen neben Müll auch viele Scherben, die gefährlich für alle Waldbewohner sind. Durch Kontrollgänge von Vereinsmitgliedern an den Wochenenden bekamen wir dieses Problem aber in den Griff. Vielen Dank nochmal an alle _____! Ebenfalls im Seewald passierte das wohl _____ in diesem Jahr: Wilddiebe haben Fallen aufgestellt. Ein Jogger trat in eine Falle. Der _____ musste sofort ins Krankenhaus ge-

bracht werden. Bis heute konnten die _____ leider nicht gefasst werden.

Doch nun möchte ich auch noch _____ mitteilen: Unser Verein zählt 8 neue Mitglieder, die uns tatkräftig unterstützen. Im kommenden Jahr beginnen zwei tolle neue Projekte: In Zusammenarbeit mit der Agentur für Arbeit werden uns _____ bei verschiedenen Aktionen über das Jahr hinweg unterstützen. Zum Abschluss noch ein aktueller Tipp: Jetzt im Herbst sorgen sich Tierfreunde vermehrt um Igel, die in Gärten und der freien Natur noch auf Futtersuche sind. Die Tiere brauchen aber nur in Ausnahmefällen menschliche Hilfe. Für _____ hilft der Verein gerne unter der bekannten Infonummer.

Ich danke Ihnen für Ihre Aufmerksamkeit und wünsche allen noch einen schönen Abend.

2.2 Entscheiden Sie nun, ob die ergänzten Nomen von einem Adjektiv, von einem Partizip I oder von einem Partizip II stammen. Tragen Sie Ihre Lösungen in die Tabelle ein.

Adjektiv	Partizip I	Partizip II
gut > Gutes	anwesend > Anwesende	betrunken > die Betrunkenen
_____	_____	_____
_____	_____	_____
_____		_____
_____		
_____		
_____		
_____		

Ableitung ohne Affixe: Nominalisierung aus Adjektiven und Partizipien

- Nomen können auch von Adjektiven und Partizipien abgeleitet werden.
- Diese Nomen werden wie Adjektive dekliniert und bezeichnen Personen (*die Anwesenden*) oder Abstrakta (*das Schlimmste*).

2.3 Nominalisieren Sie die Adjektive und Partizipien aus dem Schüttelkasten und ergänzen Sie die Nominalisierungen passend im Text. Achten Sie auf die richtigen Endungen.

erwachsen • angestellt • schön • jugendlich • aufregend • neu • gut • bekannt • wichtig

Das Tierheim bildet jetzt auch junge Leute aus. Anna macht nächstes Jahr im Tierheim eine Ausbildung.

Journalist: Anna, wird das kommende Jahr aufregend für dich?
Anna: Ja, sehr. Das _____ sind all die neuen Dinge, die ich lernen werde.
Journalist: Aber viel _____ gibt es für dich doch gar nicht zu lernen, da du schon seit drei Jahren Mitglied im Tierheim bist. Du kennst bestimmt schon viele Kollegen?
Anna: Ja, das stimmt. Im Tierheim habe ich viele _____, aber es gibt noch viele, die ich nicht kenne, auch viele Vereinsmitglieder. Es ist schön, dass hier Menschen jeden Alters aktiv sind. Die _____ und die _____ arbeiten oft eng zusammen, da sie die Liebe zu den Tieren verbindet.

Journalist: Tierliebe ist wohl das _____, was man mitbringen muss, wenn man im Tierheim angestellt ist?
Anna: Als _____ in einem Tierheim ist die Tierliebe natürlich Grundvoraussetzung. Aber auch Liebe und Verständnis für die Mitmenschen ist wichtig. Manche machen aus Unwissenheit Fehler bei der Tierpflege und brauchen unseren Rat. Das _____ an meinem zukünftigen Beruf ist doch, wenn es den Tieren und den Menschen gut geht.
Journalist: Vielen Dank für das Gespräch und alles _____ für deine Zukunft!

3.1 Ergänzen Sie die Anzeigen, indem Sie die Wortteile zu Nomen zusammenfügen.
Die Anfangsbuchstaben helfen Ihnen.

> krank • keit • ge • färb • zurückhalt • schrei • ~~linge~~ • freund • ~~misch~~ • ung •
> lich • ung • heiten

SÜSSE WELPEN ZU VERKAUFEN

Biete vier schwarz-weiße Labrador-<u>Mischlinge</u> mit wenig weißer
F_____. Ihr Vater ist der perfekte Familienhund und zeichnet
sich durch F_____, Geduld und Z_____ aus. Beide
Elterntiere haben alle erforderlichen Gesundheitstests und sind frei von
erblichen K_____. Die Welpen wachsen in einer Großfamilie mit
vielen verschiedenen Tieren auf. Sie kennen also das Verhalten und
G_____ kleiner Kinder.

> reit • e • lebhaft • schaft • nachbar • er • igkeit • größ

EIN TRAUMTYP FÜR DIE GANZE FAMILIE

Der Schimmelhengst hat eine G_____ von 160 cm und ist sehr gut
gebaut, auch für einen größeren R_____ geeignet. Seine Stärken sind
L_____, aber auch Ausgeglichenheit. Seine Eltern können auch
besichtigt werden, sie stehen in der <u>N_____</u> (ca. 6 km entfernt).

Ableitung mit Präfixen und Suffixen

- Nomen können von verschiedenen Wortarten abgeleitet werden, indem Wortbausteine (Affixe)
  am Anfang eines Wortes (Präfixe) oder am Ende eines Wortes (Suffixe) angefügt werden:
  Präfix *Un-* + *Ordnung*: *Unordnung*
  klar + Suffix *-heit*: *Klarheit*

- Einige Affixe haben eine ganz bestimmte Bedeutung:
  Un- = Negation
  Miss- = Negation / etwas Falsches
  -chen / *-lein* = Verkleinerung
  Ge- (und *-e*) = eine störende Handlung
  -ung = Prozess / Ergebnis einer Handlung
  -er = handelnde Person (männlich) / Instrument
  -in = handelnde Person (weiblich)
  -ling = von Handlung Betroffener

3.2 Bilden Sie mithilfe eines Präfixes oder Suffixes neue Nomen.

> Un- • Miss- • -e • -er • -chen • -ei

backen: Bäcker, _____   wecken: _____

Verständnis: _____   sprechen: _____

Brot: _____   Glück: _____

3.3 Ergänzen Sie aus 3.1 und 3.2 jeweils weitere Beispiele in den Tabellen.

Basiswortart: Verb	Präfix / Suffix	abgeleitete Nomen
reden _____	Ge- (und –e)	das Gerede _____
färben _____	-ung	die Färbung _____
abgeben _____	-e	die Abgabe _____
drucken _____	-ei	die Druckerei _____
gewinnen _____	-er	der Gewinner _____
bohren _____		der Bohrer _____
prüfen _____	-ling	der Prüfling _____

Basiswortart: Adjektiv	Präfix / Suffix	abgeleitete Nomen
schön _____	-heit	die Schönheit _____
abhängig _____	-keit	die Abhängigkeit _____
süß _____	-igkeit	die Süßigkeit _____
stark _____	-e	die Stärke _____

Basiswortart: Nomen	Präfix / Suffix	abgeleitete Nomen
Ruhe _____	Un-	die Unruhe _____
Achtung _____	Miss-	die Missachtung _____
Partner _____	-schaft	die Partnerschaft _____
Kopf _____	-chen	das Köpfchen _____

4 Ergänzen Sie die Tabelle und kreuzen Sie an. Vervollständigen Sie dann die Erklärung.

	abgeleitet von	Nomen	Verb	Adjektiv	Suffix	maskulin	feminin	neutrum
Sauberkeit	sauber			x	-keit		x	
Forscher								
Absolventin								
Gemeinheit								
Bedrohung								
Druckerei								
Verwandtschaft								
Beinchen								
Lehrling								

Ableitung mit Suffixen

Die Suffixe können Informationen über den Artikel des Nomens geben:
* Nomen mit den Suffixen -er, -ling sind immer _____.
* Nomen mit den Suffixen -keit, -heit, -igkeit, -in, -e, -ung, -ei, -schaft sind immer _____.
* Nomen mit den Suffixen -chen, -lein sind immer_____.
* Bei der Ableitung von Adjektiven werden die meisten Nomen mit den Suffixen -heit, -keit und -igkeit gebildet.
* Bei Adjektiven, die unbetont auf -en enden folgt immer -heit.
* Bei Adjektiven, die auf -lich enden, folgt immer -keit.

5 Leiten Sie von den Adjektiven Nomen ab und ergänzen Sie dann das Gegenteil.

Adjektiv	Nomen	Gegenteil
klug	Klugheit	Dummheit
ehrlich	_____	_____
nah	_____	_____
ähnlich	_____	_____
schnell	_____	_____
offen	_____	_____

6.1 Lesen Sie den Text und markieren Sie die Nomen, die mit einem „fremden Suffix" von einem Adjektiv abgeleitet sind.

Ruhe im Büro

Büroarbeit heute ist geprägt von einer Mischung aus Konzentration und Kommunikation. Sowohl Besprechungen im Team als auch konzentrierte Denkarbeit im Wechsel mit Telefonaten gehören zur Normalität eines Büroalltags. Die erfolgreiche Kombination dieser gegensätzlichen Anforderungen in den modernen Großraumbüros ist eine machbare Herausforderung.

Lärm gilt als Störfaktor Nummer 1 im Büro. Er senkt die Fähigkeit der geistigen Produktion und macht auf Dauer krank. Als besonders störend wird Gesprächslärm empfunden. Jede Information, die beim unfreiwilligen Mithören ankommen, beeinträchtigt die Stabilität der Konzentrationsfähigkeit enorm.

Weitere Krachmacher im Büro sind alle Arten von elektronischen Geräten wie zum Beispiel EDV-Geräte. Darum ist es wichtig, bei einer Neuanschaffung eines Gerätes nicht nur auf Funktionalität, sondern auch besonders auf den Geräuschpegel zu achten.

Der Zusammenhang zwischen Bürolärm, Leistungsfähigkeit und Gesundheit ist nachgewiesen: Je informationshaltiger und intensiver der Lärm ist, desto mehr steigen die Fehlerquoten. Alle Arbeitgeber, die die Ambition haben, einen perfekten Arbeitsplatz zu bieten, sollten Möglichkeiten schaffen, die Flexibilität der Arb eitnehmer und die Individualität ihrer Arbeitsweise zu wahren.

6.2 Ergänzen Sie die Adjektive / Partizipien, von denen die Nomen abgeleitet sind.

Adjektiv / Partizip	Suffix	Nomen
konzentriert	-ation	Konzentration
_____		Kommunikation
_____		Kombination
_____		Information
_____	-tion	Produktion
_____		Ambition

Adjektiv / Partizip	Suffix	Nomen
_____	-alität	Normalität
_____		Funktionalität
_____		Individualität
_____	-ilität	Stabilität
_____		Flexibilität

6.3 Ergänzen Sie in der Erklärung zur Ableitung mit fremden Suffixen Beispiele.

Fremde Suffixe: *-ation, -tion, -alität, -ilität*

- Nomen mit dem Suffix *-ation* und dem Suffix *-tion* werden von Partizipien / Adjektiven, die auf *-iert* enden, abgeleitet:

  konzentriert → Konzentration, kommuniziert → _____

  _____

- Nomen mit dem Suffix *-alität* werden von Adjektiven auf *-al* und auf *-ell* abgeleitet:

  _____

- Nomen mit dem Suffix *-ilität* werden von Adjektiven auf *-il* und *-el* abgeleitet:

  _____

- Alle Nomen mit diesen Suffixen sind feminin.

7.1 Es gibt noch weitere fremde Suffixe im Deutschen, denen ein fester Artikel zugeordnet werden kann. Ergänzen Sie die Suffixe in der Übersicht.

Artikel	Nomen	Suffix(e)
die	Strategie, Bürokratie	____
	Harmon___ , Demokrat___	
	Krit___ , Lyr___	____
	Takt___ , Opt___ , Log___	
	Toler___ , Eleg___	____ / ____
	Domin___ , Tend___	
	Konsequ___ , Differ___	

Artikel	Nomen	Suffix
das	Argu___ , Parla___	____
	Instru___ , Ele___	
	Doku___	
	Vokabul___ , Gloss___ , Invent___	____
der	Egois___ , Kapitalis___	____
	Feminis___ , Kommunis___	

7.2 Übersetzen Sie die Nomen in Ihre Muttersprache. Können Sie eine Ähnlichkeit bzw. Regelmäßigkeit bei den Endungen feststellen?

8 Fremde Suffixe findet man auch bei Personen- und Berufsbezeichnungen. Ordnen Sie diese Bezeichnungen in Gruppen und notieren Sie das gemeinsame Suffix.

Millionär • Chirurg • Journalist • Astrologe • Autor • Notar • Präsident • Ingenieur • Professor • Doktorand • Migrant • Visionär • Polizist • Geologe • Regisseur • Bibliothekar • Konsument • Direktor • Pessimist • Redakteur • Praktikant • Absolvent • Dramaturg • Biologe • Demonstrant • Student • Doktor • Agent • Artist • Jongleur • Lektor • Zivilist • Frisör

-ar / -är	-ant / -and					-ör / -eur
Millionär						
Notar						

4.4.3 Trennbare und nicht trennbare Verben

1.1 Lesen Sie die Antworten auf eine Umfrage zum Thema „Geld und Zukunft".
Beantworten Sie anschließend selbst die Fragen.

Mathias S., 24, Student
Wie wichtig ist dir Geld? Nicht sehr. Ich zerbreche mir selten den Kopf darüber, aber man braucht es.
Wofür sparst du? Ich würde in diesem Jahr gerne meine Schwester in London besuchen und mit einem Kumpel verreisen – wohin, das müssen wir noch entscheiden.
Wo prasst du? Clubs, Reisen und Kleidung. Ich liebe meine Turnschuhe und muss meine Sammlung immer erweitern.
Wie sparst du? Von meinen Nebenjobs lege ich mir ab und zu 100 € auf ein Sparkonto zurück. Ich weiß selber noch nicht genau, was ich mit dem Geld vorhabe. Vielleicht investiere ich auch 1000 € in Aktien. Aber da muss mich mein Bruder beraten und mir etwas Solides empfehlen.

Andreas K., 26, Bankkaufmann
Wie wichtig ist dir Geld? Es beruhigt mich.
Wofür sparst du? Für meine Zukunft.
Wo prasst du? Ich gebe viel Geld für Schuhe oder Uhren aus, außerdem gehe ich gerne gut essen. Man soll das Leben ja genießen.
Wie sparst du? Ich packe etwa 760 € monatlich auf mein Sparbuch. Seitdem ich achtzehn bin, habe ich auch eine Lebensversicherung, in die ich inzwischen 68 € monatlich einzahle. Ich bin stolz auf meine Ersparnisse, weil ich mir alles selbst erarbeitet habe.

1.2 Entscheiden Sie, ob die Verben trennbar oder nicht trennbar sind. Die Texte helfen Ihnen. Ergänzen Sie anschließend die Erklärung.

	trennbar	nicht trennbar		trennbar	nicht trennbar
entscheiden		X	beruhigen		
beraten			erweitern		
einzahlen			erarbeiten		
genießen			ausgeben		
verreisen			zurücklegen		
besuchen			vorhaben		
zerbrechen					

Nicht trennbare Verben

- Die Präfixe *miss-*, _____, _____, _____, _____, _____, _____ sind nicht trennbar.
- Diese Präfixe können vor ein Verb gesetzt werden und verändern es grammatisch und / oder in seiner Bedeutung (z. B. kaufen → verkaufen).
- Sie können aber auch aus Adjektiven (ruhig → beruhigen) und Nomen (Arbeit → erarbeiten) neue Verben bilden.

1.3 Eine Erfolgsgeschichte. Bilden Sie Sätze mit den Präfixverben im passenden Tempus.

a **enttäuschen**: Kaffeelandschaft in Berlin / 1994 / Amerikanerin Cynthia Barcomi
b **eröffnen**: sie / deshalb / ihr erstes Café „Barcomi's Kaffeerösterei" / in Kreuzberg
c **beinhalten**: ihr Konzept / verschiedene Kaffeesorten, selbstgemachte Kuchen und Gebäck
d **verbessern**: sie / damit / schlechter Ruf der amerikanischen Esskultur
e **veröffentlichen**, **erweitern um**: sie / schon mehrere Backbücher / und / ihr Geschäft / eine weitere Filiale in Berlin-Mitte

> *Die Kaffeelandschaft in Berlin enttäuschte 1994 die Amerikanerin Cynthia Barcomi. Sie …*

Trennbare Verben

- Auch bei trennbaren Verben wird die Bedeutung des Verbs durch die Zusammensetzung mit dem trennbaren Erstglied (Partikel) modifiziert:
  kommen – **an**kommen, **mit**kommen, **zurück**kommen
- Die Partikeln werden beim Sprechen betont und im Präsens und Präteritum vom konjugierten Verb getrennt und ans Ende des Hauptsatzes gestellt: *Er kommt 17:04 Uhr am Bahnhof an.*

1.4 Noch eine Erfolgsgeschichte. Formulieren Sie die Sätze im Präteritum bzw. Präsens und achten Sie dabei auf die richtige Position der trennbaren Partikeln.
a Die Geschäftsidee (einfallen) dem damals Arbeitslosen René Frauenkron im Imbiss.
b Er (nachdenken) über die Frage: „Was passiert mit dem verbrauchten Frittieröl?"
c Seine Firma (herstellen) Öl, (anbietet) dieses zum Verkauf und (abholen) dafür das Altöl von seinen Kunden, welches seine Partnerunternehmen (wiederverwerten).
d Sein Geschäftsmodell (standhalten) modernen Ansprüchen von Recycling.
e Deshalb (vorschlagen) man ihn für den Umweltpreis 2007.

> *Die Geschäftsidee fiel dem damals Arbeitslosen René Frauenkron im Imbiss ein. Er …*

4.4.4 Bedeutungen der nicht trennbaren Präfixe

be-

1.1 Ergänzen Sie die richtige Form von *enden* oder *beenden*.

a Der Rock _____ knapp oberhalb ihres Knies.
b Unser Garten _____ hier an diesem Baum.
c Warum hast du den Streit mit deinem Freund nicht _____?
d Der Lehrer _____ den Unterricht heute 10 Minuten früher.
e Der Unterricht _____ heute 10 Minuten früher.
f Ich muss mir einen neuen Anbieter suchen, denn bald _____ mein Handyvertrag.

Präfix *be-*

- Das Präfix *be-* macht aus dem intransitiven Verb *enden* ein transitives Verb, d.h. *beenden* braucht ein Akkusativobjekt, *enden* nicht.
- Ebenso funktionieren auch folgende Verben:
  lügen - belügen, lehren - belehren, rechnen - berechnen, leuchten - beleuchten

1.2 Formulieren Sie die Sätze um, indem Sie ein Verb mit dem Präfix *be-* benutzen.

a Wir wollen am Wochenende auf den höchsten Berg Deutschlands steigen.
  > *Wir wollen am Wochenende den höchsten Berg Deutschlands besteigen.*
b Du musst auch auf die anderen Fahrer auf der Straße achten.
  > _____
c Ich möchte für deinen Kaffee zahlen.
  > _____
d Können Sie bitte auf meine Frage antworten?
  > _____
e Viele Leute zweifeln an der geplanten Schulreform der neuen Regierung.
  > _____

Präfix *be-*

- Auch Verben mit Präpositionalergänzung werden durch das Präfix *be-* transitiv. Die festen Präpositionen fallen dabei weg.
- Meistens ändert sich die Bedeutung des Verbs nicht.
- Es gibt aber Ausnahmen, wie beispielsweise *schimpfen über* und *beschimpfen*.
  Wir schimpfen über den langsamen Taxifahrer. = Wir ärgern uns über ihn.
  Wir beschimpfen den langsamen Taxifahrer. = Wir beleidigen ihn.

1.3 Ergänzen Sie die Erklärung.

bestrafen • beunruhigen • berichtigen • beschädigen

Präfix *be-*

Das Präfix *be-* kann auch mit anderen Wortarten zu einem Verb kombiniert werden:
be- + *Adjektiv:* *be-* + *frei:* *befreien* („frei machen"), *be-* + *unruhig:* _____ („_____ machen"), *be-* + *richtig:* _____ („_____ machen")
be- + *Nomen:* *be-* + *Titel:* *betiteln* („einen Titel hinzufügen"), *be-* + *Schaden:* _____ („_____ hinzufügen"), *be-* + *Strafe:* _____ („_____ hinzufügen")

ent-

1.1 Ergänzen Sie das passende Verb aus dem Schüttelkasten.

> lassen • führen • sorgen • decken • werten

a ent-_____ : eine Pflanzenart, einen Fehler, ein Talent
b ent-_____ : die Fahrkarte, das Geld, das Kinoticket
c ent-_____ : die alte Zeitung, das kaputte Handy, den Biomüll
d ent-_____ : einen Gefangenen, einen Arbeiter, einen Patienten
e ent-_____ : die Braut, das Flugzeug, das Publikum

Präfix ent-

- Das Präfix ent- kann eine Trennung oder ein Wegnehmen bedeuten: Etwas wird entfernt, etwas wird weggenommen oder etwas / jemand wird befreit oder gefunden:
  entdecken, _____, _____, _____, _____

- Das Präfix ent- kann auch den Anfang einer Handlung / Sache bedeuten:
  entbrennen, _____, _____, _____

1.2 Entscheiden Sie, welche Bedeutung die Verben mit ent- haben. Kreuzen Sie an.

	Trennung / Wegnehmen	Anfang
Beim Fasten wird der Körper entgiftet.		
Viele Ökonomen fordern, die Banken zu entmachten.		
Durch die Diskussion ist ein heftiger Streit entbrannt.		
Die Donau entspringt im Schwarzwald.		
Beim Fensterputzen ist mir heute Morgen mein Vogel entflogen.		
Die Zusammenarbeit ist zufällig entstanden.		
Die Milliardärstochter wurde schon zweimal entführt.		
Die neue Methode wurde von einer Gruppe Studierender entwickelt.		

1.3 Ergänzen Sie in der Übersicht die Beispiel-Verben aus 1.2 im Infinitiv.

er-

1.1 Ergänzen Sie das Wort, von dem die Verben abgeleitet sind und bestimmen Sie die Wortart.

Verb	abgeleitet von	Verb	Adjektiv
erblinden	blind		x
erleichtern	_____		
ermüden	_____		
erklären	_____		
erfrieren	_____		
errechnen	_____		

1.2 Welche der drei Bedeutungen haben die Verben *errechnen* und *erfrieren*? Kreuzen Sie an.

errechnen:
☐ etwas zu Ende rechnen
☐ sehr schnell rechnen
☐ nicht rechnen

erfrieren:
☐ nicht frieren
☐ sich tot frieren
☐ sehr stark frieren

1.3 Ergänzen Sie die Verben mit dem Präfix *er-*, die erklärt werden.

a Er erhält den Stern dadurch, dass er erfolgreich kocht. – *erkochen*
b Sie bekommt eine befriedigende Antwort, indem sie viel fragt. – _____
c Sie gewinnt das Geld, indem sie erfolgreich spielt. – _____
d Sie kann sich ein Haus kaufen, indem sie lange gespart hat. - _____

Das Präfix *er-*

- Das Präfix *er-* kann mit Verben und Adjektiven zu Verben kombiniert werden.
  Dabei verleiht es den Verben verschiedene Bedeutungen:
- Bei der Ableitung von Verben bedeutet *er-*, dass etwas erfolgreich oder mit einem bestimmten
  Ergebnis durchgeführt wird (erspielen).
- Bei der Ableitung von Adjektiven drückt das Verb mit *er-* aus, dass etwas oder jemand die
  Eigenschaft, die das Adjektiv ausdrückt, annimmt (erblinden).

ver-

1.1 Ergänzen Sie die passenden Verben mit dem Präfix *ver-*.

a Sie hat jetzt lange Haare: Sie hat ihre Haare _____ lassen.
b Die Fenster haben jetzt Gitter: Die Fenster wurden _____.
c Er hat die falsche Hausnummer aufgeschrieben: Er sich bei der Hausnummer _____.
d Die Kinder haben die Vögel gefüttert, jetzt sind keine Körner mehr da:
  Die Kinder haben alle Körner _____.

1.2 Ergänzen Sie die passenden Verben aus 1.1.

Das Präfix *ver-*

Mit dem Präfix *ver-* werden Verben von Adjektiven, Nomen oder Verben abgeleitet.
Dabei verleiht es verschiedene Bedeutungen:
- Ableitung von Verben:
  - Handlung ist falsch oder unerwünscht, z. B. falsch schreiben: _____
  - Ende eines Vorgangs, z. B. zu Ende füttern: _____
  - Gegenteil des Ausgangsverbs, z. B. kaufen – verkaufen
- Ableitung von Adjektiven:
  - Zustandsveränderung, etwas oder jemand wird in den Zustand, den das Adjektiv ausdrückt,
    gebracht, z. B. *länger machen*: _____
- Ableitung von Nomen:
  - etwas mit dem ausstatten, das vom Nomen ausgedrückt wird, z. B. *mit Gittern ausstatten*:

  _____
  - etwas zu dem machen oder zu dem werden, was vom Nomen ausgedrückt wird,
    z. B. *zu Dampf werden* – verdampfen

1.3 Ordnen Sie die Verben der passenden Bedeutung zu.

> verdunkeln • verschönern • verfilmen • verfahren • vergolden • versalzen • verdoppeln • vermieten • verhungern • verheilen • verhören • verbeamten • verglasen • verarmen • verhärten

Ableitung von Verben
Handlung ist falsch oder unerwünscht: _verschlucken_ , _____, _____, _____
Ende eines Vorgangs: _verblühen_ , _____, _____
Gegenteil des Ausgangsverbs: _____
Ableitung von Adjektiven
Zustandsveränderung, etwas oder jemand wird in den Zustand, den das Adjektiv ausdrückt, gebracht:
verengen , _____, _____, _____, _____, _____
Ableitung von Nomen
etwas mit dem ausstatten, das vom Nomen ausgedrückt wird: _verhüllen_ , _____, _____
etwas zu dem machen, was vom Nomen ausgedrückt wird: _verschrotten_ , _____, _____

miss-

Das Präfix miss-

- Das Präfix miss- drückt das Gegenteil einer Handlung aus oder dass die Handlung falsch oder schlecht ist.

1 Formulieren Sie die Sätze um und verwenden Sie Verben mit dem Präfix miss-.

a Er traut seinem Vermieter seit dem letzten Vorfall nicht mehr.
  > Er misstraut seinem Vermieter seit dem letzten Vorfall.
b Heute ist mein Pechtag, nichts glückt mir!
  > _____.
c Ihr solltet euch unterhalten. Ich denke, dass du ihre Reaktion falsch gedeutet hast.
  > _____.
d Jetzt reicht es! Anna achtet keine meiner Regeln zu Hause.
  > _____.
e Du musst den Text genau lesen, man kann ihn leicht falsch verstehen.
  > _____.
f Eva gönnt ihrem Kommilitonen die gute Note nicht, weil er bei ihr abgeschrieben hat.
  > _____.

zer-

1 Kombinieren Sie das passende Verb aus dem Schüttelkasten mit den Nomen und bilden Sie dann einen Beispielsatz. Manchmal gibt es mehrere Möglichkeiten.

> zerbeißen • zertrampeln • zertrümmern • ~~zerstören~~ • zerschneiden • zerbrechen • zerreißen

Stadtteile: _Die Überschwemmung hat ganze Stadtteile zerstört._
eine Tasse: _____
eine Wohnung: _____
einen Kuchen: _____
ein Bonbon: _____
das Blumenbeet: _____
Fotos: _____

Das Präfix zer-

- Das Präfix zer- bedeutet, dass etwas zerkleinert oder völlig kaputt gemacht wird.

4.4.5 Trennbare und nicht trennbare Erstglieder

1.1 Hören Sie den Dialog und achten Sie auf den Inhalt.

🔊 20

1.2 Hören Sie den Dialog noch einmal und achten Sie auf die markierten Verben.
Entscheiden Sie, ob die Betonung auf dem Erstglied oder auf dem Verbstamm liegt.

POLIZEI:	Also, ich wiederhole: Sie haben den LKW überholt, aber sie haben die Länge unterschätzt und sind dann mit dem entgegenkommenden Fahrzeug zusammengestoßen?
MANN:	Ja. Wissen Sie, ich habe mich mit meiner Freundin unterhalten, naja, sie hat mir wie immer widersprochen. Wir streiten oft und meistens ist sie diejenige, die sich durchsetzt. Aber gestern war es anders, ich habe sie durchschaut und …
POLIZEI:	Ich bitte Sie darum, nur wiederzugeben, wie es zu dem Unfall gekommen ist und nicht, wie Ihre Beziehung funktioniert.
MANN:	Ja, entschuldigen Sie, Herr Kommissar, aber genau das wollt ich doch gerade machen. Also nach dem Streit haben wir uns zur Versöhnung umarmt.
POLIZEI:	Während der Fahrt???
MANN.	Ja, äh nein, also sie hat mich umarmt und geküsst. Deswegen war ich vielleicht etwas abgelenkt. Bevor ich überholen wollte, habe ich mich zwar kurz umgedreht, hinter mir war alles frei. Aber das war wohl nicht genug, ich hab den Wagen auf der Gegenspur einfach übersehen.
POLIZEI:	Da haben Sie wohl Recht, das war nicht genug. So, Sie können sich den Bericht nochmal durchlesen und wenn alles stimmt, dann unterschreiben Sie bitte hier.

Erstglied betont: *durchsetzen* , _____ , _____ , _____

Verbstamm betont: *wiederholen* , _____ , _____ , _____ ,

_____ , _____ , _____ , _____ , _____

Trennbare und nicht trennbare Erstglieder

- Verben mit den Erstgliedern *durch-, über-, um-, unter-, wider-* und *wieder-* können sowohl trennbar als auch untrennbar sein.
- Liegt die Betonung auf dem _____ , so ist das Verb trennbar.
- Liegt die Betonung auf dem _____ , so ist das Verb untrennbar.
- Die Bedeutung von trennbaren Verben ist eher konkret , während die Bedeutung der untrennbaren Verben abstrakt ist.

1.3 Bilden Sie Sätze im Perfekt, der betonte Teil des Verbs ist hervorgehoben.
Lesen Sie die Sätze laut vor.

a die Lehrerin / gestern / der Wortschatz von Lektion 12 / wieder**hol**en
> *Gestern hat die Lehrerin den Wortschatz von Lektion 12 wiederholt.*

b der Journalist / letzte Nacht / der Artikel / **um**schreiben
> _____

c das Kind / der Ball / **wieder**holen
> _____

d die Bürger / der Bürgermeister / Korruption / unter**stell**en
> _____

e ich / der Text / ins Deutsche / über**setz**en
> _____

f die Lehrerin / das unbekannte Wort / um**schreib**en
> _____

g er / seine Pflanzen / während der Reise / bei einem Freund / **unter**stellen
> _____

h wir / mit der Fähre / auf die Insel / **über**setzen
> _____

.6 Adjektive

1.1 Lesen Sie die Reiseangebote. Welches Angebot gefällt Ihnen besser?

Silvester in New York!

Happy New York! Verbringen Sie einen unvergesslichen Jahreswechsel in der Stadt, die niemals schläft.
Auszüge aus dem Programm:
1. Tag: Hello New York!
2. Tag: New-York Update
Auf zur Rundfahrt durch Manhattan! Wir streifen durch die verschiedenen Viertel und grüßen vom Battery Park hinüber zur Freiheitsstatue. Gleich um die Ecke: die Wall Street und Ground Zero, der ehemalige Standort der Türme des World Trade Centers. Nach der Tour gibt es genug Zeit sich frisch zu machen für unser Dinner am heutigen Abend.
3. Tag: Manhattan-Skyline
Zu Fuß flanieren wir zwischen Wolkenkratzern über den Broadway. Im Museum of Modern Art (MoMA) präsentiert sich uns eine fantastische Sammlung moderner und zeitgenössischer Kunst. Hoch hinauf geht es im Rockefeller Center: Von ganz oben genießen wir den dortigen Blick über die Stadt! Und danach? Auf ein spätes Frühstück mit Audrey Hepburn zu „Tiffany's"?
4. Tag: …

Grand Beach, Hurghada ★★★★

Lage
Das „Grand Beach" verfügt über einen unvergleichlich langen Privatstrand. Das Hotel eignet sich besonders für Familien. Der Ortskern von Hurghada liegt ca. 8 km entfernt und ist durch einen täglichen kostenlosen Bustransfer problemlos erreichbar.
Ausstattung
Die Hotelanlage verfügt über insgesamt 550 Zimmer. In dem Haupthaus mit großräumiger Empfangshalle befinden sich die Rezeption sowie die zwei Hauptrestaurants. Am Pool finden Sie ein Grillrestaurant, verschiedene Bars und Geschäfte. In der angrenzenden „Siva Mall" befinden sich viele weitere Geschäfte. Besondere Highlights sind das orientalische Kaffeehaus und ein libanesisches Restaurant.
Zimmer
Die Deluxe- und Bungalow-Zimmer (Gartenblick) befinden sich in 20 kleinen Nebengebäuden. Ihre komfortable Einrichtung ist auffällig schön.
Sport & Unterhaltung
Es gibt ein wechselndes Animationsprogramm mit sportlichen Aktivitäten, Spielen und Wettbewerben. Abendliche Unterhaltung bei Live-Musik und Billard.

1.2 Unterstreichen Sie die Adjektive aus der Tabelle in den Reiseangeboten. Ergänzen Sie die Grundwörter, aus denen die Adjektive abgeleitet sind, und deren Wortart.

Suffix	Adjektiv	Grundwort	Wortart des Grundwortes
-isch	fantastisch	Fantasie	Nomen
	zeitgenössisch	_____	_____
	orientalisch	_____	_____
	libanesisch	_____	_____
-lich	unvergesslich	vergessen	Verb
	täglich	_____	_____
	sportlich	_____	_____
	unvergleichlich	_____	_____
	abendlich	_____	_____
-ig	ehemalig	ehemals	Adverb
	heutig	_____	_____
	dortig	_____	_____
	auffällig	_____	_____
-bar	erreichbar	erreichen	Verb
-los	kostenlos	Kosten	Nomen
	problemlos	_____	_____

Adjektivbildung mit Suffixen

- Adjektive können mithilfe von Suffixen von Nomen und Verben abgeleitet werden.
- Häufig sind die Suffixe: *-isch*, *-lich*, *-ig*, *-bar*, *-los*.

-ig: Mit dem Suffix *-ig* können Adjektive von Adverbien abgeleitet werden. Diese Adjektive haben die gleiche Bedeutung wie die zugrunde liegenden Adverbien und sind flektierbar, aber nicht steigerungsfähig. Die Bildung ist meist regelmäßig, manchmal fallen *-s*, *-e* oder *-en* vor *-ig* weg:
morgen → morgig, heute → heutig, ehemals → ehemalig
Es kommen auch unregelmäßige Ableitungen vor: *hier → hiesig*

-los: Das Suffix *-los* bedeutet „ohne", *kostenlos* bedeutet z. B. „ohne Kosten", *problemlos* bedeutet „ohne Probleme", *lückenlos* bedeutet „ohne Lücken".

-bar: Das Suffix *-bar* leitet Adjektive von Verben ab und bedeutet, dass das, was das Verb ausdrückt, möglich ist:
erreichen → erreichbar, erlernen → erlernbar

1.3 Formulieren Sie die Sätze um. Verwenden Sie Adjektive mit den Suffixen *-bar* oder *-los*.

a Das Angebot aus dem Reisebüro kann ich brauchen.
> *Das Angebot aus dem Reisebüro ist brauchbar.*

b Und es lässt sich bezahlen.
> _____

c Preislich hat das Angebot keine Konkurrenz.
> _____

d Leider kann man es nach der Buchung nicht mehr kündigen.
> _____

e Das Kleingedruckte kann man nicht lesen.
> _____

f Aber ich denke, dieses Problem lässt sich lösen.
> _____

g Ich frage, ob das Angebot auch in einem größeren Format geliefert werden kann.
> _____

h Dann kann ich die Bilder von Stränden ohne Grenzen mit einem Himmel ohne Wolken betrachten.
> _____

2.1 Ergänzen Sie jeweils das Gegenteil.

unklar – klar	instabil – _____	asozial – _____
zufrieden – _____	klein – _____	unproblematisch – _____
legal – _____	tolerant – _____	real – _____

Adjektivbildung mit Präfixen

- Adjektive können mit Präfixen von anderen Adjektiven abgeleitet werden. Das Präfix *un-* verneint das zugrunde liegende Adjektiv, d. h. es bildet das Gegenteil.
- Fremdwörter werden mit den Präfixen *in-*, *a-*, *il-*, *ir-* verneint.
- Das Präfix *miss-* kann die Bedeutung von „schlecht" oder „falsch" haben.
- Die Präfixe können nicht vor jedem Adjektiv stehen.

2.2 Ergänzen Sie die passenden Adjektive.

> missgelaunt • misswachsen • unzuverlässig • unverständlich • unverzeihlich • missverständlich

a Der Satz kann nicht verstanden werden. Er ist _____.
b Der Satz kann falsch verstanden werden. Er ist _____.
c Der Baum ist sehr schräg, er ist nicht richtig gewachsen. Er ist _____.
d Die Tat kann man nicht verzeihen. Sie ist _____.
e Sie konnte nicht schlafen und ist schlecht gelaunt. Sie ist _____.
f Auf meinen Bruder kann ich mich leider nicht verlassen. Er ist _____.

3   Lesen Sie die Postkarten und markieren Sie die Adjektive aus der Tabelle. Ergänzen Sie dann die Tabelle.

Liebe Sandra,
wir wünschen dir ein gutes neues Jahr! Dieses Jahr sind wir mit unserer Kleinen zum ersten Mal verreist und es ist traumhaft! Ich liege gerade am schneeweißen Strand mit Blick auf das türkisblaue Meer, mit einem alkoholfreien, aber zuckersüßen Cocktail in der Hand bei einer Temperatur von 39 Grad. Unsere Reise ist ein Volltreffer! Wir haben ein riesengroßes, vollklimatisiertes Familienzimmer in einem wunderschönen Hotel. Es ist sehr geschmackvoll eingerichtet. Das Essen ist superlecker und es gibt zahlreiche Restaurants. Das Personal ist freundlich und immer hilfsbereit und mindestens dreisprachig. Besonders gut gefällt mir aber, dass alles so kinderfreundlich ausgerichtet ist. Du kennst mich, ich bin übervorsichtig bei Marie, aber hier ist alles sehr liebevoll und ungefährlich.
Ich und meine Familie schicken sonnige Grüße ins kalte Berlin,
Heike

Happy New Year!!!
Wir sind gerade in New York und alles ist sehr eindrucksvoll, v.a. die himmelhohen Wolkenkratzer. Dagegen scheint unser Berlin so klein. Das Programm ist sehr abwechslungsreich gestaltet und mein bildungshungriger Mann kriegt genug geboten. Das amerikanische Essen ist lecker, aber alles andere als fettarm. Aber was soll's, im Urlaub darf man ja schlemmen! Mir gefällt besonders gut, dass es hier so viele rauchfreie Orte gibt. Die extremen Staus während der Rush Hour sind allerdings gewöhnungsbedürftig. Aber wir benutzen sowieso nur die öffentlichen Verkehrsmittel, weil das viel preisgünstiger ist. Unsere Gruppe geht weiter, ich muss Schluss machen.
LG auch von Thomas
Marie

Adjektiv	Bestimmungswort + Grundwort	Bedeutung
alkoholfrei	Alkohol + frei	frei von Alkohol / ohne Alkohol
geschmackvoll	Geschmack + voll	mit gutem Geschmack
zahlreich	_____	„reich an Zahlen", viele
hilfsbereit	Hilfe + bereit	_____
kinderfreundlich	_____	Kindern gegenüber positiv eingestellt
liebevoll	_____	mit viel Liebe
eindrucksvoll	_____	viel Eindruck hinterlassen
abwechslungsreich	_____	_____
bildungshungrig	_____	hungrig nach Bildung / streben nach Bildung
fettarm	_____	_____
rauchfrei	_____	_____
gewöhnungsbedürftig	_____	man muss sich erst an etwas gewöhnen
preisgünstiger	_____	einen günstigen / guten Preis haben

Zusammengesetzte Adjektive

* Adjektive können gebildet werden, indem ein Nomen (Alkohol + frei = alkoholfrei) oder ein Verb (lernen + fähig = lernfähig) mit einem Adjektiv zusammengesetzt wird.
* Manchmal enthalten die zusammengesetzten Adjektive Fugenelemente (eindruck_s_voll).
* Zusammengesetzte Adjektive können einen Vergleich oder eine Verstärkung ausdrücken.
  Vergleich: Bei der Zusammensetzung von Nomen und Adjektiv dient das Nomen als Vergleich.
  himmelhohe Wolkenkratzer bedeutet „die Wolkenkratzer sind so hoch wie der Himmel"
  Verstärkung: Die Grundbedeutung eines Adjektivs wird durch die Zusammensetzung mit einem Nomen oder einem anderen Adjektiv verstärkt.
  hochaktuell bedeutet „sehr aktuell", _vollautomatisch_ bedeutet „komplett automatisch"

4   Finden Sie in der Postkarte von Heike weitere Beispiele für zusammengesetzte Adjektive, die einen Vergleich oder eine Verstärkung ausdrücken. Erklären Sie diese.

Vergleich
eiskalt: kalt wie Eis

_____

_____

_____

Verstärkung
todmüde: sehr müde

_____

_____

4.5 Wortverbindungen

4.5.1 Kollokationen

1.1 Lesen Sie den Text und ergänzen Sie die zu den Nomen passenden Verben aus dem Text.

Geld gewinnbringend anlegen

Viele Leute versuchen, ihr Geld zu sparen und gleichzeitig gewinnbringend anzulegen. Viele Banken haben sehr gute Festgeld-Konditionen, die verschiedenen Angebote findet man im Internet.

Je nach Laufzeit unterscheiden sich die Zinssätze der Produkte. Wer auf Nummer sicher gehen möchte, legt einen Teilbetrag auf ein Festgeldkonto und den Rest auf ein Tagesgeldkonto. Für Geld auf dem Festgeldkonto erhält man mehr Zinsen, dafür kann man vom Tagesgeldkonto jederzeit Geld abheben. Wenn man einen Anbieter gefunden hat, bei dem man ein Konto eröffnen möchte, füllt man ein Formular aus und nach wenigen Tagen erhält man einen Vertrag, den man unterschrieben mit der Post zurück an die Bank schickt. Sobald der Vertrag bei der Bank eingegangen ist, kann man die gewünschte Geldsumme auf das Tages- oder Festgeldkonto einzahlen.

Wer absolut kein Risiko eingehen möchte, kann sein Geld per Einlagensicherung sogar vor einem möglichen Bankencrash schützen. Auch dazu erhält man ausführliche Informationen im Internet.

Geld(summe): _____, _____, _____

ein Konto: _____   ein Formular: _____   ein Risiko: _____

1.2 Übersetzen Sie die oben genannten Beispiele in eine Ihnen bekannte Sprache. Wo stellen Sie Unterschiede zum Deutschen fest, bei der Auswahl der Nomen oder Verben?

Kollokationen

- Viele Wörter kommen in Verbindung mit bestimmten anderen Wörtern vor. Diese „Halbfertigprodukte" heißen Kollokationen.
- Sie werden als Ganzes abgerufen und als bekannt empfunden.
- Die Bedeutung der Wortverbindungen lässt sich aus den Bestandteilen ableiten, d.h. sie sind nicht bzw. kaum idiomatisch.

- Es gibt Kombinationen aus verschiedenen Wortarten:
  Nomen-Verb-Kollokationen: _____, _____, _____
  Adjektiv-Nomen-Kollokationen: _____, _____
  Adverb-Verb-Kollokationen: _____
  Nomen-Nomen-Kollokationen: _____

 Tipp:

Lernen Sie neue Wörter nicht als isolierte Vokabeln, sondern immer im Kontext. Dabei lernen Sie auch gleich wichtige Kollokationen

2 Unterstreichen Sie die Kollokationen und ergänzen Sie die Übersicht oben.

Starker Raucher beendet jahrelange Sucht mit Nicotinpflastern!

Wer hier nicht aufpasst, wird es bitter bereuen!

Ehe schließen und eine Woche danach scheiden lassen?!

Die Hoffnung nie aufgeben!   Junge Künstler ernten stürmischen Applaus

Überleben auf dem Meer: Durst löschen mit Salzwasser

Warum muss eigentlich immer eine Prise Salz in den Kuchenteig?

3 Was passt nicht? Streichen Sie durch.

Geld:

ausgeben, ~~eingeben~~, sparen, spenden, ~~anliegen~~, abheben, wechseln, umtauschen, abbuchen

Konto:

eröffnen, überziehen, übertreten, sperren, lösen, auflösen, ausgleichen, gehen, belasten, entlasten

anlegen:

einen Park, ein Beet, Gemüse, eine Kartei, eine Uniform, Geld, jemandem einen Verband, ein Fenster

aufgeben:

ein Paket, eine Anzeige, einen Hinweis, Hausaufgaben, ein Auto, das Rauchen, das Geschäft, den Widerstand

eröffnen:

ein Konto, eine Dose, einen Laden, ein Lokal, sein Herz, eine Autobahn, neue Perspektiven, ein Testament

ausgeben:

Geld, Essen, eine Runde Bier, ein Wort, einen Befehl

stark:

ein Charakter, ein Glaube, Nerven, eine Brille, eine Jacke, ein Regal, Apfelsine, Zigaretten, Kaffee, Verkehr

---

Häufige Wortverbindungen

- Es gibt Wortverbindungen, die als festerer Ausdruck im täglichen Sprachgebrauch benutzt werden.
- Besonders oft kommen beispielsweise folgende Wortverbindungen vor:
  zum Beispiel, vor allem, gar nicht(s), ein bisschen, das heißt, ein paar, mehr als, so genannt, im Jahr(e), und so weiter, sowohl … als auch, unter anderem, erst mal, weder … noch, am Ende, in der Regel, zum Teil, zurzeit

---

4.1 Ergänzen Sie den Text durch die passenden Wortverbindungen aus dem Regelkasten. Nicht alle Wortverbindungen kommen vor.

Streit um Frauenquote

_____ sind in Deutschland _____ 90 % der Führungskräfte Männer. Um dem entgegenzuwirken, fordern viele die _____ Frauenquote. _____, dass es bei der Besetzung von Führungspositionen eine Quotenregelung geben soll. Dieses Thema wird jedoch kontrovers diskutiert. Ein zentraler Streitpunkt der Gegner ist „Qualifikation statt Quote": Sie sind der Meinung, dass die Qualifikation eines Bewerbers zugunsten des Geschlechtes in den Hintergrund rücken würde. Ein Argument der Befürworter ist _____, dass weibliche Führungskräfte _____ häufiger als Männer auf Führungseigenschaften wie _____ „Inspiration" und „partizipative

Entscheidungsfindung" zurückgreifen. Es gibt viele Argumente _____ für, _____ gegen die Quote. Für mehr Chancengleichheit – ohne ein Geschlecht zu bevorzugen – könnte die anonyme Bewerbung sorgen. Dabei erhalten die Personalverantwortlichen _____ nur Informationen über die beruflichen Qualifikationen der Bewerber. Bei der Entscheidung über die Einladung zum Bewerbungsgespräch kennen sie _____ das Geschlecht, _____ das Alter, den Namen, die Herkunft oder den Familienstand des Bewerbers. Eine Studie ergab, dass _____ jüngere Frauen von diesem Bewerbungsverfahren profitieren würden.

4.2 Häufig vorkommende Wortverbindungen haben oft Abkürzungen. Ordnen Sie den Abkürzungen die passende Wortverbindung aus der Übersicht oben zu.

z.B. = _____	sog. = _____	i.d.R. = _____
v.a. = _____	usw. = _____	z.T. = _____
d.h. = _____	u.a. = _____	z.Zt. / zz. = _____

4.5.2 Funktionsverbgefüge

1.1 Hören Sie den Anfang einer Vorlesung. Worüber werden die Studierenden im Laufe des Semesters etwas lernen? In welchem Studienfach könnte diese Vorlesung stattfinden?

1.2 Hören Sie den Ausschnitt ein zweites Mal und ergänzen Sie die Verben.

Um was soll es ganz grob gehen? Es wird um den Begriff der Führung gehen. Innerhalb dieses Führungskonzepts werden wir einige klassische Überlegungen _____. Gibt es Merkmale, die einen Unterschied zwischen dem Führenden und dem nicht Führenden _____? Wenn man nämlich erkannt hat, welche Persönlichkeitsmerkmale bei einem Führenden eine große Rolle _____, dann kann man sie gezielt bei Leuten suchen. Und da sind wir jetzt bei den Methoden für die Auswahl von Führungskräften oder von Führungsnachwuchskräften. In vier Jahren werden viele von Ihnen vermutlich in eine eignungsdiagnostische Situation geraten. Man macht Assessment Center mit Ihnen, man testet Sie, man _____ Gespräche mit Ihnen, man _____ sie unter Druck, um zu sehen, ob Sie in der Lage _____, einmal eine Führungskraft zu werden. Diese Methoden werden wir zur Diskussion _____.

Funktionsverbgefüge

- Ein Funktionsverbgefüge besteht aus einem nominalen Teil und einem Funktionsverb.
- Funktionsverbgefüge können manchmal durch ein Vollverb ersetzt werden. Dieses wird oft aus dem nominalen Bestandteil des Funktionsverbgefüges abgeleitet:
  in Anspruch nehmen > *beanspruchen*
- Es gibt jedoch nicht immer eine direkte verbale Entsprechung. So bedeutet beispielsweise *in Kauf nehmen* nicht etwa *kaufen*, sondern *akzeptieren*.

1.3 Ergänzen Sie die Funktionsverbgefüge aus 1.2 in der Tabelle.

Funktionsverbgefüge	Entsprechung
eine Überlegung anstellen	überlegen
	unterscheiden zwischen
	wichtig sein
	sprechen
	bedrängen
	fähig sein
	diskutieren

Funktionsverbgefüge: Stil und Bedeutung

- Funktionsverbgefüge können den Verlauf einer Handlung spezifizieren, z. B.:
  - den Anfang (*Sie stellt das Thema zur Diskussion.*)
  - das Ende (*In der Sitzung wurde der Entschluss gefasst.*)
  - die Dauer (*Er führt mit seinem Angestellten ein Gespräch.*)
  oder den Verursacher einer Veränderung (*Frau Schmidt brachte die Sache in Ordnung.*) betonen.

- Daraus ergeben sich feine Unterschiede in Bedeutung und Stil:
  Die Lehrerin stellt das Thema zur Diskussion. vs. *Die Lehrerin diskutiert das Thema.*
  Im ersten Satz beginnt die Lehrerin die Diskussion oder regt zur Diskussion an. Im zweiten Satz wird weder speziell der Anfang der Handlung betont noch ausgedrückt, dass die Diskussion von der Lehrerin angeregt wird.
  Er führt mit seinem Angestellten ein Gespräch. vs. *Er spricht mit seinem Angestellten.*
  Der erste Satz bedeutet, dass jemand längere Zeit und ernsthaft mit seinem Angestellten redet. Der zweite Satz kann auch bedeuten, dass er nur kurz mit seinem Angestellten spricht.

2 Was wird in den Sätzen betont: Der Anfang, die Dauer, das Ende oder der Verursacher der Handlung?

Im Jahr 2011 machen die ersten Gymnasiasten das Abitur schon nach zwölf Jahren.

a Neue, unerprobte Strukturen setzen Schüler und Lehrer gleichermaßen unter Druck.

   > *Anfang und Verursacher der Handlung (neue unerprobte Strukturen)*

b Viele Schüler und Lehrer stehen deswegen seit dem Schulbeginn unter Druck.

   > *Dauer der Handlung*

c Auf einer Lehrertagung bringen die Lehrer unterschiedliche Herausforderungen des neuen Systems zur Sprache. > _____

d Auch das Problem des Lehrermangels kommt zur Sprache. > _____

e Die Schülersprecher kommen auch miteinander ins Gespräch. > _____

f Den Schülern steht seit dieser Reform nicht genug Freizeit zur Verfügung.

   > _____

g Die Eltern stellen dieses Problem noch einmal grundsätzlich zur Debatte.

   > _____

h Zur Debatte steht seit Jahren auch die Zahl der verfügbaren Studienplätze.

   > _____

i Die Behörden haben das alte Schul- und Gymnasiumgesetz außer Kraft gesetzt.

   > _____

k Das neue Gesetz tritt in Kraft. > _____

l Das neue Gesetz ist seit ein paar Monaten in Kraft. > _____

Funktionsverbgefüge: aktivische und passivische Bedeutung

- Der nominale Teil des Funktionsverbgefüges kann oft mit verschiedenen Funktionsverben verbunden sein, so entstehen auch die Unterschiede im Handlungsverlauf:
  Sie stellen das Problem zur Debatte. Das Problem steht zur Debatte.
- Die verschiedenen Funktionsverben können dem Funktionsverbgefüge eine aktivische oder eine passivische Bedeutung verleihen:
  Sie bringt das Problem zur Sprache. ≈ Sie spricht das Problem an.
  Das Problem kommt zur Sprache. ≈ Das Problem wird besprochen.

3.1 Ordnen Sie die Verben aus dem Schüttelkasten den Funktionsverbgefügen zu.

> riskieren • bestätigt werden • versprechen • unterstützt werden • entschließen •
> verantworten • ausdrücken • gefährden • verstanden werden • wehren

a Unterstützung erfahren: _____   f Bestätigung erfahren: _____
b Verständnis finden: _____   g den Entschluss fassen: _____
c zum Ausdruck bringen: _____   h das Versprechen geben: _____
d in Gefahr bringen: _____   i aufs Spiel setzen: _____
e sich zur Wehr setzen: _____   k Verantwortung tragen für: _____

3.2 Ersetzen Sie die Funktionsverbgefüge durch das entsprechende Verb aus 3.1.
Achten Sie dabei auf Aktiv und Passiv sowie das richtige Tempus.

Viele Menschen bringen ihre Abneigung gegen Rauchen in der Öffentlichkeit deutlich zum Ausdruck. Sie sagen, dass das passive Rauchen ihre Gesundheit in Gefahr bringt. Diese Klage hat durch wissenschaftliche Untersuchungen schon lange Bestätigung erfahren. Schon seit den 70ern versuchen sich Nicht-Raucher durch organisierte Initiativen zur Wehr zu setzen. Die Nicht-Raucher erfahren seit einigen Jahren durch verschieden starke Rauchverbote in den Bundesländern Unterstützung von den Landesregierungen. Außerdem wurde 2007 der Entschluss gefasst, das Rauchen in Taxis, öffentlichen Gebäuden und in Zügen bundesweit zu verbieten. Seitdem tragen die Raucher Verantwortung für ordnungswidriges Handeln. Denn wer sich an diesen Orten trotzdem eine Zigarette anzündet, der setzt eine Geldstrafe bis zu 1 000 EUR aufs Spiel. Das findet natürlich bei vielen kein Verständnis, da sie das Rauchverbot als Eingriff in ihre Privatsphäre empfinden. Doch das Bundesgesundheitsministerium hat das Versprechen gegeben, die Gesundheit aller Bürger zu schützen.

> *Viele Menschen drücken ihre Abneigung gegen Rauchen in der Öffentlichkeit deutlich aus. Sie sagen, dass …*

5 Zeiträume

Das lernen Sie:

– zeitliche Bezüge zwischen Ereignissen und Handlungen richtig ausdrücken

5.1 Gegenwart

1.1 Lesen Sie den Text und markieren sie die Verben im Präsens.

⇨ Übersicht über die Bildung der Präsensformen: Anhang 5

Wölfe in Deutschland

Es gibt sie wieder: Seit Ende der neunziger Jahre leben wieder Wölfe in Deutschland. Inzwischen sind nach Angaben von Naturschützern rund 60 Wölfe bei uns heimisch. Die zwölf nachgewiesenen Rudel leben vor allem in Sachsen, Sachsen-Anhalt und Brandenburg.[1]

Die graubraunen europäischen Wölfe (Canis lupus) leben im Familienverband, dem Rudel. Auf ihren Streifzügen legen Wölfe oft 40 Kilometer oder mehr in einer Nacht zurück. Sie beanspruchen große Reviere, wo sie vor allem Hirsche, Rehe und Wildschweine jagen.[2]

Wölfe sehen den Schäferhunden ähnlich, sind aber kräftiger, haben längere Beine und einen kürzeren Hals. Wölfe sind 110 bis 140 Zentimeter lang, der buschige Schwanz misst zusätzlich 30 bis 40 Zentimeter. Sie werden 65 bis 80 Zentimeter hoch und wiegen zwischen 25 und 50 Kilogramm. Das Fell der europäischen Wölfe ist dunkelgrau bis dunkelbraun und mit einigen gelblich-blonden Haaren durchsetzt.[3]

Wölfe sind sehr vorsichtig und meiden Menschen gewöhnlich. Selbst Wissenschaftler, Förster und Jäger bekommen sie nur selten zu Gesicht. Wolfsforscher müssen daher sehr gute Spurenleser sein, um Hinweise auf Wölfe zu bekommen.[4]

Die Rückkehr des Wolfes 150 Jahre nach seiner Ausrottung ist ein erster Erfolg für den Artenschutz, denn seit die Wölfe nicht mehr geschossen werden dürfen, leben sie wieder bei uns. Vielerorts haben die Menschen noch Vorurteile gegenüber Wölfen – Rotkäppchen lässt grüßen. Den Märchen und Legenden begegnet der NABU* mit vielen sachlichen Informationen über das seltene Säugetier.[5]

* NABU: Naturschutzbund Deutschland

Quelle: NABU.de/wolf

1.2 In welchen Abschnitten wird das Präsens verwendet, um von aktuellen Entwicklungen und Zuständen zu berichten? In welchen Abschnitten benutzt der Autor das Präsens, um allgemein gültige Tatsachen darzustellen?

Ausdruck von Gegenwart

- Das Präsens wird verwendet, um Handlungen, Vorgänge und Zustände darzustellen, die zum Sprech- oder Schreibzeitpunkt andauern.
- Auch bei Handlungen und Vorgängen, die in der Vergangenheit begonnen haben, aber in der Gegenwart noch andauern, steht (anders als z. B. im Englischen) das Präsens:
  Seit Ende der neunziger Jahre leben wieder Wölfe in Deutschland.
- Das Präsens wird auch verwendet, um allgemeingültige Sachverhalte wie Naturgesetze, Regeln oder anerkannte Wahrheiten auszudrücken.

1.3 Schreiben Sie eine kurze Reportage über ein Tier, das sie besonders mögen, und seine Lebensverhältnisse.

2.1 Petra unterhält sich in der Mittagspause mit ihrer Kollegin Julia. Hören Sie den Dialog und konzentrieren Sie sich auf den Inhalt.

2.2 Hören Sie den Dialog noch einmal und ergänzen Sie die fehlenden Satzteile.

⟲ 22

PETRA: Was ist mit dir los, seit 20 Minuten blätterst du in diesem lang-
        weiligen Möbelhauskatalog?

JULIA: _____, mein Wohnzimmer _____. Die
        Dielen habe ich schon abgeschliffen, jetzt sind die Wände dran!

PETRA: Ich _____, ob ich meine Wände neu streichen sollte …
        Hast du schon Ideen?

JULIA: Meine alten Möbel möchte ich behalten, ich wollte erst mal Jens fragen, ob
        er Lust auf rote Wände hat, aber der ist zurzeit nicht ansprechbar.

PETRA: Was ist denn los mit Jens?

JULIA: Dauernd _____, in zwei Monaten ist der Berlin-Marathon,
        da will er fit sein.

PETRA: Also ich finde, dass rote Wände gut zu deinen dunklen Möbeln passen, das
        ist auf jeden Fall mal was anderes als dieses Sonnenblumengelb überall …

Ausdruck von Verlauf

- Um auszudrücken, dass sich ein Vorgang zum Sprechzeitpunkt im Verlauf befindet, können
  folgende Konstruktionen verwendet werden:

  Sie ist (gerade) dabei, sich eine neue Existenz aufzubauen.

  Sie ist (gerade) beim Schreiben ihres neuen Romans.

  Das passt jetzt nicht, ich bin (gerade) am Essen!

  Die ersten beiden Sätze sind standardsprachlich, die Variante mit *am* wird eher in der
  Umgangssprache benutzt.

- Zur besonderen Betonung der Aktualität kann das Temporaladverb *gerade* verwendet werden.

---

3 Spielen Sie zu zweit die folgende Situation. Verwenden Sie in dem Telefongespräch die
Konstruktionen zum Ausdruck von Verlauf. Erfinden Sie weitere Situationen.

> **Person 1**
> Ihre Tochter hat das Abitur geschafft und ist wie immer die Klassenbeste.
> Rufen Sie Ihre beste Freundin / Ihren besten Freund an und berichten Sie von
> dieser tollen Neuigkeit.

> **Person 2**
> Das Essen kocht, die Kinder toben lautstark durch das Haus und Sie
> versuchen, einen Klempner zu erreichen, der die verstopfte Toilette repariert
> – was Sie jetzt nicht brauchen, ist ein langes Telefongespräch!

4 Hören Sie die sechs kurzen Dialoge. Warum wird hier das Perfekt verwendet? Gibt es einen Bezug zwischen den Sätzen im Perfekt und der aktuellen Sprechsituation?

⊚ 23

A „Weißt du, wo Manuela ist?" – „Ja, sie ist eben ins Büro gegangen."

B „Was macht eigentlich Lukas?" – „Er ist grad mit der Schule fertig. Unglaublich, aber er hat das Abitur mit der Note 1,1 bestanden!"

C „Gibt's noch was zu naschen?" – „Nein, Christoph hat die ganze Schokolade aufgegessen!"

D „Wie geht's denn der Kleinen?" – „Es geht ihr besser, sie ist endlich eingeschlafen."

E „Meinst du, der Schneeanzug passt Peter noch?"– „Die Sachen vom letzten Winter passen ihm bestimmt nicht mehr, er ist mindestens 5 cm gewachsen."

F „Schau mal, es hat geschneit!" – „Super, gehen wir nachher Schlitten fahren?"

Ausdruck eines starken Bezugs zur Gegenwart

- Perfekt drückt bei Verben, die ein Ereignis oder eine Handlung bezeichnen, aus, dass das Ereignis bzw. die Handlung beendet oder vollständig durchgeführt ist. Das Ergebnis ist wichtig für die aktuelle Sprechsituation.

Das sagt man auch:

Er wird (wahrscheinlich) schlafen.

Hier wird Futur I verwendet, um eine Vermutung auszudrücken. Lexikalische Angaben wie *wohl*, *vielleicht* oder *wahrscheinlich* können hinzugefügt werden, um zu verdeutlichen, dass der Sprecher nicht ganz sicher ist.

Wer bekam den Orangensaft?

Das Präteritum wird in einigen festen Redewendungen statt des Präsens für gegenwärtige Sachverhalte verwendet, der Sprecher bezieht sich meistens auf einen vergangenen Vorgang (im Beispiel auf die Bestellung des Safts).

5.1 Michael schreibt einen Leserbrief an eine Sportzeitschrift. Ergänzen Sie die Temporalangaben aus dem Schüttelkasten.

seit • ab • fast nie • jedes Mal • ab und zu • meistens • im • jetzt • nach • zu • bislang

Sehr geehrter Herr Dr. Bäumer,

_____ meinem Geburtstag habe ich von meiner Frau ein Rennrad geschenkt bekommen und ich will damit _____ nächsten Sommer die Alpen überqueren. Leider steht das Fahrrad _____ Monaten im Keller und langweilt sich. Nur _____ drehe ich mit dem Rad eine Feierabendrunde, _____ mache ich eine längere Tour. _____ setze ich mich _____ der Arbeit zu Hause aufs Sofa, trinke ein Bier und esse Kartoffelchips. _____ wenn ich meine Sportkleidung anziehe, klingelt das Telefon, oder es fängt an zu regnen. _____ war ich also sehr faul, aber _____ März will ich endlich ernsthaft trainieren: Ich brauche _____ einen Trainingsplan und Tipps zur richtigen Ernährung. Können Sie mir helfen?

Mit freundlichen Grüßen
Michael Berg

5.2 Sie sind Dr. Bäumer. Erstellen Sie für Michael einen Trainingsplan und strukturieren Sie ihn mit Temporalangaben (z. B. *zuerst, ab jetzt, dann, danach, morgens, abends, von ... bis, manchmal, oft, immer wieder*).

⇨ Temporale Konnektoren: Kapitel 2.3.2

⇨ Übersicht über die Bildung der
   Formen von Perfekt, Präteritum
   und Plusquamperfekt: Anhang 6

.2 Vergangenheit

2.1 Vergangenheit in der geschriebenen Sprache

1.1 Lesen Sie die fünf kurzen Texte. Um was für Texte handelt es sich?

> E-Mail • Mahnung • Zeitschriftenartikel • Zeitungsmeldung • literarische Erzählung

1

Sie hatte auf der Couch eines Psychotherapeuten gelegen, spiritistische Sitzungen besucht und in Kirchen gebetet. Als ihre Depression trotzdem nicht besser wurde, suchte Sabine Wolter im Internet nach Hilfe und stieß auf eine Website, die Besserung versprach – innerhalb weniger Monate, ohne Therapeuten, mit einem automatischen Behandlungsprogramm.

„Ich war so verzweifelt, dass ich mich darauf eingelassen habe. Obwohl ich mir überhaupt nicht vorstellen konnte, wie das funktionieren sollte", erinnert sie sich. „Jahrelang habe ich tagsüber als Verkäuferin und abends als Köchin in einem Restaurant gearbeitet. Irgendwann bin ich einfach zusammengebrochen."

Zwar verschrieb ihr ein Psychiater Tabletten, doch wirklich besser wurde es erst mit dem Online-Selbsthilfepro-

gramm. „Ich habe sehr schnell Vertrauen zu dem Programm gefasst und gedacht: Das könnte funktionieren!", sagt sie.

Sabine Wolter hat die Hilfe aus dem Internet überzeugt, allerdings stoßen Onlinebehandlungen besonders bei Problemen mit tief liegenden Ursachen schnell an ihre Grenzen. Eine viel versprechende Variante könnte die Kombination von klassischer und Internet-Therapie darstellen.

1. _____

2. _____

3. _____

4. _____

5. _____

2

Das Rad an meines Vaters Mühle brauste und rauschte schon wieder recht lustig, der Schnee tröpfelte emsig vom Dache, die Sperlinge zwitscherten und tummelten sich dazwischen; ich saß auf der Türschwelle und wischte mir den Schlaf aus den Augen; mir war so recht wohl in dem warmen Sonnenscheine. Da trat der Vater aus dem Hause; er hatte schon seit Tagesanbruch in der Mühle rumort und die Schlafmütze schief auf dem Kopfe, der sagte zu mir: „Du Taugenichts! [...]*

_{* aus: Joseph von Eichendorf: „Aus dem Leben eines Taugenichts"}

3

Sehr geehrte Damen und Herren,

ich habe am 13.7.2010 bei Ihnen die Lieferung und Montage der Einbauküche ‚Akkurat' zu einem Kaufpreis von 5999 Euro bestellt und 3000 Euro Anzahlung geleistet. Mit dem Schreiben vom 15.8.2010 habe ich Ihnen eine Lieferfrist bis zum 1.9.2010 eingeräumt. Diese Lieferfrist ist inzwischen ungenutzt verstrichen. Damit befinden Sie sich im Lieferverzug. Ich setze Ihnen daher eine Nachfrist von 3 Wochen bis zum 21.9.2010 und erkläre bereits jetzt für den Fall, dass auch dieser Termin ungenutzt verstreichen sollte, meinen Rücktritt vom Kaufvertrag.

Mit freundlichen Grüßen

Renate Musterfrau

4 _ □ X

Hi!
Bin grad aus Tallinn zurückgekommen. Wir sind morgens mit der Fähre von Helsinki nach Tallinn gefahren – war eine tolle Fahrt durch das Eis (Minna hat auch Fotos gemacht…). In Tallinn hat's geschneit, war aber nicht so kalt wie in Helsinki („nur" minus 10 Grad) – die Finnen sind alle mit ihren großen Einkaufstaschen in den Supermärkten verschwunden, wir haben dann die schöne Altstadt besichtigt und in tollen Keramikläden hübsche Geschenke gekauft. Leckere Schokolade gab's auch – wenn du mich morgen Abend vom Flughafen abholst, bekommst du vielleicht ein Stückchen davon ab…
Na dann bis morgen, Küsschen, Maus

5

1. Mai: Weniger Gewalt

In Berlin-Kreuzberg ist die Nacht nach den 1.-Mai-Demonstrationen ohne größere Zwischenfälle verlaufen. Nach Mitternacht räumte die Polizei das Gelände um das Kottbusser Tor. Dort waren aus einer Gruppe von etwa 1500 Menschen immer wieder Polizisten angegriffen worden. Es gab nach Angaben der Polizei auch mehrere Festnahmen. Bei einer Demonstration flogen Flaschen, Steine und Feuerwerkskörper gegen Polizisten. Polizeifahrzeuge wurden attackiert und Geschäfte angegriffen. Brennende Barrikaden wie in der Vergangenheit gab es jedoch nicht. Mehrere Polizisten wurden in einem Wartehäuschen eingekesselt. Die Polizei sprach von 9000 Teilnehmern, die Veranstalter gaben 13.000 Demonstranten an.

1.2 Markieren Sie in den Texten alle Verbformen, die sich auf Vergangenes beziehen.

1.3 Perfekt, Präteritum oder Plusquamperfekt – Wann wird in den Texten welches Tempus verwendet? Ergänzen Sie die folgende Übersicht.

Ausdruck von Vergangenheit in schriftlichen Texten

- *Haben* und *sein* als Vollverben sowie die Modalverben werden meistens im _____ verwendet.
- In schriftlichen Texten ist das _____ das übliche Tempus, in dem eher distanziert und entspannt erzählt wird. Typische Textsorten sind Märchen, Romane, Erzählungen sowie Berichte und Nachrichten.
- In Texten mit argumentativem Charakter, Mahn- und Beschwerdebriefe sowie in wissenschaftlichen Texten benutzt man häufig das _____. Es signalisiert: Bei dem Thema handelt es sich um etwas Kontroverses bzw. Wichtiges, das uns alle angeht!
- Am Anfang von journalistischen Texten wird der Inhalt häufig schon kurz im _____ zusammengefasst, um die Aktualität und Relevanz des Ereignisses zu signalisieren. Die Einzelheiten werden dann meist in ihrem Ablauf im Präteritum geschildert.
- Das _____ wird auch bei der schriftlichen Wiedergabe der gesprochenen Sprache und in schriftlichen Texten mit informellem Charakter verwendet, vor allem dann, wenn das geschilderte Ereignis wichtig für die Gegenwart ist. Typisch sind E-Mails, Blogs, Notizen und informelle private Briefe.
- Das _____ drückt die Vorzeitigkeit eines Vorgangs, Zustands oder einer Handlung gegenüber einem anderen Ereignis in der Vergangenheit aus, liegt zeitlich also vor der Aussage im Präteritum oder Perfekt. Signalwörter für die Verwendung des _____ sind Konnektoren wie *nachdem, sobald, vorher, zuvor*.

1.4 Erklären Sie, warum in folgenden Beispielen aus den Texten die jeweiligen Tempusformen verwendet werden.

a Sie hatte auf der Couch eines Psychotherapeuten gelegen, spiritistische Sitzungen besucht und in Kirchen gebetet.
b Als ihre Depression trotzdem nicht besser wurde, suchte Sabine Wolter im Internet nach Hilfe und stieß auf eine Website, die Besserung versprach [...]
c „Ich war so verzweifelt, dass ich mich darauf eingelassen habe. Obwohl ich mir überhaupt nicht vorstellen konnte, wie das funktionieren sollte."
d [...] ich saß auf der Türschwelle und wischte mir den Schlaf aus den Augen [...]
e Mit dem Schreiben vom 15.8.2010 habe ich Ihnen eine Lieferfrist bis zum 1.9.2010 eingeräumt.
f Bin grad aus Tallinn zurückgekommen.
g In Berlin-Kreuzberg ist die Nacht nach den 1.-Mai-Demonstrationen weitgehend ohne Zwischenfälle verlaufen.

2.1 Kennen Sie Baron Münchhausen? Recherchieren Sie und lesen Sie dann den Text.

Doktor Münchhausen

von Simone Utler

Mit einem zusammengesponnenen Lebenslauf und gefälschten Zeugnissen schlich sich der Banker Christian E. als Assistenzarzt in eine chirurgische Klinik ein. Erst nach 14 Monaten brach sein Lügengebäude zusammen – ein anonymer Tipp ließ den falschen Doktor auffliegen.

Der weiße Kittel war für Christian E. ein Symbol – für Erfolg, für Anerkennung und für die Möglichkeit, Kranken den Klinikalltag zu erleichtern. Er versorgte Patienten, war bei fast 190 Operationen dabei und schulte sogar OP-Kräfte. Doch jedes Mal, wenn er den Kittel überzog, spürte er auch seine Angst. Die Angst, einen Fehler zu machen, einen Patienten zu verletzen – und aufzufliegen.

In seinem ersten und echten Leben arbeitet Christian E. als Banker. Nach seinem Realschulabschluss 1995 macht der hochgewachsene Dunkelhaarige eine Ausbildung zum Bankkaufmann – so wie seine beiden älteren Geschwister. Er wird Wertpapierhändler, verdient gut und kauft sich eine Eigentumswohnung. Doch dann lernt E. eine andere Welt kennen, jenseits von Ölkontrakten und Wetten auf Getreidepreise. Während seines Zivildienstes bei den Maltesern arbeitet er mit Menschen mit Idealen und Engagement. Das imponiert ihm dermaßen, dass er sich auch ehrenamtlich engagiert, in der Altenbetreuung, als Sanitäter bei Festen, später im Rettungsdienst. E. gilt als begabt und wird gefördert. Irgendwann will er Arzt werden [...]

Quelle: SPIEGEL ONLINE

2.2 Markieren Sie die Verbformen, die sich auf Vergangenes beziehen. Warum wechselt mitten im Text das Tempus?

2.3 Kennen Sie weitere Beispiele für einen Tempuswechsel? Suchen Sie in Romanen und Erzählungen nach Stellen, an denen die Spannung steigt.

3   Wählen Sie einen interessanten aktuellen Artikel aus einer deutschsprachigen Zeitung
    oder einer Zeitschrift. Analysieren Sie die Tempusformen und deren Funktion. Können
    Sie die Verwendung anhand der Regeln in 1.3 erklären oder gibt es Abweichungen?

4   Paolo aus Bologna berichtet von seinen ersten Monaten in Deutschland. Ergänzen Sie
    das passende Hilfsverb und das Partizip II:

Ich _____ wegen der Liebe nach Deutschland _____ (kommen). Meine Freundin und ich _____ uns auf einer Party von Freunden in Berlin _____(kennenlernen). Ein Jahr lang hatten wir eine Fernbeziehung – wir _____ uns nur an langen Wochenenden und in den Ferien _____ (sehen). Dann _____ ich im April zu ihr nach Hamburg _____ (ziehen). Die ersten Wochen _____ mir Angst _____ (machen): Es _____ fast ununterbrochen _____ (stürmen) und _____ (regnen), die Leute auf der Straße _____ schnell aneinander _____ _____ (vorbeilaufen) und _____ fast nie miteinander _____ (reden). Dann kam endlich der Sommer und ich _____ jeden Tag spazieren _____ (gehen) und _____ die Altstadt, St. Pauli* und natürlich den Hafen _____ (entdecken) – ich liebe den Fischmarkt am Sonntagmorgen! Als meine Freundin Urlaub hatte, _____ wir an die nordfriesische Küste _____ (reisen). Wir hatten viel Spaß, _____ viel mit dem Fahrrad _____ (fahren), _____ Sandburgen _____ (bauen) und _____ jeden Tag im eiskalten Wasser _____ (schwimmen). Vor 2 Tagen _____ wir nach Hamburg _____ (zurückkehren), jetzt beginnt für uns wieder der Ernst des Lebens: Meine Freundin sitzt schon in ihrem Büro und ich muss mich ernsthaft auf mein Studium an der Hamburger Universität vorbereiten …

*St. Pauli: Stadtteil von Hamburg, berühmtes Amüsierviertel

5   Käthe und Heinrich Lehmann waren mit ihrem Sommerurlaub gar nicht zufrieden und
    schreiben an den Reiseveranstalter. Ergänzen Sie die Präpositionen aus dem Schüttelkasten.

bis zum • innerhalb • am • bis • von • bis zum • am • in • um • während

Betreff: Reise nach Olbia   Buchungsnummer: 334455

Anspruchsanmeldung

Sehr geehrte Damen und Herren,
wir haben bei Ihnen _____ 4. April 2011 eine Reise für 2 Personen nach Olbia auf Sardinien gebucht. In dem gebuchten Hotel wurden _____ unseres Aufenthaltes _____ 7 Uhr _____ 22 Uhr Bauarbeiten innerhalb und außerhalb des Hauses durchgeführt, die eine Erholung stark eingeschränkt haben. Auch _____ der Nacht sind wir wegen der lauten Tanzmusik kaum zur Ruhe gekommen. _____ 2. Juli 2011 _____ 11 Uhr haben wir Ihrer örtlichen Reiseleitung, Frau Sauer, den Mangel angezeigt. Wir haben ihr eine Frist gesetzt, den Mangel _____ von 24 Stunden zu beseitigen. Sie konnte uns aber _____ Ende unseres Urlaubs kein Zimmer in einem anderen Hotel zuweisen.
Die Reise war durch den ständigen Lärm erheblich beeinträchtigt. Wir verlangen daher eine Minderung des Reisepreises um mindestens 30 %. Wir setzen Ihnen zur Erledigung der Angelegenheit eine Frist _____ 1.10.2011.

Mit freundlichen Grüßen
Käthe und Heinrich Lehmann

Temporale Präpositionen

• Die Präpositionen *während*, *innerhalb* und *außerhalb* werden mit dem Genitiv verbunden (*während unseres Aufenthaltes*, *innerhalb eines Jahres*, *außerhalb unserer Sprechstunden*). Ist der Genitiv nach *innerhalb* an den Endungen nicht zu erkennen, kann auch *innerhalb von* (+ Dativ) stehen: *innerhalb von 24 Stunden*.

6   Lesen Sie noch einmal die E-Mail aus 1.1. Berichten Sie dann einem Freund per E-Mail
    von einem interessanten Ausflug.   ⇨ Temporale Konnektoren:
                                                                          Kapitel 2.3.2

7   Sie wurden ohne Einstufungstest dem falschen Sprachkurs zugeteilt. Schreiben Sie
    einen Beschwerdebrief an die Leitung der Sprachschule. Erzählen Sie, was passiert ist
    und bitten Sie um die Versetzung in einen passenden Kurs.

5.2.2 Vergangenheit in der gesprochenen Sprache

1.1 Hören Sie den Ausschnitt aus einem Interview mit der ehemaligen Schulsekretärin Frau Müller. Konzentrieren Sie sich auf den Inhalt.

1.2 Hören Sie jetzt das Interview noch einmal und ergänzen Sie die fehlenden Verbformen.

🔊 24

REPORTER: Haben Sie mit dem Mauerbau gerechnet?

PETRA MÜLLER: Nein, überhaupt nicht. Das _____ für mich vollkommen überraschend. Ich _____ drüben im Osten gelebt und zufälligerweise _____ ich am 12. August, einen Tag vor dem Mauerbau, am Gesundbrunnen im Kino. Ich _____ in Pankow* _____ und da _____ der Bahnhof Gesundbrunnen der Anlaufpunkt für uns, wenn man einkaufen _____. Als ich nach dem Kino auf den Bahnhof Gesundbrunnen _____, _____ ich mich _____, dass da 'ne Menschenmauer _____. Alle _____ da und es _____ kein Zug. Es _____ auch keine Ansage, keine Durchsage und wir _____ uns _____, warum nichts _____. Ich _____ mir eine halbe Stunde _____ und dann dachte ich: „Läufst du zu Fuß nach Hause – das dauert auch nur 'ne halbe Stunde." Gesagt, getan. Ich _____ in der Wollankstraße an die Grenze und _____ da schon Maschendrahtzäune. Ich _____ dann nach Hause _____ und da _____ ich im Radio _____, dass der Grenzverkehr nicht mehr möglich ist …

* Pankow = Stadtteil in (Ost-)Berlin

1.3 Bei welchen Verben benutzt die Sprecherin das Perfekt, bei welchen das Präteritum?

1.4 Ergänzen Sie folgende Übersicht mit den passenden Beispielen aus dem Interview.

Ausdruck von Vergangenheit in der gesprochenen Sprache

In der gesprochenen Sprache gibt es – vor allem in informelleren Situationen – im Gegensatz zu schriftlichen Texten einige Unterschiede bei der Verwendung der Tempusformen:

- Bei den meisten Verben wird das Perfekt benutzt, um von Vergangenem zu berichten.

  _____

  _____

  _____

  _____

  _____

  _____

- Die Verben *haben* und *sein* stehen häufig im Präteritum.

  _____

  _____

  _____

- Die Modalverben stehen ebenfalls im Präteritum.

  _____

- Auch einige häufig verwendete Verben wie *denken, geben (es gab), gehen, heißen, kennen, kommen, laufen, meinen, sitzen, stehen, wissen* stehen meistens im Präteritum

  _____

  _____

  _____

  _____

- Auch das Präsens wird zur Schilderung von vergangenen Ereignissen verwendet, damit soll die Darstellung besonders ‚lebendig' gestaltet werden.

  _____

  _____

- Im mitteldeutschen und süddeutschen Sprachraum wird das Präteritum in der gesprochenen Sprache nur selten benutzt. Eine Besucherin aus München hätte bei der Schilderung der Ereignisse vom 12. August 1961 wahrscheinlich nur das Perfekt (und vielleicht auch das Präsens) verwendet.
- Für den formellen mündlichen Sprachgebrauch (z. B. bei Vorträgen und feierlichen Ansprachen) gelten die Regeln für die Verwendung der Tempusformen in schriftlichen Texten (siehe Kapitel 5.2.1).

2 Oma erzählt von früher. Ergänzen Sie die Verben im Präteritum.

Wir _____ (haben) es nicht leicht nach dem Krieg, ich _____ (denken) oft, wir schaffen das nicht. Opa _____ (sein) in der Kriegsgefangenschaft in Amerika und ich _____ (müssen) zwei kleine Kinder durch den Winter bringen. Schon im Dezember _____ (sein) die Kartoffeln alle und dann _____ (geben) es nur noch Steckrüben: Montags Steckrübeneintopf, dienstags Steckrübeneintopf, mittwochs Steckrübeneintopf, ich _____ (können) das Zeug nicht mehr sehen! Gott sei Dank _____ (bringen) Tante Marie vom Landweg uns jede Woche eine Kanne Milch und einen Laib Brot. Das Brot _____ (sein) köstlich, die _____ (backen) das da noch selbst. Ja, ja, die Zeiten _____ (sein) hart, aber man _____ (helfen) sich doch, wo man _____ (können) ...

Ausdruck von Vergangenheit in der gesprochenen Sprache

Bei der mündlichen Wiedergabe von Geschichten, zu denen der Erzähler eine große zeitliche oder emotionale Distanz hat, kann das Präteritum verwendet werden.

3 Wie könnte Frau Müller aus Pankow den Fall der Berliner Mauer am 9. November 1989 erlebt haben? Erfinden Sie eine Geschichte und schreiben Sie eine kurze Reportage für eine deutsche Zeitung.

Erinnerungen an den Mauerfall
Petra Müller lebte 1989 mit ihrem Mann in Magdeburg. ...

Ausdruck von Verlauf

- Um auszudrücken, dass sich ein Vorgang zu einem vergangenen Zeitpunkt im Verlauf befand, können folgende Konstruktionen verwendet werden:
  Er war (gerade) dabei, die Äpfel zu pflücken, als das Gewitter losbrach.
  Sie war (gerade) beim Lesen und hatte keine Lust, ans Telefon zu gehen.
  Ich war (gerade) am Duschen, als du angerufen hast.
  Die ersten beiden Sätze sind standardsprachlich, die Konstruktion mit *am* wird eher in der Umgangssprache verwendet.
- Zur besonderen Betonung der (vergangenen) Aktualität können die Sätze mit dem Temporaladverb *gerade* kombiniert werden.

 Das hört man auch:

Er hat sich auf die Leiter gestellt und schon ist es passiert gewesen.
Das hatte ich doch schon gesagt gehabt!
Ich hab dann schreckliche Kopfschmerzen bekommen, ich hatte wohl doch zu wenig getrunken gehabt.
Das ‚Doppelperfekt' und ‚Doppelplusquamperfekt' wird immer häufiger in der Umgangssprache verwendet, beide Formen betonen besonders die Abgeschlossenheit der dargestellten Handlung.

.3 Zukunft

⇨ Übersicht über die Bildung von
Futur I und Futur II: Anhang 9

1.1 Hören Sie das Telefongespräch und konzentrieren Sie sich auf den Inhalt.

1.2 Hören Sie jetzt das Telefongespräch noch einmal und ergänzen Sie die fehlenden
Verbformen. Welches Tempus wird überwiegend verwendet, wenn Janine und Mike von
der Zukunft (also vom nächsten Abend) sprechen?

⊛ 25

> JANINE: Hi Mike, ich sitz' grad' in der U-Bahn, was _____ (machen) du
> morgen Abend so?
>
> MIKE: Ich _____ (gehen) morgen auf Kevins Party, da _____ (spielen) die Band
> von meiner Schwester.
>
> JANINE: Ohje … Wer _____ (kommen) denn sonst noch so?
>
> MIKE: Uwe, Silke, Murat, Melanie, Kati – die ganze Bande _____ (erwarten) dich.
>
> JANINE: Und Andy?
>
> MIKE: Der _____ (kommen) auch und zwar mit seiner neuen Flamme*!
>
> JANINE: Wer ist denn die Glückliche?
>
> MIKE: Manuela aus der 10b**.
>
> JANINE: Ich dachte, Andy hätte ein bisschen mehr Geschmack … Na gut, ich _____
> mal kurz _____ (vorbeischauen).
>
> MIKE: Okay, dann sehen wir uns da. Tschüss!
>
> JANINE: Bis dann.
>
> * neue Flamme = neue Freundin
> ** 10b = die Schulklasse 10b

2 Lesen Sie die Zukunftsprognosen und unterstreichen Sie die Verben im Futur.

Zukunftsprognosen: Die Welt in 520 Wochen

Wie sieht die Welt im Jahr 2021 aus? Ein Zukunftsforscher, ein Historiker und ein Wissenschaftsjournalist spekulieren über die Schweiz von morgen.

Die Prognosen des Zukunftsforscher Lars Thomsen klingen utopisch: «Schon in wenigen Jahren werden Elektroautos billiger als Benzinfahrzeuge sein und mit erneuerbaren Energien wie Wasser-, Wind- und Sonnenkraft angetrieben werden.» Zudem wird sich das Problem mit Erdöl und Atomkraft in 10 Jahren von selbst lösen, meint der optimistische Wissenschaftler.

Für Daniele Ganser ist es unrealistisch zu glauben, dass die Solarenergie das Erdöl in zehn Jahren ersetzen wird. Die Energiewende wird erst eintreten, wenn der Erdölpreis drastisch steigt. Um die Umwelt und das Klima zu schützen, sieht der Historiker den Weg des sparsamen Umgangs mit Energie als realistisch an: «Wir sollten leichtere Autos fahren, die weniger Benzin benötigen und alte Häu-ser sollten neu isoliert und mit Wärme-pumpen, Sonnenenergie oder Fernhei-zungen geheizt werden. Dadurch könnte fast die Hälfte des Schweizer Erdölbe-darfs eingespart werden».

Der Wissenschaftsjournalist Marcel Hänggi stimmt dem zu und ergänzt, dass wir die Klimakatastrophe nur mit einer Änderung des Lebensstils in den indust-rialisierten Ländern abwenden können. Lars Thomsen widerspricht dem und sieht die Lösung in der Intelligenz der Technik. «Ich vertraue der Technologie mehr als dem Bewusstseinswandel der Menschen.» Die meisten Geräte des All-tags werden miteinander vernetzt sein und sich durchs Internet gegenseitig optimieren und Energie einsparen. «Es beginnt die Zeit der schlauen Maschinen und in den nächsten 30 Jahren werden wir kaum mehr CO_2-Emissionen produ-zieren.» Große Windparks und Solar-Kraftwerke werden dafür erneuerbare Energien liefern.

Quelle: www.die-energie-bin-ich.ch, leicht adaptiert und gekürzt

3 Ergänzen Sie die Erklärung mit passenden Beispielen aus dem Telefongespräch (Aufgabe 1) und den Zukunftsprognosen (Aufgabe 2).

Ausdruck von Zukunft

- Zum Ausdruck von zukünftigen Vorgängen und Zuständen wird im Deutschen häufig das Präsens benutzt. Um deutlich zu machen, dass von der Zukunft die Rede ist, werden Temporalangaben eingefügt (z. B. *morgen, nächste Woche, nach der Arbeit*). Oft erschließt sich der Zukunftsbezug auch durch den Kontext: Beim Telefongespräch in Aufgabe 1 ist klar, dass vom folgenden Abend gesprochen wird.

  _____

  _____

  _____

- Auch das Futur I kann verwendet werden, um zukünftige Sachverhalte auszudrücken. Hier wird jedoch der Zukunftsbedeutung häufig eine modale Komponente hinzugefügt. Der Sprecher möchte deutlich machen, dass es sich bei der Aussage um ein Versprechen, eine Absicht oder um einen Vorsatz handelt und Versprechen, Absichten und Vorsätze sind immer mit einer gewissen Unsicherheit behaftet.

  _____

- Das Futur I wird auch für Vorhersagen und Prognosen benutzt, auch hier will der Sprecher keine Garantie dafür übernehmen, dass die Vorhersagen genau so eintreffen, wie prophezeit.

  _____

  _____

  _____

- Das Futur II bezeichnet Vorgänge, die in der Zukunft abgeschlossen sein werden. Diese Form ist vor allem in der gesprochenen Sprache sehr selten und wird meist durch das Perfekt ersetzt.

  _____

 Das sagt man auch:

Ihr werdet jetzt sofort ins Bett gehen!
Du wirst Leon jetzt den Teddy zurückgeben, und zwar schnell!
Hier wird das Futur I gebraucht, um einen ausdrücklichen Befehl (mit einem drohenden Unterton) zu formulieren. Eltern dürfen so mit ihren kleinen Kindern sprechen, Erwachsenen gegenüber kann die Verwendung dieser Konstruktion sehr unhöflich wirken.

4 Ergänzen Sie in dem Gespräch die Temporalangaben. Sie können die Temporalangaben mehrmals verwenden, es gibt manchmal mehrere richtige Möglichkeiten.

> bis • Samstagabend • danach • nach • dann • gleich • ab • hinterher • noch • zuerst • schon • wieder

KLARA: _____ ist endlich _____ die Lange Nacht der Museen*, hast du _____ einen Plan für uns gemacht?

TOBIAS: Na klar, _____ kaufen wir uns das Ticket und _____ geht's direkt ins Bode-Museum.

KLARA: Hat das denn _____ geöffnet, ich dachte, da wird _____ renoviert?

TOBIAS: Klar ist das auf und _____ zum 31. Oktober kann man da dieses berühmte Bild von Leonardo da Vinci sehen, wie hieß das noch einmal?

KLARA: Du meinst die Frau mit dem Tier? Da müssen wir hin!

TOBIAS: Und _____ möchte ich in die Humboldt-Uni, _____ 21 Uhr hält Professor Meierbusch einen Vortrag über die Kultur der Renaissance in Italien.

KLARA: Ach der alte Langweiler – gehen wir lieber _____ ins Neue Museum – die Cafeteria da ist toll!

TOBIAS: Dein Wunsch ist mir Befehl, aber _____ dem Imbiss fahren wir in die Neue Nationalgalerie …

KLARA: … und _____ lädst du mich _____ in dieses tolle Restaurant am Landwehrkanal ein, ich freu' mich _____ drauf!

*Lange Nacht der Museen: In vielen Städten öffnen Museen und andere Kultureinrichtungen einmal im Jahr bis spät in die Nacht. Mit der Eintrittskarte für die Museumsnacht kann man alle Veranstaltungsorte besuchen und den öffentlichen Nahverkehr benutzen.

⇨ Temporale Konnektoren: Kapitel 2.3.2

5 Spielen Sie zu zweit die folgende Situation und führen Sie ein Telefongespräch.

Person 1

Sie möchten am Freitagabend zu einem Musikfestival gehen. Weil Sie nicht alleine gehen wollen, rufen Sie Ihre beste Freundin / Ihren besten Freund an und fragen, ob sie / er mitkommen will.

Person 2

Ihre beste Freundin / Ihr bester Freund ruft an und will Sie zu einem Musikfestival einladen. Sie kennen das Programm nicht, fragen Sie nach! Sagen Sie zu oder erfinden Sie eine Ausrede.

6 Wie wird sich der Klimawandel in Ihrem Heimatland auswirken? Beziehen Sie bei Ihren Prognosen ruhig drastische Positionen.

6 Perspektiven

✓ Das lernen Sie:

– Darstellung einer Handlung aus verschiedenen Perspektiven
– sprachliche Mittel, um den Handelnden nicht zu nennen
– sprachliche Mittel um den Blick auf die Handlung und die von der Handlung Betroffenen zu richten
– sprachliche Mittel, um ausschließlich die Handlung zu benennen
– Resultate einer Handlung benennen

6.1 Handlung, Betroffene und Handelnde

1.1 Lesen Sie die Buchvorstellung eines Krimis. Was ist in dieser Geschichte passiert und was erfahren Sie über Täter und Opfer?

Jan Seghers: Die Akte Rosenherz

In einer heißen Augustnacht des Jahres 1966 wird in Frankfurt Karin Rosenherz ermordet.

Vierzig Jahre später: An einem nebligen Morgen kommt es im Frankfurter Stadtwald bei einem Kunsttransport zum Raubüberfall. Hauptkommissar Marthalers Freundin Tereza wird dabei schwer verletzt.

Robert Marthaler wird von den Ermittlungen* ausgeschlossen und erhält von einem Informanten** den entscheidenden Tipp: Es besteht eine Verbindung zu einem vierzig Jahre alten Verbrechen, dem Mord an Karin Rosenherz.

Marthaler sieht sich gezwungen, mit der jungen Journalistin Anna Buchwald zusammenzuarbeiten, die im Besitz der Akte Rosenherz ist. Die beiden geraten bald in ein Netz aus Intrigen, Korruption und Gewalt. Es scheint, als solle die „Akte Rosenherz" für immer geschlossen bleiben.

*die Ermittlung: hier Suche des Täters (ermitteln: ein Ergebnis suchen)
**Informant: jemand, der Informationen gibt

Quelle: Büchergilde Magazin 2/2011

1.2 Welche sprachlichen Möglichkeiten finden Sie im Text, Handelnde oder auch Betroffene nicht zu nennen? Ergänzen Sie die folgende Tabelle und überlegen Sie, wie Inhalt und Sprache miteinander in Beziehung stehen.

	Handelnde(r)	Betroffene(r)	sprachliche Struktur
In einer heißen Augustnacht des Jahres 1966 wird in Frankfurt Karin Rosenherz ermordet.	?		wird … ermordet Passiv
An einem nebligen Morgen kommt es im Frankfurter Stadtwald bei einem Kunsttransport zum Raubüberfall.			Es kommt zu einem Überfall. Nomen-Verb-Verbindung
Hauptkommissar Marthalers Freundin Tereza wird dabei schwer verletzt.			
Robert Marthaler wird von den Ermittlungen ausgeschlossen.			
Marthaler sieht sich gezwungen, mit der jungen Journalistin Anna Buchwald zusammenzuarbeiten.			sich sehen + Partizip II (Reflexivkonstruktion)

1.3 Was hat Tereza mit dem Kunsttransport und dem Raubüberfall zu tun? Vermuten Sie.

1.4 Warum werden in der Buchvorstellung des Krimis Handelnde und Betroffene genannt oder eben nicht genannt? Vermuten Sie.

2   Welche Gründe kann es geben, den Handelnden in einem Text nicht zu nennen?
    Ergänzen Sie den Regelkasten.

    > bekannt • bewusst • gültige • nicht • unwichtig

Warum wird der Handelnde nicht genannt?

Es gibt verschiedene Gründe, warum der Handelnde in einem Text nicht genannt wird:
- Der Handelnde / Täter ist _____ bekannt.
- Der Handelnde / Täter ist _____ oder selbstverständlich.
- Der Handelnde / Täter wird _____ nicht genannt. Man will nicht sagen, wer verantwortlich ist.
- Der Handelnde ist allgemein _____ oder bereits aus dem Kontext bekannt.
- Es geht um allgemein _____ Sachverhalte und Wissensbestände.

3.1 Formulieren Sie den angegebenen Satz um: einmal aus der Perspektive des Empfängers
    (hier: der Kommissar) und einmal aus der Perspektive des Handelnden (hier: der
    Informant).

Perspektive Empfänger	Perspektive Handelnder
Robert Marthaler *erhält* von einem Informanten den entscheidenden Tipp.	–
Robert Marthaler _____ _____ .	Ein Informant gibt _____ _____ .

erhalten

- Bei dem Verb *erhalten* steht in der Subjektposition nicht der Handelnde, sondern der Betroffene bzw. der Empfänger einer Sache.
- Auch in der Passivkonstruktion steht in der Subjektposition der von der Handlung Betroffene. Deshalb ist eine Umkehrung der Rollen bei Verwendung des Verbs *erhalten* nicht möglich.

3.2 Welche der folgenden Verben verhalten sich wie das Verb *erhalten*? Kreuzen Sie an.

⇨ Kapitel 6.6: Passiv mit *bekommen*

- ☐ bekommen (gehoben)
- ☐ finden
- ☐ brauchen
- ☐ kriegen (umgangssprachlich)
- ☐ bleiben

4.1 Welche sprachlichen Mittel außer dem *werden*-Passiv und den *erhalten*-Verben kennen
    Sie, mit denen man das Geschehen in den Mittelpunkt stellen kann, ohne den Handeln-
    den zu nennen? Die folgenden Aufgaben helfen Ihnen bei der Antwort.

4.2 Ein Kollege nimmt ein Telefonat für Sie an und informiert Sie über das Gespräch.
    Streichen Sie die Äußerungen durch, die zwar grammatisch korrekt, aber in der
    genannten Situation nicht angemessen sind..

Sie sind im Büro und Ihr Kollege informiert Sie sofort:

Du wirst am Telefon verlangt
Du wirst angerufen.
Es will dich jemand am Telefon sprechen.
Da will dich jemand sprechen.

Sie kommen erst am Nachmittag ins Büro:

Heute hat jemand für dich angerufen.
Du bist heute angerufen worden.

4.3 Warum ist im folgenden Text der Blick auf die Handlungen gerichtet? Wie ist das sprachlich realisiert? Wissen Sie, wer die Handlungen *kürzen, strafen, sich arbeitslos melden* ausführt?

Arbeitslosengeld – Wann muss man sich arbeitslos melden?

Um keine Kürzungen und Strafen zu erfahren, ist es wichtig, sich sofort arbeitslos zu melden!

Wenn man erfährt, dass man arbeitslos wird, ist man verpflichtet, sich sofort bei der Arbeitsagentur zu melden. Tut man das nicht innerhalb von drei Tagen, nachdem man die Kündigung erhalten hat, bekommt man beim Arbeitslosengeld eine Sperrzeit. Die Firma ist gesetzlich verpflichtet, Ihnen dafür frei zu geben. Also, noch während man arbeitet und sobald man weiß, wann der letzte Arbeitstag sein soll: zur Arbeitsagentur gehen.

4.4 Ergänzen Sie die beiden Tabellen.

erfahren + Nomen	*werden*-Passiv
Der Arbeitslose erfährt eine Kürzung des Arbeitslosengeldes.	Dem Arbeitslosen wird das Arbeitslosengeld gekürzt.
Leider erfährt der Beruf der Erzieher gesellschaftlich noch immer nicht ausreichend Anerkennung.	Leider _____ der Beruf der Erzieher gesellschaftlich noch immer nicht ausreichend _____ .
Kosten- und Unternehmensplanung - wer sich in Unternehmen mit diesen Fragen auseinander setzen muss, _____ _____ .	Kosten- und Unternehmensplanung – wer sich in Unternehmen mit diesen Fragen auseinander setzen muss, wird mit dem vorliegenden Handbuch praxisnah unterstützt.

Infinitivkonstruktion	*dass*-Satz
Es ist wichtig, sich arbeitslos zu melden.	Es ist wichtig, dass man sich arbeitslos meldet.
Man muss aufpassen, _____ _____ .	Man muss aufpassen, dass man andere mit Worten nicht unnötig verletzt.
Man sollte darauf achten, seine Energie für lohnende Ziele einzusetzen.	Man sollte darauf achten, dass _____ _____ .

Die Handlung im Mittelpunkt: Passiv und Co.

Es gibt verschiedene sprachliche Möglichkeiten, den Blick auf die Handlung zu lenken.

- Ein besonders wichtiges Mittel, um den Blick auf die Handlung oder auf den / die von der Handlung Betroffene(n) zu richten, ist das Passiv (6.2). Der Handelnde kann weggelassen werden, aber – wenn nötig – auch genannt werden.
  Tereza wurde schwer verletzt. → *Tereza wurde von dem Täter schwer verletzt.*
- Nomen-Verb-Konstruktionen (6.7) können eine ähnliche Funktion wie das Passiv übernehmen. Sie können besonders dann verwendet werden, wenn weder Handelnder noch Betroffener genannt werden soll bzw. kann. Der Fokus liegt dann vollständig auf dem Geschehen.
  Es kam zu einem Überfall. (Passiv: *Jemand wurde überfallen.*)
  Es kam zu einem Unfall. (Passiv: ø) ⇨ Kapitel 4.5.2: Funktionsverbgefüge
- Bei den Verben erhalten, bekommen und kriegen steht in der Subjektposition nicht der Handelnde, sondern der Empfänger. Deshalb können diese Verben auch kein Passiv bilden. Die Verben eignen sich dazu, beim sogenannten bekommen-Passiv (6.6) eine Handlung aus der gleichen Perspektive wie beim Passiv darzustellen.
- Weiter kennt das Deutsche besondere sprachliche Konstruktionen, die neben der Betroffenenperspektive auch Modalität ausdrücken und die häufig als Passiversatzformen (6.4) bezeichnet werden (z. B. *Lassen sich die europäischen Sprachprobleme lösen?*).
- Bei allgemeinen Aussagen über Handlungen, die für beliebige Personen gelten, verwendet man das unpersönliche Pronomen man (im Akkusativ / Dativ: *einen / einem*).
  Manchmal vergisst man, wie gut es einem geht.
- Das Pronomen jemand wird verwendet, wenn es um eine einzelne Person geht, die nicht genauer bekannt ist oder die beispielhaft für etwas steht. Im weiteren Textverlauf wird dann er verwendet:
  Wenn jemand motiviert ist, bedeutet das nicht, dass er über die erforderlichen Kompetenzen verfügt, ein Ziel zu erreichen.

.2 Passiv mit *werden*

Das lernen Sie:

– werden-Passiv im Hauptsatz, Nebensatz und mit Modalverben

1 Im folgenden Text wird das *werden*-Passiv (*werden* + Partizip II) sehr häufig verwendet. Nennen Sie mögliche Gründe und unterstreichen Sie alle Passivformen.

> ### Fahrzeugbrief und Fahrzeugschein
>
> Der Fahrzeugbrief ist eine amtliche Urkunde, mit der die allgemeine Zulassung eines Kraftfahrzeuges für den öffentlichen Straßenverkehr bescheinigt wird. Wechselt ein Auto den Besitzer, dann erhält der neue Fahrzeughalter auch den Fahrzeugbrief. Ein anderes Dokument ist der Fahrzeugschein, der für die konkrete Zulassung eines Fahrzeuges für jeden Autobesitzer neu ausgestellt wird. Wird ein Auto abgemeldet, dann wird der Fahrzeugschein eingezogen, der Fahrzeugbrief wird dagegen nur mit einem Abmeldevermerk versehen. Der Fahrzeugbrief bleibt also immer beim Auto und man kann dem Fahrzeugbrief entnehmen, wie viele Besitzer ein Auto schon gehabt hat.

2.1 Im folgenden Text bildet das Verb *werden* verschiedene grammatische Formen. Ordnen Sie die Beispiele aus dem Text in der Tabelle den verschiedenen Formen zu.

> *Der Fahrzeugbrief ist die kürzeste Form einer Erzählung, das Skelett einer Handlung, der Schlüssel zu den Geschichten der Fahrer. …*
>
> Es gibt nicht viele Anhaltspunkte für eine Suche: den Brief, die Adressen, ein Serviceheft, in dem die Postleitzahlen, wenn man zurückblättert, irgendwann vierstellig und die benutzte Tinte blasser werden. Einige der Fahrer leben noch, einige sind gestorben oder verschwunden, und nur ein paar Nachbarn erinnern sich noch an sie. Manche wollen, dass ihre Geschichten erzählt werden. Andere verlangen, dass Namen, Wohnorte, Berufe geändert werden. Es sind Menschen, die sich nie kennenlernten, Ärzte und Studenten, Italiener, Türken und Amerikaner; sie fuhren nacheinander einen Mercedes, der Beulen und Kratzer bekam, Öl verlor, in Unfällen demoliert, durch Schneewehen geprügelt, tiefergelegt, zerkratzt, umlackiert, dabei immer billiger und schließlich wertlos wurde. Was die Fahrer verband, war die Hoffnung, dass der Mercedes ihr Leben ändern könnte.
>
> aus: Maak, Niklas: Fahrtenbuch. Roman eines Autos. 2011, Hanser, München, S. 6

Adjektiv + Vollverb *werden*	vierstellig werden, _____
Adjektiv im Komparativ + Vollverb *werden*	blasser werden, _____
werden + Partizip II = Passiv	erzählt werden, _____, _____, _____, _____, _____, _____

2.2 Wählen Sie einen anderen Gegenstand, der den Besitzer wechseln kann. Sammeln Sie einige sprachliche Mittel dafür, wie ein Gegenstand den Besitzer wechseln kann bzw. wie sich ein Gegenstand verändern kann.

Besitzerwechsel	verschenkt werden (an), verloren gehen, gefunden werden (von), _____
Veränderung	wertlos werden, wertvoller werden, kaputt gehen, verbeult werden, Kratzer bekommen, _____

2.3 Schreiben Sie nun einen kleinen Text über den Gegenstand: Was ist mit dem Gegenstand im Laufe der Zeit passiert? Wie hat der Gegenstand sich verändert? Wie ist der Gegenstand von einem zum anderen Besitzer gekommen?

 Tipp

Das Verb *verlieren* wird in der Regel nicht mit Passiv, sondern in der Form *verloren gehen* verwendet, besonders dann, wenn unklar ist, wer für den Verlust verantwortlich ist, wenn der Handelnde also nicht bekannt ist.

Auch das Adjektiv *kaputt* steht nicht mit dem Verb *werden*, sondern mit dem Verb *gehen*: *kaputt gehen*.

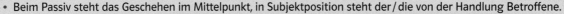

werden-Passiv

- Beim Passiv steht das Geschehen im Mittelpunkt, in Subjektposition steht der / die von der Handlung Betroffene.
- Der Handelnde kann durch Verwendung einer Präpositionalphrase genannt werden, bei Personen oder Institutionen wird *von* verwendet: **Er wurde von seiner Mutter geweckt.**
- Bei Mitteln oder Instrumenten wird *durch* verwendet: **Durch den Lärm wurde er geweckt.**
- Das volle Passiv mit allen Personalformen kann nur von Verben mit Akkusativergänzung gebildet werden.
- Andere Verben bilden das Passiv nur in der 3. Person Singular (= unpersönliches Passiv): **Es wird viel geredet. Ihm wird nicht geglaubt.**
- Nicht möglich ist ein Passiv bei Verben, die Zustände ausdrücken (z. B. *dauern, wohnen, enthalten*).
- Steht im Aktivsatz das Modalverb *wollen*, steht in einem inhaltlich vergleichbaren Passivsatz das Modalverb *sollen*: Aktiv: **Man will hier eine neue U-Bahnstrecke bauen.** Passiv: **Hier soll eine neue U-Bahnstrecke gebaut werden.**

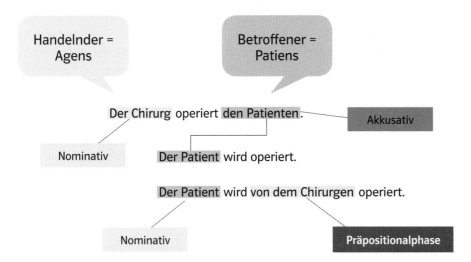

3 Der folgende Text ist ein einziger langer Satz über Howard Schultz. Unterstreichen Sie die Teilsätze, in denen er der von der Handlung Betroffene ist. Welche sprachlichen Mittel werden verwendet?

Die Entscheidung liegt bei dir

Oder nehmen Sie Howard Schultz, der sich beim Überprüfen seiner Verkaufslisten darüber wunderte, dass eine kleine, gerade mal vier Läden umfassende Firma große Mengen Kaffeemaschinen bei seinem Unternehmen bestellte und offenbar zusammen mit dem Kaffee verkaufte, der daraufhin nach Seattle flog, sich um einen Job bei der Firma bewarb, abgelehnt wurde, sich 14 Monate lang einmal wöchentlich telefonisch in Erinnerung brachte, endlich den Job bekam, sofort weitere Expresso-Bars in Kaufhäusern eröffnete, von den Inhabern deswegen gefeuert wurde, bei 242 Kapitalgebern vorsprach, von 217 abgewimmelt wurde, mit dem Geld der restlichen eine eigene Coffee-Shop-Kette eröffnete, den Wettbewerb gewann und schließlich das Unternehmen kaufte.

*abwimmeln: jmd. abweisen, loswerden

aus: Reinhard K. Sprenger: Die Entscheidung liegt bei dir. 2010, Campus, Frankfurt (Main), S. 175

Passiv und Stellung

Das Passiv ermöglicht es auch, bestimmte Satzglieder in die Themaposition am Satzanfang zu schieben. Dadurch ist es möglich, ein vorhandenes Thema beizubehalten und weiterzuführen, wie dies z. B. bei Wörterbucheinträgen notwendig ist.

⇨ Kapitel 9.2.1: Wörterbucheinträge

4.1 Lesen Sie den Romanauszug und unterstreichen Sie die Passivstrukturen. Warum werden im Text so viele Passivsätze mit Modalverben verwendet?

> **David Wagner: Vier Äpfel**
>
> L. und ich besuchten einmal ein Museum, in dem neben anderen kuriosen Dingen auch alte Konservendosen ausgestellt wurden. Die Exponate durften angefasst werden, weshalb uns auffiel, dass das Haltbarkeitsdatum des Mexikanischen Feuerzaubers, die Dose sah noch gut aus, im Frühjahr 1988 überschritten worden war und das Serbische Reisfleisch bis Ende 1985 hätte verzehrt werden sollen, statt dessen war es, wir fanden das komisch, in einem Museum gelandet, vor den Jugoslawienkriegen ist es einmal ein populäres Gericht gewesen. Am besten gefiel uns die Indonesische Reistafel, die aus zwölf kleinen Konservendosen bestand, die im Wasserbad zu erhitzen waren. Die Vorstellung, zwölf Dosen öffnen zu müssen, hat allerdings etwas Abschreckendes, aber wahrscheinlich gab es deshalb – meine Großmutter hatte einen – elektrische Dosenöffner.
>
> aus: David Wagner: Vier Äpfel. 2009, Rowohlt, Reinbek, S. 33

4.2 Ergänzen Sie die folgenden Sätze. Welche besondere Form zeigt sich beim Perfekt des Passivs im Nebensatz mit Modalverben?

Passiv im Nebensatz	
Präteritum	In einem Museum wurden alte Konservendosen ausgestellt. Wir besuchten ein Museum, in dem _____.
Perfekt	Das Haltbarkeitsdatum ist im Frühjahr 1988 überschritten worden. Uns fällt auf, dass das Haltbarkeitsdatum _____.
Plusquamperfekt	Das Haltbarkeitsdatum war im Frühjahr 1988 überschritten worden. Uns fiel auf, dass das Haltbarkeitsdatum _____.

Passiv im Nebensatz mit Modalverben	
Präteritum	Die Exponate durften angefasst werden. Es überraschte uns, dass die Exponate _____.
	Das Serbische Reisfleisch sollte bis Ende 1985 verzehrt werden. Es fiel uns auf, dass das Serbische Reisfleisch _____.
	Bei der Indischen Reistafel mussten zwölf Dosen geöffnet werden. Es schreckte uns ab, dass bei der Indischen Reistafel _____.
	Die Indische Reistafel sollte im Wasserbad erhitzt werden. Am besten gefiel uns die Indische Reistafel, die _____.
Perfekt (mit Konjunktiv)	Das Serbische Reisfleisch hätte bis Ende 1985 verzehrt werden sollen. Es fiel uns auf, dass das Serbische Reisfleisch _____.

4.3 Formulieren Sie den angegebenen Satz mit Passiv und Modalverb um. Welche Modalität enthält der Satz? Ergänzen Sie dann die Erklärung.

⇨ Bildung der Passivformen: Anhang 10

> **sein + zu + Infinitiv**
>
> Die Reistafel bestand aus zwölf Dosen, die im Wasserbad zu erhitzen waren.
> Die Reistafel bestand aus zwölf Dosen, die im Wasserbad _____.
> • Die Konstruktion *sein + zu + Infinitiv* entspricht einer Passivkonstruktion mit den Modalverben *können*, _____ oder _____.

⇨ Kapitel 6.4: Unpersönliche Ausdrucksformen

5 Schreiben Sie einen Text. Verwenden Sie gegebenenfalls Passiv und Modalverben.

> **Einsatz von Placebos**
>
> seit langem: Einsatz von Placebos
> Zweck des Einsatzes: Test, ob ein Medikament wirkt oder nicht
> dabei: Prüfung neuer Arzneimittel in Doppelblindstudien
> Doppelblindstudie = Weder der Arzt noch der Patient weiß, wer das Arzneimittel und wer das Placebo erhält
> durch die Doppelblindstudie: Verhinderung falscher Untersuchungsergebnisse
> Einsatz von Placebos: Festlegung in der Deklaration von Helsinki seit dem Jahr 2002
> Deklaration besagt: nur Einsatz von Placebos in Studien erlaubt, wenn noch kein bewährtes Mittel auf dem Markt

Seit langem werden Placebos eingesetzt, um zu testen, ob ...

6.3 Resultate festhalten: Passiv mit *sein*

1 Im folgenden Text werden Resultate dargestellt: Ein Ist-Zustand wird beschrieben und zugleich indirekt gesagt, was vorher gemacht wurde. Tragen Sie die Sätze in die Tabelle ein. Welche grammatische Form wird verwendet?

Lebensmittel – Verpackung und Zutatenlisten

• Lesbarkeit: Die Verpackung von Lebensmitteln ist vor allem eins: Werbung. Um zu erfahren, was wirklich drin steckt, sollte man die Zutatenliste studieren. Doch das ist nicht immer leicht möglich. Oft ist sie so klein gedruckt, dass man die Zutaten nur mit einer Lupe entziffern kann. Oder sie ist so kontrastarm, dass nicht einmal mehr die Lupe hilft. Dabei sind die Vorschriften eindeutig: Zutatenlisten müssen deutlich lesbar sein.

• Verständlichkeit: Die Zutaten sind nach ihren Mengen aufgelistet. Ganz oben steht das, wovon am meisten drin ist. Je länger die Liste ist, desto vielfältiger wurde das Produkt industriell bearbeitet. Wer also möglichst naturnahe Produkte möchte, sollte nur Produkte mit kurzen Zutatenlisten wählen.

• Offener Verkauf: Im offenen Verkauf sind Zutatenlisten nicht direkt am Produkt angebracht. Aber auch hier hat man das Recht, diese Informationen zu bekommen. Man kann zum Beispiel im Geschäft nachfragen, ob das Brötchen mit echtem Käse überbacken wurde.

Quelle: Quarks & Co (www.quarks.de)

Resultat	... und das wird / wurde gemacht
Die Zutatenliste ist oft sehr klein gedruckt.	Die Zutatenliste wird oft sehr klein gedruckt.
Die Zutaten _____ .	Die Zutaten _____ .
_____ .	Das Produkt wurde vielfältig industriell bearbeitet.
Im offenen Verkauf sind Zutatenlisten nicht direkt am Produkt angebracht.	_____ _____ .
_____ .	Das Brötchen wurde mit echtem Käse überbacken.

sein-Passiv

• Das *sein*-Passiv bezeichnet das Resultat einer Handlung. Dieses Resultat hat eine bestimmte Dauer, während die Handlung, die zu diesem Resultat geführt hat, punktuell ist. Deshalb kann die Präposition *seit*, die sich immer auf einen Zeitraum ab einem bestimmten Zeitpunkt bezieht, nicht mir dem *werden*-Passiv, jedoch mit dem *sein*-Passiv verbunden werden.

⇨ Kapitel 2.3.2: Temporale Konnektoren

2 Ergänzen Sie die Tabelle. Achten Sie auf die zeitlichen Angaben.

Handlung	Resultat
Die Messe wurde am 1. April eröffnet.	Die Messe ist seit dem 1. April eröffnet.
Sie ist vor zwei Tagen operiert worden.	Sie ist seit zwei Tagen operiert.
Das Stadion _____ vor fast _____ .	Das Stadion ist seit fast zwei Jahren geschlossen.
Das Kind _____ _____ .	Das Kind ist seit Juni bei einer Familie in Köln untergebracht.
Sie wurde vor 30 Jahren an der Universität angestellt.	Sie _____ .

3 Vergleichen Sie die beiden Formulierungen aus einem Bewerbungsschreiben.
Warum sind die Verwendungen des *sein*- und des *werden*-Passivs in Version A nicht angemessen?

Version A
Nach meinem dreijährigen Studium der Germanistik habe ich Deutsch als Fremdsprache an der Universität Jena studiert. Das Studium war mit dem akademischen Grad M.A. abgeschlossen. Meine Magisterarbeit wurde dem Thema „Die Verwendung des Passivs" gewidmet. Die akademische Abschlussprüfung bestand ich mit dem Prädikat „sehr gut".

Version B
Nach meinem dreijährigen Studium der Germanistik habe ich Deutsch als Fremdsprache an der Universität Jena studiert. Das Studium habe ich im Mai 2011 mit dem akademischen Grad M.A. abgeschlossen. Das Thema meiner Magisterarbeit lautete „Die Verwendung des Passivs". Die akademische Abschlussprüfung bestand ich mit dem Prädikat „sehr gut".

.4 Unpersönliche Ausdrucksformen: modale Verwendung

1.1 Lesen Sie den Text über Übersetzungsmaschinen. Fast alle Sätze drücken Modalität aus (z. B. Möglichkeit, Notwendigkeit, Wunsch). Welcher Satz enthält keine Modalität? ⇨ Kapitel 7: Modalität

Übersetzungsmaschinen

Lassen sich Menschen durch Computer ersetzen? Kann man künstliche Intelligenz herstellen? Ist Sprache simulierbar? Kann man redende Rechner bauen? Diese Fragen sind nicht leicht zu beantworten. Die bisher entwickelten Experten-Systeme lassen sich nur in eng beschränkten Aufgabenbereichen einsetzen. Bei der EU in Brüssel z. B. verwendet man eine automatische Übersetzungsmaschine. Doch durch den Computer lassen sich die europäischen Sprachprobleme nur unzureichend lösen. Er liefert fehlerhafte Übersetzungen, die nochmals zu überarbeiten sind. Die Ergebnisse sind überhaupt nur brauchbar, weil der Rechner nur Fachtexte übersetzt. Sollen aber literarische Texte übersetzt werden, kann ein Computer einen menschlichen Übersetzer noch immer nicht ersetzen. Weitere Forschungsergebnisse sind abzuwarten.

1.2 Ergänzen Sie die folgenden Tabellen.

Modalität: Möglichkeit (können)	
sich lassen + Infinitiv	Lassen sich Menschen durch Computer ersetzen?
Infinitiv + man + können	Kann man _____ ?
sein + Adjektiv auf -bar	Sind Menschen durch Computer _____ ?
sein + zu + Infinitiv	Sind _____ ?
Passiv + können	Können _____ ?
Aktiv + können	Können _____ ?

Modalität: Notwendigkeit (müssen)	
sein + zu + Infinitiv	Der Computer liefert Übersetzungen, die nochmals zu überarbeiten sind.
Passiv + müssen	Der Computer liefert Übersetzungen, die nochmals _____ .

Modalität: Möglichkeit (können)	
sein + zu + Infinitiv	Diese Fragen sind nicht leicht zu beantworten.
Passiv + können	Diese Fragen _____ .

Modalität: Notwendigkeit (müssen)	
sein + zu + Infinitiv	Weitere Forschungsergebnisse sind abzuwarten.
Passiv + müssen	Weitere Forschungsergebnisse _____ .

Modalität: Notwendigkeit (sollen)	
sollen + Passiv	Wenn literarische Texte übersetzt werden sollen, kann ein Computer einen menschlichen Dolmetscher noch immer nicht ersetzen.
man + Infinitiv + wollen	Wenn man literarische Texte _____ , kann ein Computer einen menschlichen Dolmetscher noch immer nicht ersetzen.

Modale unpersönliche Ausdrucksformen (Passivalternativen)

- Die modalen unpersönlichen Ausdrucksformen werden auch als Passiversatzformen bezeichnet.

Modalität: **Möglichkeit** (können)	
sich lassen + Infinitiv	Lassen sich die europäischen Sprachprobleme lösen?
man + können	Kann man die europäischen Sprachprobleme lösen?
sein + Adjektiv auf -bar	Sind die europäischen Sprachprobleme lösbar?
sein + zu + Infinitiv	Sind die europäischen Sprachprobleme zu lösen?
Passiv + können	Können die europäischen Sprachprobleme gelöst werden?
Aktiv + können	Können Computer die europäischen Sprachprobleme lösen?

- Die Modalität bei sein + zu + Infinitiv hängt vom Kontext ab. Es kann sich wie im Beispiel um eine Möglichkeit (können) oder um eine Notwendigkeit (müssen) handeln. ⇨ Übersicht Passivalternativen: Anhang 11

2 Lesen Sie den Text und formulieren Sie die angegebenen Teile um, indem Sie die in der rechten Spalte angegebenen sprachlichen Mittel verwenden.

Fälschen im Pixel-Zeitalter

Bei digitalen Bildern fällt das Fälschen besonders leicht. Es gibt viele Grafikprogramme, mit denen man Teile eines Bildes punktgenau austauschen kann, so dass Manipulationen kaum zu erkennen sind. Inzwischen werden sogar Kino-Filme wie „Toy-Story" oder „Final Fantasy" rein auf dem Computer erstellt – bei vielen Spezialeffekten ist das bereits seit den 80er Jahren der Fall. Um zu garantieren, dass digitale Bilder (Fotos oder bewegte Bilder) nicht verfälscht werden können, haben Forscher am Fraunhofer-Institut in Darmstadt ein Computer-Programm entwickelt. Mit Hilfe dieses Programms lassen sich digitalisierte Bilder kennzeichnen. Dazu baut der Computer ein unsichtbares Wasserzeichen in das Bild ein. Wird ein so geschütztes Bild nachträglich manipuliert, können die Änderungen sichtbar gemacht werden.

Quelle: Quarks & Co (www.quarks.de)

		sprachliche Mittel
Es gibt viele Grafikprogramme, mit denen man Teile eines Bildes austauschen kann, so dass Manipulationen kaum zu erkennen sind.	Es gibt viele Grafikprogramme, mit denen _____ , so dass _____ .	sich lassen + Infinitiv *man* + Modalverb
Um zu garantieren, dass digitale Bilder nicht verfälscht werden können, …	Um zu garantieren, dass digitale Bilder nicht _____ , …	sein + Adjektiv auf *-bar*
Mit Hilfe dieses Programms lassen sich digitalisierte Bilder kennzeichnen.	Mit Hilfe dieses Programms _____ .	Passiv + Modalverb
Dazu baut der Computer ein unsichtbares Wasserzeichen in das Bild ein.	Dazu _____ _____ .	Passiv
Wird ein so geschütztes Bild nachträglich manipuliert, können die Änderungen sichtbar gemacht werden.	Manipuliert _____ _____ .	*sich lassen* + Infinitiv

3.1 Lesen Sie die folgenden Hinweise zum Anfertigen wissenschaftlicher Arbeiten. Welche sprachlichen Mittel werden für allgemeine Handlungsanweisungen verwendet?

Wissenschaftliche Arbeiten anfertigen

Textteil
Der Textteil ist in Kapitel / Abschnitte / Unterabschnitte einzuteilen. Um die Über- und Unterordnung deutlich zu machen, soll nach dem Dezimalsystem gegliedert werden. Die Nummerierung der Kapitel beginnt mit der Einleitung und endet mit dem zusammenfassenden Kapitel. Die Seitennummerierung sollte mit der Einleitung beginnen.

Zusammenfassung und Ausblick
Das Schlusskapitel der Arbeit bildet die Zusammenfassung. Hier müssen die Fragestellungen oder Thesen der Einleitung wieder aufgenommen und die Ergebnisse der Arbeit knapp und prägnant formuliert sowie in einen größeren Zusammenhang eingeordnet werden. Es sollten Schlussfolgerungen gezogen und ein Ausblick auf mögliche Konsequenzen bzw. noch zu lösende Probleme gegeben werden. Hier ist auch der Platz für eigene Einschätzungen und Vorschläge für weitere wissenschaftliche Arbeiten.

Literaturverzeichnis
Im Literaturverzeichnis müssen alle für die Arbeit benutzten Quellen in bibliographischer Vollständigkeit wiedergegeben werden, wobei im Textteil auf jede dieser Quellen mindestens einmal verwiesen sein muss. Quellen, die nur über das WWW verfügbar waren, sind ebenfalls in das Literaturverzeichnis aufzunehmen. Falls diese im WWW gefundenen Quellen in einer Zeitschrift o. ä. veröffentlicht wurden, sollten diese Quellen (zumindest zusätzlich) angegeben werden.

3.2 Sind alle Vorgaben, die in diesem Text gemacht werden, in gleicher Weise verbindlich? Welche Vorgaben müssen die Studenten unbedingt berücksichtigen? Welche Vorgaben sind eher Empfehlungen? Woran erkennen Sie das sprachlich?

3.3 Ergänzen Sie Beispiele aus dem Text in der folgenden Tabelle.

verbindliche Vorgabe	Der Textteil ist in Kapitel / Abschnitte / Unterabschnitte einzuteilen.
	Im Schlusskapitel _____
	_____
	_____
	_____
	_____
	_____
sehr dringende Empfehlung	(Es) soll nach dem Dezimalsystem gegliedert werden.
Empfehlung	Die Seitennummerierung sollte _____
	_____
	_____
	_____

4 Formulieren Sie einen eigenen Text zu den folgenden Regeln des Zitierens. Verwenden Sie dazu die sprachlichen Mittel aus Aufgabe 3. Bringen Sie die Informationen in eine sinnvolle Reihenfolge.

Regeln des Zitierens

verbindliche Vorgabe	Wörtliche Zitate durch Anführungszeichen kennzeichnen
	Alle Zitate mit einer Quellenangabe einschließlich der Seitennummer belegen
	Bei wörtlichen Zitaten: Orthographie und Interpunktion genau wiedergeben, auch bei Schreibfehlern und veralteter Schreibweise
	Zitate, die in die eigene wissenschaftliche Arbeit übernommen wurden, kenntlich machen
	Bei Zitieren aus „zweiter Hand": Kennzeichnung durch den Zusatz „zitiert in", gefolgt von der Angabe der Sekundärquelle
	Auslassungen, Veränderungen und Eingriffe bei Zitaten in jedem Fall kennzeichnen
Empfehlung	Zitate sparsam verwenden
	kurze Zitate verwenden
	Verwendung von Zitaten aus Originaltext, nicht aus „zweiter Hand", Zitieren aus „zweiter Hand" nur in Ausnahmefällen
	geschickte Einbindung von Zitaten in die eigene Darstellung

5 Informieren Sie sich zu den Regeln der Kommasetzung im Deutschen. Machen Sie Notizen. Formulieren Sie dann einen Text und verwenden Sie modale unpersönliche Ausdrucksformen.

6.5 Unpersönliche Ausdrucksformen: nicht modale Verwendung

1.1 Lesen Sie den Auszug aus der Einleitung eines wissenschaftlichen Buches. Analysieren Sie, welche sprachlichen Mittel verwendet werden, um die Handelnde (hier die Autorin) nicht zu nennen. Welche Funktion hat dabei die Kapiteleinteilung?

Das erste Kapitel widmet sich dem Thema interkulturelle Verständigung in China und Taiwan [...] Sodann werden Möglichkeiten und Voraussetzungen der Definition „interkulturellen Lernens" diskutiert und problematisiert.
Im zweiten Kapitel erfolgt eine Auseinandersetzung mit dem Begriff „Alltagstheorie". [...] Es folgt die Bestimmung des hier verwendeten Begriffs von „Alltagstheorie" und eine Begründung der Untersuchungsmethode.
Das dritte Kapitel beschäftigt sich mit Forschungsarbeiten zum Thema „Gesicht". [...] Die Präsentation und Diskussion der Ergebnisse von einigen neueren Forschungsarbeiten dazu bilden den Abschluss des Kapitels.
Im vierten Kapitel werden die wichtigsten Ergebnisse der Untersuchungsgrundlagen rekapituliert und die Forschungsfrage der empirischen Untersuchung präzisiert.
Das fünfte Kapitel stellt die Durchführung der empirischen Untersuchung vor. Eine kurze Einführung in die Lebensbedingungen am Untersuchungsort Taiwan vermittelt wichtiges Hintergrundwissen, bevor der Untersuchungsablauf, die eingesetzte Methode und Auswertungsverfahren geschildert werden. [...]
Im sechsten Kapitel werden die Ergebnisse der Analyse dargestellt. [...]
In fallübergreifenden Analysen wird sodann der Frage nachgegangen, welche Bedeutung chinesische Sprachkenntnisse sowie verschiedene Lernstrategien für das Lernen über „Gesicht" besitzen. Ergebnisse dieser Analysen sind Gegenstand **des achten Kapitels**. ...
Im neunten Kapitel erfolgt die Diskussion der empirischen Befunde. Erkenntnisse und Beschränkungen der vorliegenden Arbeit werden kritisch betrachtet und mit den Ergebnissen früherer Forschung in Bezug gesetzt.

aus: Doris Weidemann: Interkulturelles Lernen. Erfahrungen mit dem chinesischen „Gesicht": Deutsche in Taiwan. 2004, Transcript, Bielefeld, S. 13-14 (adaptiert)

1.2 Formulieren Sie die markierten Textteile um.

a Das zweite Kapitel setzt sich mit dem _____ .
b Dann wird der hier verwendete _____ .
c Zum Abschluss werden _____ .
d Im fünften Kapitel wird _____ .
e Das sechste Kapitel stellt _____ .
f Im neunten Kapitel werden _____ .

Sprachliche Mittel zur „Eliminierung" des Autors

Um auszudrücken, was in den Kapiteln passiert, werden verschiedene sprachliche Mittel verwendet:

- Passiv: *Im vierten Kapitel werden die wichtigsten Ergebnisse zusammengefasst.*
- *erfolgen* + Nomen: *Im neunten Kapitel erfolgt die Diskussion der empirischen Befunde.*
- *folgen* + Nomen: *Es folgt die Bestimmung des hier verwendeten Begriffs „Alltagstheorie".*
- *ist Gegenstand* + Genitiv: *Ergebnisse dieser Analyse sind Gegenstand des achten Kapitels.*
- *bilden*: *Die Präsentation und Diskussion der Ergebnisse bilden den Abschluss des Kapitels.*
- Reflexivkonstruktionen: *Das dritte Kapitel beschäftigt sich mit Forschungsarbeiten zum Thema „Gesicht".*
- Weitere Verben, die für Handlungen des Autors / der Autorin stehen könnten:
  Das fünfte Kapitel stellt die Durchführung der empirischen Untersuchung vor.
- einen Überblick / Ausblick / ersten Eindruck / eine Zusammenfassung geben:
  Das sechste Kapitel gibt einen Ausblick auf zukünftige Forschungsfragen.
- Eine weitere Möglichkeit ist es, die Kapitel als „Handelnde" erscheinen zu lassen, sie gewissermaßen zu personifizieren. Statt *Ich beschäftige mich mit den Forschungsarbeiten ...* heißt es dann: *Das achte Kapitel beschäftigt sich mit den Forschungsarbeiten ...*

2 In der Einleitung eines Buches werden überwiegend Passivsätze verwendet.
Formulieren Sie die Einleitung um. Verwenden Sie dabei die sprachlichen Strukturen,
die Sie im Kapitel kennen gelernt haben. Nutzen Sie auch die Kapitelangaben.

> Kapitel 2: Zuerst werden die theoretischen Grundlagen der Motivation und der Anreize in der Arbeit dargestellt.
> In diesem Zusammenhang werden kulturelle Gestaltungsmöglichkeiten diskutiert.
> Kapitel 3: Danach werden arbeitsbezogene Werthaltungen der Chinesen theoretisch analysiert. Auf dieser Basis
> werden Fragestellungen für die empirische Untersuchung entwickelt.
> Kapitel 4: Eine empirische Untersuchung folgt.
> Kapitel 5: Anschließend werden die Ergebnisse präsentiert und zusammengefasst. Relevante Handlungsempfeh-
> lungen und Konsequenzen für die Anwendung und die Praxis werden herausgearbeitet.
> Kapitel 6: Als Abschluss folgt ein Ausblick auf zukünftige Forschungsfragen in diesem Bereich.
>
> aus: Xiao Juan Ma: Personalführung in China. Motivationsinstrumente und Anreize. 2007, Vandenhoeck & Ruprecht, Göttingen, S. 17; modifiziert

3 Vergleichen Sie die folgenden drei Formulierungen. Wie verändert sich die inhaltliche
Aussage durch die Verwendung der verschiedenen sprachlichen Mittel? Ordnen Sie die
passende Erklärung zu.

A Es gibt eine Zwangssituation. Ob es eine Person gibt, die diesen Zwang verursacht, bleibt unklar.
  Es können auch die Umstände sein.
B Es gibt jemanden, der Zwang ausübt, es bleibt unklar, wer dieser Handelnde ist.
C Der Zwang wird aus der persönlichen Perspektive von Marthaler dargestellt, er nimmt einen
  Zwang wahr.

> Marthaler sieht sich gezwungen, mit der Journalistin Anna Buchwald
> zusammenzuarbeiten, die im Besitz der Akte Rosenherz ist. ____

> Marthaler ist gezwungen, mit der Journalistin Anna Buchwald zusammenzuarbeiten,
> die im Besitz der Akte Rosenherz ist. ____

> Marthaler wird gezwungen, mit der Journalistin Anna Buchwald zusammenzuarbeiten,
> die im Besitz der Akte Rosenherz ist. ____

4.1 Was könnten Gründe dafür sein, dass sich jemand benachteiligt oder überfordert fühlt?
Wählen Sie ein Thema aus und schreiben Sie einen Text. Die angegebenen sprachlichen
Mittel helfen Ihnen.

> Warum fühlen sich Geschwister manchmal ungerecht behandelt?

> Warum kann sich ein Arbeitnehmer in seinem Job überfordert fühlen?

> Was können mögliche Gründe sein, dass man sich ausgenutzt fühlt?

Partizip II		
	falsch verstanden	
	ungerecht / unfair behandelt	
	bedroht / benachteiligt	
	ausgenutzt / betrogen	
sich	erpresst / diskriminiert	fühlen
	im Stich gelassen	
	übergangen	
	isoliert	

Partizip II		
	gezwungen	
	bestätigt	
sich	beeinträchtigt	sehen
	um seinen Lohn / Erfolg gebracht	
	Kritik ausgesetzt	

4.2 Was motiviert Mitarbeiter zu guten Arbeitsleistungen? Diskutieren Sie über mögliche
Anreize am Arbeitsplatz.

6.6 Passiv mit *bekommen*

1.1 Lesen Sie die zwei kurzen Texte. Achten Sie auf die Verwendung des Verbs bekommen.

> ER: Der Valentinstag ist doch eine Erfindung der Blumen- und Süßwarenhändler!
> SIE: Ich finde, der Tag der Verliebten ist eine schöne Idee. Anna hat von Peter Blumen geschenkt bekommen.

> Hallo,
> habe den TOEFL-Test gemacht und mein Ergebnis kann ich auch schon online einsehen. Bekomme ich das Ergebnis automatisch per Post zugeschickt? Oder muss ich das extra für 17 Euro bestellen?
> Hat jemand Erfahrung damit?
> LG
> Tim

1.2 Die Verben *bekommen* und *erhalten* treten als Vollverben, aber auch in komplexeren Konstruktionen auf, die mit der einfachen Verwendung der Verben in enger Verbindung stehen. Ergänzen Sie in der Tabelle die Sätze aus 1.1.

bekommen + Akkusativ	*bekommen* + Akkusativ + Partizip II
Er bekam ein Paket.	Er bekam ein Paket zugeschickt.
Anna hat von Peter Blumen bekommen.	Anne _____.
Bekomme ich das Ergebnis automatisch per Post?	_____?

Passiv mit *bekommen*

- Das *bekommen*-Passiv ist prinzipiell bei allen Verben möglich, deren Bedeutungsstruktur dem Verb *schenken* ähnelt.

  Peter schenkt Anna Blumen.
  Geber Empfänger Gegebenes.

- Bei der Konstruktion mit *bekommen* steht der Empfänger in Subjektposition im Nominativ, bei der Passivbildung mit *werden* (+ *geschenkt*) dagegen im Dativ:
  bekommen-Passiv: *Sie bekommt von Peter Blumen geschenkt.*
  werden-Passiv: *Ihr werden von Peter Blumen geschenkt.*

- Anstelle von *bekommen* können auch *erhalten* (gehoben) und *kriegen* (umgangssprachlich) verwendet werden.

- Besonders häufig tritt die Struktur bei folgenden Verben auf:

aushändigen	In Deutschland kann man bereits mit 17 Jahren einen PKW-Führerschein machen. Den Führerschein *bekommt* man am 18. Geburtstag *ausgehändigt*.
leihen	Für den Kauf eines Hauses *bekommt* man von der Bank Geld *geliehen*.
erstatten	Der Versicherte *bekommt* die Krankenhauskosten *erstattet*.
	Der Versicherte *erhält* die Krankenhauskosten *erstattet*.
	Der Versicherte *kriegt* die Krankenhauskosten *erstattet*.
schenken	Was hast du zu Weihnachten *geschenkt bekommen*?
(zu)schicken	Man *bekommt* das Zeugnis direkt *zugeschickt*.
(zu)senden	Er *bekam* ausführliches Informationsmaterial *zugesandt*.
(über)reichen	Wann *bekommt* Borussia Dortmund die Meisterschale *überreicht*?
verschreiben	Er *bekommt* das Medikament regelmäßig *verschrieben*.
zurückzahlen	Zu viel gezahlte Steuern *bekommt* man *zurückgezahlt*.

.7 Funktionsverbgefüge in passivischer Bedeutung

⇨ 4.5.2: Funktionsverbgefüge

1.1 Lesen Sie den Text. Unterstreichen Sie die Funktionsverbgefüge in passivischer Bedeutung.

Echt künstlich

In seinem neuesten Buch „Echt künstlich" dokumentiert Hans-Ulrich Grimm eindringlich, wie Verbraucher und besonders Kinder durch den sorglosen Umgang mit Zusatzstoffen und das Wegschauen der Politik gefährdet werden. Ein Beispiel ist Zitronensäure (E330). Sie wird immer dann eingesetzt, wenn etwas frisch und fruchtig schmecken soll. Zitronensäure greift die Zähne stark an und fördert die Aufnahme von Metallen wie Blei und Cadmium ins Blut. Die aggressive Säure kommt auch als Entkalker für Kaffeemaschinen oder als WC-Reiniger zum Einsatz. Dann sind allerdings Warnhinweise vorgeschrieben. Der politische Skandal ist, dass bis heute nicht untersucht worden ist, wie viel Zitronensäure beispielsweise Kinder tatsächlich zu sich nehmen. Es wird einfach nicht erfasst, wie viel Gummibärchen und Softdrinks die Kleinen verzehren.

In der Europäischen Union (EU) sind über 300 Zusatzstoffe zugelassen. Ein großer Teil von ihnen steht im Verdacht, die Gesundheit zu schädigen. Im umfangreichen Lexikon-Teil von Grimms Buch werden alle zugelassenen Substanzen kurz dargestellt und bewertet. Handlich und verständlich.

Quelle: www.foodwatch.de

1.2 Ergänzen Sie die folgende Tabelle.

Passiv	Funktionsverbgefüge
Zitronensäure wird als Entkalker für Kaffeemaschinen oder als WC-Reiniger eingesetzt.	Zitronensäure kommt _____ .
Zitronensäure wird immer dann eingesetzt, wenn etwas frisch und fruchtig schmecken soll.	Zitronensäure _____ .
Durch _____ .	Der sorglose Umgang mit Zusatzstoffen bringt Verbraucher und besonders Kinder in Gefahr.
Ein großer Teil der Zusatzstoffe wird verdächtigt, die Gesundheit zu schädigen.	Ein großer Teil _____ .
Im umfangreichen Lexikon-Teil werden alle zugelassenen Substanzen kurz dargestellt und bewertet.	Im umfangreichen Lexikon-Teil erfolgt _____ .

Funktionsverbgefüge in passivischer Bedeutung

* Einige Funktionsverbgefüge haben passivische Bedeutung. Eine Übersicht mit Funktionsverbgefügen in passivischer Bedeutung finden Sie in Anhang 12.

2 Ergänzen Sie die inhaltlich passenden Funktionsverbgefüge in der richtigen Form.

Anwendung finden • Kontrolle unterliegen • im Verdacht stehen • zu Störungen kommen • Unterstützung finden

a Am Samstag hatten viele Zeitungsabonnenten Grund zum Ärger. In der Nacht _____ es in der Produktion ____ technischen _____, so dass die Zeitung die Leser verspätet erreichte.

b Der Ausdruck „verboten" _____ in der Jugendsprache _____, wenn die noch nicht volljährigen Sprecher ihrer Begeisterung Ausdruck verleihen wollen.

c Die Geldkarte, die mit Bargeld aufgeladen wird, _____ beim Handel keine _____.

d Gentechnisch veränderte Lebensmittel _____ genauer Registrierung und _____.

e Die Firma _____, ihren Arbeitnehmern nicht den vorgeschriebenen Mindestlohn zu zahlen.

3 Schreiben Sie den folgenden Text anhand der Stichworte weiter. Verwenden Sie verschiedene sprachliche Mittel aus Kapitel 6.

Kunststoff aus dem Hühnerstall

Die fossilen Ressourcen werden immer knapper. Aber gerade diese Rohstoffe sind die Quelle für viele chemische Produkte. Seit Jahren suchen Wissenschaftler nach Alternativen. ...

– Rapsöl: Verwendung als Biokraftstoff
– aus Holz: Gewinnung von Erdgas
– allerdings: Kritik dieser alternativen Energiegewinnung
– denn: mit Rapspflanzen bedecktes Feld → keine Nutzung für Anbau von Nahrungsmitteln möglich
– Wissenschaftler forschen auf dem Gebiet der Nebenprodukte von Hühnerfarmen
– Hühnerfleisch und Hühnereier: in großen Mengen gebraucht
– Federn dagegen: Nutzung nur in Bettdecken und Kopfkissen möglich, Großteil der Federn: keine Verwendung

7 Modalität

7.1 Notwendigkeiten, Möglichkeiten, Pläne

7.1.1 Modalverben zum Ausdruck von Bedingungen des Handelns

1.1 Lesen Sie die Hausordnung und achten Sie auf die markierten Modalverben. Ordnen Sie die Modalverben der passenden Bedeutung zu.

MIETVERTRAG   Mietvertragsnummer: 10 6655-0550-01

Teil I

Hausordnung (Stand: 2011)

Unsere Mieter sind unsere Vertragspartner. Wir wollen$_1$, dass Sie sich in Ihrer Wohnung wohl fühlen; das hängt auch von den Nachbarn ab. Jeder soll$_2$ Haus- und Gartenanlagen pfleglich nutzen und sich rücksichtsvoll verhalten. So können Ärger und Streit vermieden werden. Wir möchten$_3$ ein reibungsloses und friedliches Zusammenleben. Wir bitten Sie daher, diese Hausordnung zu beachten.

| 1. | Schutz vor Lärm |

Gegen Lärm sind alle Menschen besonders empfindlich; dies ist der häufigste Grund für Streitigkeiten mit den Nachbarn. Vermeiden Sie ruhestörende Geräusche besonders in der Zeit von 13.00 bis 15.00 Uhr und von 20.00 bis 7.00 Uhr sowie an Sonn- und Feiertagen. „Die Verordnung zur Bekämpfung des Lärms" muss$_4$ in ihrer jeweils geltenden Fassung eingehalten werden.

Sind bei Arbeiten belästigende Geräusche unvermeidbar, so können$_5$ diese werktags in der Zeit von 8.00 bis 13.00 Uhr und von 15.00 bis 19.00 Uhr durchgeführt werden.

Der Rasen darf$_6$ werktags in der Zeit von 8.00 Uhr bis 13.00 Uhr und von 15.00 Uhr bis 19.00 Uhr gemäht werden.

Hausmusik und die Benutzung von Tonwiedergabegeräten und Musikinstrumenten dürfen nicht$_7$ zur Störung der übrigen Hausbewohner führen.

| 2. | Abfälle / Müllplätze |

Kleine Kisten und Kartons müssen$_8$ vor dem Einwerfen zerkleinert, Plastiktüten entleert werden.

[…]

Die Hausverwaltung ...	Modalverb
äußert einen Wunsch.	wollen$_1$
äußert einen höflichen Wunsch.	_____
äußert, dass etwas möglich ist.	_____
äußert eine Erlaubnis.	_____
drückt aus, dass etwas notwendig ist. (2x)	müssen$_4$, _____
fordert Sie auf, etwas zu machen.	_____
äußert ein Verbot.	_____

1.2 Ergänzen Sie die Regel.

Verb im Infinitiv • Infinitiv • Kontext • Ende

Modalverben zum Ausdruck von Bedingungen des Handelns

• Modalverben modifizieren sehr oft ein _____. Im Hauptsatz steht dieses dann am _____. Wenn die Bedeutung aus dem _____ hergeleitet werden kann, kann der _____ weggelassen werden.

⇨ Modalverben zum Ausdruck von Wahrscheinlichkeit: 7.2.1

2 Lesen Sie die Horoskope und ergänzen Sie die Modalverben aus den Schüttelkästen.
Manchmal gibt es mehrere Möglichkeiten.

> können (2x) • dürfen • sollen

Steinbock 22.12. – 20.01. Positives Denken ist eine starke Kraft. Unter Pluto
_____ Sie Berge versetzen, wenn Sie an sich glauben. Sie _____
sich dem Außergewöhnlichen öffnen und mit den Energien gehen. Falls sich
dann doch die vorsichtige Steinbock-Frau in Ihnen zu Wort meldet, _____
Sie keine Sekunde zweifeln. Ihre Strategie, alles konzentriert zu erarbeiten,
_____ Sie ja trotzdem fortsetzen.

> möchten • können • wollen • müssen

Wassermann 21.01. – 19.02. Sie _____ Kompromisse bilden, doch diese
sind nicht automatisch weise – sagt Ihnen Ihr Instinkt. Unter spannungsreicher
Planeten-Konstellation _____ Sie aber Abstriche machen. Nur dagegen-
zuhalten, auch mit ganz wunderbaren Absichten, _____ zu verhärteten
Fronten führen. Fragen Sie sich also vor jedem wichtigen Gespräch, was Sie um
keinen Preis aufgeben _____ und was eine Auseinandersetzung mit
anderen eigentlich nicht wert ist.

> müssen • dürfen • können (2x)

Fische 20.02. – 20.03. Die Planeten zeigen Ihnen bald einen neuen Kosmos
in Liebe und Beziehung – um den erkennen und schätzen zu _____,
_____ die Weichen richtig gestellt werden. Wenn Sie sich also gebremst
fühlen, betrachten Sie das als verordnete Pause, um Ihren Weg überdenken
zu _____. Sie _____ zuversichtlich in die Zukunft blicken.

Stellung der Modalverben

• Stehen zwei Infinitive am Satzende, steht das Modal- bzw. Hilfsverb der beiden Infinitive auf der letzten Position.

3 Ergänzen Sie das Gespräch mit den Modalverben in der richtigen Form.

> nicht dürfen • nicht können • nicht mögen • nicht wollen (2x)

TEENAGER: Mann, warum denn nicht? Warum _____ ich _____ zum Festival?
MUTTER: Du bist 15 und deine Oma feiert Geburtstag.
TEENAGER: Mann, ich will, ich will da hin!
BRUDER: Sie ist 15! Weißt du, was die da machen?
TEENAGER: Max, misch dich da nicht ein. Bitte, Papa! Bitte!
MUTTER: Warum _____ du _____ stattdessen zu Omas Geburtstag?
TEENAGER: Es ist nicht so, dass ich _____ _____. Ich möchte ja gerne mitkommen, aber auf dem Festival spielt die Band „Wir sind Helden". Die möchte ich unbedingt sehen!
VATER: Ich _____ dich leider _____ ohne die Erlaubnis deiner Mutter fahren lassen.
MUTTER: Das ist ja mal wieder typisch, dass du jetzt nicht entscheiden willst.
TEENAGER: Papa, du musst nur wollen.
VATER: Ok, dann entscheide jetzt ich: Du darfst fahren, aber nur unter einer Bedingung, dass Max mitfährt!
TEENAGER: Na toll! Dann _____ ich jetzt auch _____ mehr fahren!

Unterscheidung von *wollen, möchten* und *mögen*

• *Wollen* wird verwendet um einen starken Wunsch oder Willen auszudrücken.
• *Möchten* drückt einen vorsichtigeren Wunsch aus (und ist weniger direkt): *Ich möchte einen Kaffee trinken.*
• *(nicht) mögen* + Nomen wird verwendet, wenn man etwas (nicht) gern hat oder macht: *Ich mag Kaffee.*
• *Möchten* hat keine Präteritumsform. Hier verwendet man das Präteritum von *wollen.*

⇨ Modalverben im Präteritum:
Anhang 13

 Das hört man auch:

Ich mag jetzt mein Zimmer nicht aufräumen. Ich mag jetzt nicht spielen.
Vor allem im südlichen deutschsprachigen Raum wird *mögen* wie *wollen* verwendet. *Möchten* war ursprünglich
eine Konjunktivform von *mögen*, inzwischen ist es aber zu einem Verb mit eigener Bedeutung geworden.

4 Lesen Sie den Gesetzesauszug und ersetzen Sie die markierten Satzteile, indem Sie Modalverben mit ähnlicher Bedeutung verwenden.

Massnahmen* bezüglich „gefährliche Hunde" im geltenden Recht

Auszug aus dem Kanton Freiburg (Schweiz), 21.10.2010

Das am 1. Juli 2007 in Kraft getretene Gesetz über die Hundehaltung verbietet das Halten und Züchten von American Pitbull Terriern. Halterinnen und Halter, die bereits vor Juli 2007 einen solchen Hund gehalten haben, ist gestattet ihr Tier zu behalten, sofern sie dieses melden, kastrieren oder sterilisieren, mit einem Mikrochip versehen und an der Leine führen.

Der Staatsrat hat eine Liste mit bewilligungspflichtigen Hunderassen erlassen. Wenn man den Kanton Freiburg mit einem Listenhund besucht, hat dieser einen Maulkorb zu tragen und ist an der Leine zu führen.

Halterinnen und Halter eines Hundes aus der Kreuzung mit Hunden der Rassenliste haben ihren Hund innert** drei Monaten dem Veterinäramt zu melden. Dieses führt die nötigen Untersuchungen durch und entscheidet innerhalb von sechs Monaten, ob eine Haltebewilligung erteilt werden kann bzw. welche Massnahmen zu ergreifen sind.

* Im Schweizerischen wird anstelle des ß die Schreibweise mit ss verwendet.
** *innert* ist Schweizerisch und bedeutet *binnen, in, innerhalb*

a dürfen ihr Tier behalten
b _____   d _____
c _____   e _____

5 Ergänzen Sie das Gespräch mit *nicht müssen* bzw. *nicht brauchen* und *nicht sollen* bzw. *nicht dürfen*. Es gibt mehrere Möglichkeiten.

Probleme beim Angeln

SOHN: Was sagst du? Ich hätte den Köder gar _____ an den Haken hängen _____? Warum nicht? Wie beißen denn dann die Fische an?

VATER: Ich hab's dir doch schon erklärt, hier wimmelt es nur so von Fischen, die beißen auch ohne Köder an. Da hättest Du den Köder _____ verschwenden _____.

Besonderheiten in der gesprochenen und geschriebenen Sprache

• Besonders in der gesprochenen Sprache wird das *zu* vor dem Infinitiv oft weggelassen und wird wie ein verneintes *müssen* verwendet:
Du brauchst nicht kommen. = Du musst nicht kommen.
• In der geschriebenen Sprache wird *zu* vor dem Infinitiv meistens noch gesetzt:
Du brauchst nicht zu kommen. Du brauchst erst morgen anzufangen.

6 Ersetzen Sie die markierten Satzteile, indem Sie Modalverben mit ähnlicher Bedeutung verwenden.

VATER: Nun brauchst du den Wattwurm auch nicht mehr an den Haken zu hängen.
SOHN: Warum nicht?
VATER: Weil wir für heute genug gefangen haben. Wir gehen lieber schon nach Hause, weil wir morgen noch einiges zu erledigen haben. Morgen früh laufen die Krabbenkutter ein, da können wir denen frische Krabben abkaufen, die wir dann als Köder für Plattfische nehmen können. Du musst wissen: Das Angeln von Plattfischen erfordert Techniken, die von jedem guten Angler zu beherrschen sind.

sein / haben / nicht brauchen + zu + Infinitiv

• Wenn Verben mit *sein / haben / nicht brauchen* + *zu* + Infinitiv verwendet werden, haben sie eine ähnliche Bedeutung wie Modalverben.

1.2 Modifizierende Verben (Verben mit Infinitiv)

1.1 Lesen Sie den Zeitschriftenartikel und unterstreichen Sie die Verben mit Infinitiven.

Was mache ich, wenn der Hund an der Leine zerrt?

Wenn Sie spazieren gehen und der Hund dabei ständig an der Leine zerrt, ist das unangenehm. Es gibt dazu zwei Strategien, die Ihnen den Hund erziehen helfen: Bei der ersten Methode bleiben Sie jedes Mal stehen, wenn der Hund an der Leine zerrt und warten, bis er sich Ihnen zuwendet und Sie neben sich stehen sieht. Am Anfang werden Sie alle paar Schritte stehen bleiben müssen. Bei der zweiten Methode wechseln Sie jedes Mal die Richtung, wenn der Hund an der Leine zerrt. Auch wenn der Hund nach zwei Monaten mal wieder zerrt, bleiben Sie stehen oder wechseln Sie die Richtung. Lassen Sie den Hund dagegen zerren, ist die Unart schnell wieder da und er wird nicht reagieren, auch wenn er Sie rufen hört.

> **✔ Das lernen Sie:**
> – Verwendung von Verben mit Infinitiven und besondere Verwendung von *lassen*
> – modalverbähnliche Verben in offizieller und gesprochener Sprache

---

Verben mit Infinitiv

- Die Verben *helfen, hören, lassen, sehen* und *fühlen* werden mit dem Infinitiv ohne *zu* gebildet und werden mit einem Vollverb wie Modalverben verwendet: Das sind Maßnahmen, die den Hund erziehen helfen.
- Einige Verben (*bleiben, gehen, stehen* und *lernen*) werden so nur im Indikativ Präsens und Präteritum verwendet: Der Hund blieb stehen.
- Im Plusquamperfekt und Perfekt verwendet man die übliche Stellung: Er ist stehen geblieben.

⇨ Verben mit Infinitiven mit *zu*:
Anhang 14

1.2 Ergänzen Sie die Tabelle.

	Präsens	Präteritum	Perfekt: *haben* + Infinitiv + Infinitiv
hören	Er hört Sie rufen.	_____	Er hat Sie rufen hören.
lassen	Sie lässt den Hund zerren.	Sie ließ den Hund zerren.	_____
	Präsens	**Präteritum**	**Perfekt:** *sein* / (*haben*) + Partizip II
bleiben	_____	_____	Er ist stehen geblieben.
gehen	Sie geht spazieren.	_____	_____

2 Hören Sie das Gespräch und ordnen Sie die Sätzen mit *lassen* den passenden Funktion zu.

⊚ 26

ARZT: Die Sterilisation der Katze ist ohne Probleme verlaufen. Sie können sie jetzt mit nach Hause nehmen.
KATZENBESITZERIN: Sollen wir Ihren Katzenkorb der Schwester geben?
ARZT: Ja, lassen Sie den Korb hier und legen Sie die Katze ruhig in Ihren Katzenkäfig.
KATZENBESITZERIN: Wann darf sie dann wieder raus in den Garten?

ARZT: Nachdem sie etwas gefressen hat, können Sie sie ruhig wieder frei im Garten laufen lassen.
KATZENBESITZERIN: Soll ich die Medikamente dann nicht mehr ins Futter geben?
ARZT: Doch, lassen Sie die Medikamentendosierung beim Alten. Haben Sie sonst noch Fragen?
KATZENBESITZERIN: Nein, vielen Dank.
ARZT: Gern geschehen. Das Medikament lassen Sie sich von der Schwester geben. Auf Wiedersehen.

Funktion von *lassen*

Erlaubnis aussprechen	_____
Auftrag erteilen	_____
etwas zurücklassen	_____

lassen wird auch als Vollverb verwendet: Lassen Sie die Medikamentendosierung beim Alten.

7.1.3 Imperativ: Empfehlung, Ratschlag, Instruktion

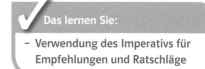
1.1 Lesen Sie den Ratgeberartikel und unterstreichen Sie die Imperative.

<u>Gönne</u> deinem Körper regelmäßig eine Portion Entspannung

Wahrscheinlich hast du auch schon erlebt, dass du dann, wenn du ärgerlich, ängstlich oder eifersüchtig bist, gleichzeitig auch angespannt bist. Das ganze System funktioniert aber auch umgekehrt und du kannst es dir zunutze machen, um dein Wohlbefinden und deine innere Zufriedenheit zu steigern. Erinnere dich nur daran, wie wohlig du dich fühlst, wenn du mal ganz entspannt und locker bist.
Bring dich regelmäßig wieder in einen Entspannungszustand zurück. Ich möchte eine Methode vorschlagen, die ohne allzu lange Übung und Zeitaufwand

funktioniert. Man bezeichnet diese Entspannungsübung auch als Ampelübung: Stell dir vor, du musst bei Rot an einer Ampel halten und willst schnell etwas Gutes für dich tun, anstatt dich über das Rotlicht zu ärgern. Dann spann hierzu einmal kurz für ca. 15 Sekunden alle Muskeln deines Körpers vom Nacken bis zu den Füßen an – allerdings nur so weit, dass du dich nicht verkrampfst. Zähle von 1 bis 15. Danach lass die Anspannung wieder los und versuche, alle Muskeln locker zu lassen. Andere großartige Entspannungsmethoden können Folgende sein: Nimm ein warmes Bad! Mache einen Spaziergang! Trink eine Tasse Schokolade! Hör schöne Musik oder lies ein gutes Buch! Wichtig ist nur: Nimm dir Zeit dafür, denn ein entspannter Körper tut sich einfach leichter, Freude zu empfinden. Sei achtsam auf die Signale, die dir dein Körper sendet.

Der Imperativ

• Der Imperativ dient dazu, Empfehlungen, Ratschläge oder Instruktionen auszudrücken. Das Ausrufezeichen verleiht dem Ratschlag einen besonderen Nachdruck.

1.2 Ergänzen Sie die Übersicht.

> Ende • Konsonant • Umlaut • Imperativ

Du-Form des Imperativs: Bildung

Nimm die 2. Person Singular und streiche die Endung und das Personalpronomen:	Du nimmst ein warmes Bad. → ~~Du~~ Nimm~~st~~ ein warmes Bad!
Imperative unregelmäßiger Verben werden ohne _____ gebildet:	Du lässt die Anspannung los. → ~~Du~~ Läss~~t~~ die Anspannung los!
Ist der Stammlaut ein _____ , behält der _____ das -e:	Du antwortest mir. → ~~Du~~ Antworte~~st~~ mir!
Verben auf -ern und -eln haben ein -e im Imperativ:	erinnern → Erinnere dich! klingeln → Klingle bitte nur ein Mal! ändern → Ändere nichts an dir!

• In der gesprochenen Sprache wird das -e am _____ des Imperativs häufig weggelassen: *Erinner dich doch mal!*

1.3 Schreiben Sie die Sätze mit Imperativen jeweils in die *Sie*- und *Ihr*-Form um. Beachten Sie dabei Folgendes:

• Die *Sie*-Form wird wie die 3. Person Plural gebildet. Eine Ausnahme bildet *sein*.
• Das Personalpronomen steht nach dem Verb:
  Gönnen Sie ihrem Körper regelmäßig eine Portion Entspannung.

• Die *Ihr*-Form wird wie die 2. Person Plural gebildet. Das Personalpronomen fällt weg:
  Gönnt Euerm Körper regelmäßig eine Portion Entspannung.

2.1 Hören Sie das Gespräch und bestimmen Sie die unterschiedlichen Funktionen der
Aufforderungen, Bitten und Empfehlungen.

⊚ 27

a KATHARINA: Könntest du bitte mal die Musik leiser stellen? Ich möchte gerne lesen.
  SEBASTIAN: Wie bitte?
b KATHARINA: Es wäre schön, wenn du die Musik leiser machen könntest.
  SEBASTIAN: Aber sie ist doch gar nicht laut.
c KATHARINA: Warum machst du sie nicht einfach ein bisschen leiser und liest auch ein Buch?
  SEBASTIAN: Was hast du denn? Sie ist doch schon so leise.
d KATHARINA: Das nennst du leise? Also ehrlich, das ist alles andere als leise, und ich kann mich überhaupt nicht
             konzentrieren. Stell sie jetzt endlich leiser oder mach sie ganz aus!
e SEBASTIAN: Okay okay, ist ja schon gut, wenn's dich wirklich so stört. Aber dann hör auch auf hier ständig
             rumzumeckern. Und lass mich bitte jetzt in Ruhe Musik hören!

Bitte: _a_   Rat / Empfehlung: ____   Aufforderung: ___, ___, ___

Imperativ und Alternativen

* In einem Konflikt, Streit oder bei Anordnungen kann der Imperativ sehr direkt und verletzend
  wirken: *Stell die Musik jetzt endlich leiser oder mach sie ganz aus!*
* Deshalb wird der Imperativ meist durch Modalpartikeln und / oder *bitte* abgemildert:
  Und lass mich bitte jetzt in Ruhe Musik hören!
* Zur Abmilderung fügt man zudem häufig eine Begründung hinzu:
  Könntest du bitte mal die Musik leiser stellen, ich möchte gerne lesen.
* Außerdem verwendet man oft den Konjunktiv:
  Es wäre schön, wenn du die Musik leiser machen könntest.
* Konditionalsätze oder Fragen wirken auch freundlicher:
  Es wäre schön, wenn du die Musik leiser machen könntest.
  Warum machst du die Musik nicht einfach ein bisschen leiser?   ⇨ Konjunktiv II: 7.3
* Auch die Betonung ist entscheidend, um einen Imperativ höflicher auszudrücken.   ⇨ Modalpartikeln: 7.2.3

2.2 Am Frühstückstisch – Formulieren Sie die Bitten jeweils höflicher um.

a Reich mir bitte den Zucker! Konjunktiv: **Könntest du mir bitte den Zucker reichen?**
b Gib mir bitte den Kaffee! Modalverb: **Kann** _____.
c Gib mir bitte die Butter! Modalverb: _____?
d Nimm besser Wurst statt Käse! Frage: **Warum** _____?
e Räum den Tisch ab! Konjunktiv + Konditionalsatz: _____.   ⇨ Höflichkeitsform: 7.3

2.3 Beschreiben Sie einer Freundin die Backanleitung am Telefon. Verwenden
Sie temporale Konnektoren und statt der Infinitive die *Du*-Form.

Apfel-Zimtküchlein

4 Eigelb, 3 Eiweiß

200 g Quark

1 TL gemahlener Zimt, 1 Prise Salz

2-3 Äpfel

Öl und Butter zum Backen

80 g Zucker

Abrieb von je einer unbehandelten Zitrone
und Orange

50 ml Mehl

Außerdem: Zimt-Zucker zum Betreuen

Das Eigelb mit dem Zucker schaumig rühren. Den Quark mit
Zitrusschale und Zimt unterrühren. Das Eiweiß mit 1 Prise Salz
cremig schlagen. Mit Milch und Mehl unter die Eigelb-Quark-
Masse ziehen. Die Äpfel nach Belieben schälen. Das
Kerngehäuse ausstechen. Äpfel in etwa 5 mm dicke Scheiben
schneiden. In einer Pfanne etwas Öl erhitzen. Einige
Apfelscheiben einlegen. Auf die Mitte jeder Scheibe 1 bis 2
Esslöffel Teig geben. Wenn die Küchlein von der Unterseite
goldbraun sind, vorsichtig wenden und nach Belieben einen
Stich Butter zugeben. Mit Zimt-Zucker bestreut auf ein
Backblech legen. Im vorgeheizten Backofen bei 180° Celsius
5 Minuten backen.

⇨ temporale Konnektoren: 2.3.2

Als erstes rührst du das Eigelb mit dem Zucker schaumig. Dann …

7.2 Sicherheit und Unsicherheit äußern

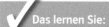
7.2.1 Modalverben zum Ausdruck von Wahrscheinlichkeit (subjektiver Gebrauch)

1.1 Lesen Sie das Interview und unterstreichen Sie die Modalverben.

„Reiche Kommunen würden vom Ende des Infrastruktur-Fonds nicht profitieren"

Kommunalpolitiker aus industriegeprägten Bundesländern fordern ein Ende des Fonds. Das würde den Gemeinden aber nichts bringen, sagt Bürgermeister Markus Starke im Interview.

Herr Starke, in Nordrhein-Westfalen haben die Bürgermeister mehrerer Ruhrgebietsstädte Alarm geschlagen. Ihre Städte könnten weiter verkommen, während man in anderen Bundesländern teilweise nicht mehr wisse, wohin mit dem Geld aus dem Infrastruktur-Fond. Was sagen Sie dazu?
Starke: Erst mal ist die Ausgangslage eine andere. Die genannten industriestarken Kommunen dürften in den derzeit laufenden Infrastruktur-Fond II keinen Cent ein-

zahlen. Dieser müsste nämlich ausschließlich aus Bundesmitteln finanziert sein. Daraus folgt: Ein vorzeitiges Ende des Fonds dürfte diesen Kommunen gar nichts bringen, denn sie stehen mit ihren Zahlungen für Dinge gerade, die schon längst erledigt sind. Die gemachten Schulden müssten sie trotzdem weiter abbezahlen.
Aber es könnte den notleidenden Kommunen in den industriellgeprägten Bundes-

ländern helfen, wenn der Fond nicht mehr ausschließlich ländlich geprägten Bundesländern zugute käme, sondern eben auch strukturschwachen Industriegegenden.
Starke: Wenn wir anders fördern würden, dann könnten die betreffenden Länder mehr erhalten als bisher. Aus dem einfachen Grund, dass das stärkste Agrarland immer noch strukturschwächer ist als das schwächste Industrieland.

1.2 Lesen Sie noch einmal das Interview und ordnen Sie den einzelnen Wahrscheinlichkeiten die Modalverben zu.

Modalverben zum Ausdruck von Wahrscheinlichkeit

Wahrscheinlichkeit	Modalverben	andere sprachliche Mittel
sehr sicher	muss	Mit Sicherheit …,
fast sicher	_____	_____
wahrscheinlich	_____	_____
möglich	_____	_____

- Mit Modalverben kann man einen bestimmten Grad an Wahrscheinlichkeit ausdrücken:
  Die industriestarken Kommunen dürften in den derzeit laufenden Infrastruktur-Fond II keinen Cent einzahlen.
  → Man vermutet, dass die industriestarken Kommunen keinen Cent in den Infrastruktur-Fond II einzahlen.
- Der Grad der Wahrscheinlichkeit kann auch mit anderen sprachlichen Mitteln ausgedrückt werden, z. B. mit Modalwörtern wie *vielleicht, vermutlich, bestimmt.*   ⇨ 7.2.2 Modalwörter

1.3 Ergänzen Sie andere Möglichkeiten, um den Grad der Wahrscheinlichkeit auszudrücken. Ergänzen Sie dann die Tabelle in Aufgabe 1.2.

> ~~möglicherweise~~ • es ist denkbar, … • Es ist so gut wie sicher, … • vermutlich • vielleicht

a Ihre Städte könnten weiter verkommen.
  Ihre Städte werden möglicherweise weiter verkommen.
b Es könnte den Kommunen helfen, wenn der Fond nicht mehr nur ländlich geprägten Bundesländern zugute käme.
  Wenn der Fond nicht mehr nur ländlich geprägten Bundesländern zugute kommt, _____
c Eine Umstrukturierung des Fonds müsste den Kommunen helfen.

_____

d Wenn wir anders fördern würden, könnten die betreffenden Länder mehr erhalten als bisher.

_____

e Ein vorzeitiges Ende des Fonds dürfte den Kommunen gar nichts bringen.

_____

.2 Modalwörter

Das lernen Sie:

– Verwendung von wertenden Adverbien sowie Adverbien, die einen Wahrscheinlichkeitsgrad ausdrücken

1.1 Lesen Sie den Artikel und achten Sie auf die markierten Wörter, die eine Kommentarfunktion haben oder eine Wahrscheinlichkeit bzw. Vermutung ausdrücken.

Es klang so einfach: Wir ziehen zusammen.

Das erste Mal, als ich ahnte, dass hier vermutlich etwas nicht stimmt, war an einem Samstagmorgen. Sie sagte, ich dürfe die Heizung nicht so weit aufdrehen, das schade schließlich den Topfpflanzen.

5 Sie sagt außerdem, wir könnten natürlich beide gleichberechtigt entscheiden, welche Poster wir in der Wohnung aufhängen, aber nach drei gemeinsamen Monaten hängt an den Wänden doch nur, was ihr gefällt. 83 Quadratmeter sind zweifelsohne 83 Gründe, sich in die Haare zu kriegen.

10 Wenn zwei Menschen überlegen, ob sie zusammenziehen, hilft ihnen keiner bei der Entscheidungsfindung. Es heißt zwar: Der Zeitpunkt muss stimmen. Bloß verrät leider niemand, woran man diesen einen Zeitpunkt bitte schön erkennt. Oder welche Konflikte möglicherweise drohen. Mein Onkel sagt, zusammen-

15 wohnen ist ein bisschen wie ein Kreuzbandriss: Man muss das selbst erlebt haben, als Außenstehender kann man sich das dummerweise nicht vorstellen. Es geschah auch viel Positives. Ich habe immerhin gelernt, dass man beim Kochen mehr als zwei Gewürze verwenden kann. Vielleicht hat es meine Genera-

20 tion besonders schwer. Die vom Elternhaus in Studenten-WGs oder Singlebuden zogen, eigene Vorlieben entwickelten und zugegebenermaßen ein wenig kauzig wurden.

1.2 Wozu dienen die sprachlichen Strukturen und warum sind sie in diesem Zeitungsartikel so häufig? Ordnen Sie die unterstrichenen Wörter aus Aufgabe 1.1 in die Tabelle ein.

Kommentaradverbien drücken eine Bewertung des Sachverhalts aus	Adverbien geben den Grad der Wahrscheinlichkeit an
bedauerlicherweise, bekanntermaßen, _____ , erfreulicherweise, glücklicherweise, _____ , irrtümlicherweise, jedenfalls, klugerweise, leichtsinnigerweise, _____ , lobenswerterweise, _____ , _____ , seltsamerweise, überraschenderweise, unerwarteterweise, unnötigerweise, _____	kaum, _____ , sicherlich, _____ , _____ , zweifellos, _____

⇨ Kapitel 4.2: Adverbien

Modalwörter

- Modalwörter sind Adverbien, die sich auf den ganzen Satz beziehen.
- Man unterscheidet Kommentaradverbien (*leider, glücklicherweise, natürlich* etc.) und Adverbien, die einen Grad der Wahrscheinlichkeit ausdrücken (*bestimmt, wahrscheinlich, möglicherweise, vielleicht*).
- Kommentaradverbien drücken eine Stellungnahme zum Sachverhalt aus und stehen in Aussagesätzen. Sie werden oft mit *-weise* und *-ermaßen* gebildet.

2 Ersetzen Sie die markierten Adverbien mit den Verben aus dem Schüttelkasten.

könnte • könnten • dürfte • sollte • sollten

Anhand eines Tests soll man herausfinden, ob ein Paar möglicherweise reif ist für die gemeinsame Wohnung. Man muss sich entscheiden, ob die eigene Beziehung eher einem „alten Baum", einem „jungen Baum" oder einem „Wasserstrudel" gleicht. Nimmt man den alten Baum, ist man zweifellos bereit zusammenzuziehen. Der Wasserstrudel symbolisiert, dass man kaum bereit ist für eine gemeinsame Wohnung. Der junge Baum ist nicht eindeutig und passt in zwei Kategorien: „Zweifelsohne zusammenziehen!" sowie „Sie sind vielleicht noch nicht so weit."

Anhand eines Tests soll man herausfinden, ob ein Paar für die gemeinsame Wohnung reif sein _____ . Man muss sich entscheiden, ob die eigene Beziehung eher einem „alten Baum", einem „jungen Baum" oder einem „Wasserstrudel" gleicht. Nimmt man den alten Baum, _____ man bereit sein zusammenzuziehen. Der Wasserstrudel symbolisiert, dass man für eine gemeinsame Wohnung nicht bereit sein _____ . Der junge Baum ist nicht eindeutig und passt in zwei Kategorien: „Sie _____ zusammenziehen!" sowie „Sie _____ noch nicht bereit sein."

7.2.3 Modalpartikeln

Das lernen Sie:

– Verwendung der Modalpartikeln bei bestimmten Rolleneigenschaften
– Bedeutung der Modalpartikeln in Fragen

1.1 Hören Sie die vier Gespräche und ordnen Sie die Rolleneigenschaften den Personen zu.

> Besserwisser • Nachfrager • Vorwurfsvolle • Überraschte

1 Gespräch zwischen Mutter und Tochter

🔊 28

TOCHTER: Angela Merkel ist doch das Staatsoberhaupt der Bundesrepublik Deutschland.
MUTTER: Nein, ist sie ja eben nicht. Sie ist die Regierungschefin. Staatsoberhaupt ist der Bundespräsident.
TOCHTER: Ja, aber warum ist denn der Bundespräsident nicht so bekannt? Hat er etwa nicht so viele Aufgaben?
MUTTER: Der Bundespräsident tritt zu ganz besonderen Ereignissen auf.
TOCHTER: Haben eigentlich auch andere Länder einen Bundespräsidenten?
MUTTER: Nicht jedes Land hat einen Bundespräsidenten, wie bspw. England.
TOCHTER: Warum hat denn nicht jedes Land einen Bundespräsidenten? Dann kann er doch eigentlich nicht so wichtig sein.
MUTTER: Nein, denn er muss doch Gesetze unterschreiben. Denn tut er das nicht, werden sie nicht gültig.

Tochter: _____

2 Gespräch zwischen Freunden

Peter: Du hast ja nie Zeit, wenn man dich braucht.
Lena: Ich hab halt viel um die Ohren.
Peter: Das haben alle. Dann kannst du ja wenigstens mal anrufen, aber das machst du ja auch nicht.
Lena: Ich bin meist im Ausland tätig, da ist das einfach nicht so leicht anzurufen.
Peter: Ja und? Heutzutage kann man doch von überall kostengünstig anrufen!
Lena: Eigentlich hast du ja Recht. Hätte ich doch bloß mehr Zeit!

Peter: _____

3 Gespräch zwischen Politikern

Verteidigungsminister Herr von Donnerschlag: Mein ursprüngliches Ziel war es die Berufs- und Zeitsoldaten auf 163.500 zu verringern.
Finanzminister Dr. Knauser: Sie sollten doch aber inzwischen wissen, dass die politisch vereinbarte Zahl von 185.000 festgelegt wurde und es bleibt übrigens bei der geltenden Finanzplanung.
Verteidigungsminister Herr von Donnerschlag: Mit dieser Anzahl sind die Einsparungen aber finanziell nicht zu schaffen.

Finanzminister Dr. Knauser: Herr von Donnerschlag, ich kann die Grundrechenarten aber nicht außer Kraft setzen. Veranstalten Sie bloß nicht so einen Zirkus hier!
Verteidigungsminister Herr von Donnerschlag: Im Rahmen des Sparpakets muss das Verteidigungsministerium bis Ende 2014 insgesamt 6,3 Milliarden Euro einsparen.
Finanzminister Dr. Knauser: Ich sehe, Sie haben mal wieder nicht Ihre Hausaufgaben gemacht. Es sind 8,3 Milliarden Euro, Herr von Donnerschlag.

Finanzminister Dr. Knauser: _____

4 Gespräch beim Arzt

Ärztin: Ich darf Ihnen gratulieren, Sie sind schwanger!
Patientin: Nein, das gibt es ja nicht!
Ärztin: Sie befinden sich bereits im 2. Monat. Herzlichen Glückwunsch!
Patientin: Da wird sich mein Mann vielleicht freuen!
Ärztin: Dann feiern Sie schön, aber mit alkoholfreiem Sekt.
Patientin: Das versteht sich doch von selbst!

Patientin: _____

1.2 Lesen Sie das erste Gespräch zwischen Mutter und Tochter. Die markierten Wörter sind Modalpartikeln. Unterstreichen Sie die Modalpartikeln in den Gesprächen 2, 3 und 4.

1.3 Ordnen Sie die Sätze mit Modalpartikeln den verschiedenen Satzarten zu.

Fragen	denn, eigentlich, etwa
	Ja, aber warum ist denn der Bundespräsident nicht so bekannt?
Aussagesätze	doch, aber, doch aber, eben, eigentlich, einfach, halt, ja, mal
	Angela Merkel ist doch das Staatsoberhaupt der Bundesrepublik Deutschland.
	Dann kann er doch eigentlich nicht so wichtig sein.
	Herr von Donnerschlag, ich kann die Grundrechenarten aber nicht außer Kraft setzen.
	Eigentlich hast du ja Recht.
Ausrufesätze	doch, ja, vielleicht
	Das versteht sich doch von selbst!
Aufforderungen	bloß
Wunschsätze	doch bloß

1.4 Ergänzen Sie nun die Erklärung.

> Bedeutungen • Mittelfeld • Einstellung • mehrteilig

Modalpartikeln: Verwendung und Bedeutung

- Im Deutschen kommen Partikeln besonders im Dialog und in spontaner Sprache vor, um eine _____ des Sprechers zu einer Aussage zu verdeutlichen.
- Partikeln können verschiedene _____ haben: Sie können Überraschung ausdrücken (Das ist aber großartig!), etwas Bekanntes (Das war ja klar!) oder etwas Offensichtliches (Das ist halt das Problem.).
- Modalpartikeln stehen meist im _____ und können auch _____ vorkommen: Dann kann er doch eigentlich nicht so wichtig sein.

1.5 Hören Sie nun die Dialoge aus 1.1 noch einmal und achten Sie auf die Betonung der Modalpartikeln. Unterstreichen Sie die betonten Wörter in den Sätzen.

Besonderheiten bei der Betonung von Modalpartikeln

- Modalpartikeln stehen meist im Mittelfeld und sind in der Regel nicht betonbar.
- Manche Modalpartikeln sind aber in bestimmten Kontexten betonbar: Bei drohenden Aufforderungen werden *ja* und *bloß* betont: Komm bloß nach Hause! Räum ja dein Zimmer auf!
  Auch *nur* und *ruhig* kann man betonen, wenn sie Erlaubnis oder Warnung ausdrücken: Das kannst du ruhig anfassen! Fass das nur nicht an!

1.6 Sprechen Sie die Dialoge aus 1.1 nach. Achten Sie auf die Betonung der Modalpartikeln.

2.1 Lesen Sie das Gespräch zwischen den Eheleuten und ergänzen Sie die Modalpartikeln aus dem Schüttelkasten.

> denn (2x) • ja (3x) • doch (3x) • aber

FERNSEHABEND

Ein Ehepaar sitzt vor dem Fernsehgerät. [...]

Frau: Wieso geht der Fernseher *denn*$_1$ grade heute kaputt?

Mann: Die bauen die Geräte absichtlich so, dass sie schnell kaputt gehen … (*Pause*)

Frau: Ich muss nicht unbedingt fernsehen …

Mann Ich auch nicht … nicht nur, weil heute der Apparat kaputt ist … ich meine sowieso … ich sehe sowieso nicht gern Fernsehen …

Frau: Es ist _____$_2$ auch wirklich nichts im Fernsehen, was man gern sehen möchte … (*Pause*)

Mann: Heute brauchen wir Gott sei Dank überhaupt nicht erst in den blöden Kasten zu gucken …

Frau: Nee … (*Pause*) … Es sieht _____$_3$ so aus, als ob du hinguckst …

Mann: Ich?

Frau: Ja …

Mann: Nein … ich sehe nur ganz allgemein in diese Richtung … aber du guckst hin … Du guckst da immer hin!

Frau: Ich? Ich gucke da hin? Wie kommst du _____$_4$ darauf?

Mann: Es sieht so aus …

Frau: Das kann gar nicht so aussehen … ich gucke nämlich vorbei … ich gucke absichtlich vorbei … und wenn du ein kleines bisschen mehr auf mich achten würdest, hättest du bemerken können, dass ich absichtlich vorbeigucke, aber du interessierst dich _____$_5$ überhaupt nicht für mich …

Mann: (*fällt ihr ins Wort*) Jaaa … jaaa … jaaa … jaaa …

Frau: Wir können _____$_6$ einfach mal ganz woandershin gucken …

Mann: Woanders? … Wohin denn?

Frau: Zur Seite … oder nach hinten …

Mann: Nach hinten? Ich soll nach hinten sehen? … Nur weil der Fernseher kaputt ist, soll ich nach hinten sehen? Ich lass mir _____$_7$ von einem Fernsehgerät nicht vorschreiben, wo ich hinsehen soll! (*Pause*)

Frau: Was wäre _____$_8$ heute für ein Programm gewesen?

Mann: Eine Unterhaltungssendung …

Frau: Ach …

Mann: Es ist schon eine Un-ver-schämtheit, was einem so Abend für Abend im Fernsehen geboten wird! Ich weiß gar nicht, warum man sich das überhaupt noch ansieht! … Lesen könnte man statt dessen, Kartenspielen oder ins Kino gehen … oder ins Theater … statt dessen sitzt man da und glotzt auf dieses blöde Fernsehprogramm!

Frau: Heute ist der Apparat _____$_9$ nu kaputt …

Mann: Gott sei Dank!

Frau: Ja …

Mann: Da kann man sich wenigstens mal unterhalten …

Frau: Oder früh ins Bett gehen …

Mann: Ich gehe nach den Spätnachrichten der Tagesschau ins Bett …

Frau: Aber der Fernseher ist _____$_{10}$ kaputt!

Mann: (*energisch*) Ich lasse mir von einem kaputten Fernseher nicht vorschreiben, wann ich ins Bett zu gehen habe!

2.2 Lesen Sie das Gespräch noch einmal und ordnen Sie die Modalpartikeln ihrer Bedeutung zu.

Bedeutung	Beispiel
etwas Bekanntes / Selbstverständliches / Offensichtliches ausdrücken	2, ___, ___
Kritik / Erstaunen / Überraschung ausdrücken	___
einen (anderen) Rat geben / eine (andere) Problemlösung vorschlagen	___
eine anschließende Frage aus dem Kontext	1, ___, ___
Ausruf (Gegensatz)	___ , ___

3 Hören Sie das Gespräch und ordnen Sie den Modalpartikeln die passende Funktion zu.

© 29

> Vorwurf • neue Frage zum Thema • Themenwechsel • anschließende Frage

eigentlich: _____

etwa: _____

denn: _____

übrigens: _____

Kontextabhängige Funktionen der Modalpartikeln

- Die konkrete Bedeutung von Modalpartikeln hängt auch vom Kontext ab:
  Kritik: *Eigentlich wolltest Du für heute Abend einen schönen Film ausleihen!*
  Themenwechsel: *Wie spät ist es eigentlich?*

4 Lesen Sie den Artikel und ergänzen Sie die markierten Modalpartikeln in der Tabelle.

Loriot ist der große Meister der TV-Kritik

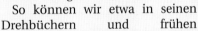

von Peter Zander
Eine Ausstellung in Berlin würdigt jetzt das Gesamtwerk von Loriot. [...]

In Loriots Cartoon „Fernsehabend", ausgestrahlt von Radio Bremen im Mai 1977, glotzt ein älteres Ehepaar in die Röhre und regt sich über das Programm auf – obwohl ihr Gerät gerade defekt ist. „Gott sei Dank müssen wir nicht gucken", schimpfen sie. Und tun es natürlich, anstatt die Zeit mal sinnvoll zu nutzen, dennoch. Loriot, das ist der eine große Komödiant, den das deutsche Fernsehen nicht gerade hervorgebracht, aber doch maßgeblich populär gemacht hat.

Die Schau ist die größte, die es je zu Loriot gegeben hat. Und der Maestro hat dafür, bisher einmalig, sein privates Archiv in Ammerland, seinem Sitz am Starnberger See, geöffnet. Die Frage war nur: wie das orten, was den Kuratoren Gerlinde Waz und Peter Paul Kubitz eigentlich da an Schätzen aufgetan wurde? Und: wie es neu erzählen, wo doch schon alles über Loriot gesagt zu sein scheint? [...]

Wir lernen, dass Loriots so charakteristischer Knollennasenmann am Anfang eigentlich doch eher ein Stabnasenmann war und sich mit der Verfeinerung des Humors auch das Riechorgan abrundete. [...]

So können wir etwa in seinen Drehbüchern und frühen Zeichnungen selbstkritische Anmerkungen („So nicht!"), mit Blau- und Rotstift flüchtig hingekritzelt, nachlesen. Wir lernen, wie unheimlich akribisch und also doch wieder deutsch-perfektionistisch das vorbereitet werden musste, was im Fernsehen so leicht und spontan wirkt.

Ein großer Spaziergang durch ein ganzes Oeuvre, bis hin zu einer Serie, die es bislang so wohl noch nie öffentlich zu sehen gab: seine „Nachtschattengewächse". Kleine Bilder, teils nur auf Notizzettel hingetuscht, immer dann, wenn er in den letzten beiden Jahren keinen Schlaf finden konnte. [...]

Quelle: www.welt.de, 5.11.2008

Modalpartikeln: Bedeutung

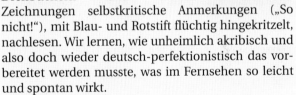

- Modalpartikeln werden auch verwendet, um an das Wissen der Leserschaft anzuknüpfen.

Modalpartikeln	Bedeutung
eigentlich	eine neue Wendung wird angezeigt oder ein neuer Aspekt wird ins Thema eingebracht
_____	relativiert eine Aufforderung
_____	zeigt an, dass etwas bekannt sein sollte – aber nicht immer ist
_____	dient als Fokussierung / zur Verstärkung
_____	ziemlich sichere Vermutung

7.3 Wünsche, Bedingungen, Ratschläge, höfliche Bitten

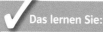 **Das lernen Sie:**

- Konjunktiv II zur Formulierung von Wunschsätzen und Bedingungen
- Konjunktiv II zur Formulierung von höflichen Aufforderungen, Bitten und Fragen sowie Ratschlägen
- Formulierung von nicht (mehr) möglichen Handlungsalternativen
- Konditionalsätze mit *wenn*

1.1 Lesen Sie den Interviewauszug und unterstreichen Sie die Konditionalsätze mit Konjunktiv II. ⇨ Kapitel 2.2.3: Konditionalsätze

Was würden Sie tun, falls Sie mal eine Schreibblockade bekommen?
Ich habe nie Schreibblockaden. Wenn ich beim Schreiben eine Blockade hätte, dann würde ich ab 9 Uhr morgens dafür sorgen, dass die Muse mich küsst*.
Schreiben Sie gerade an einem neuen Roman?
Zurzeit leider nicht. Wenn ich an einem neuen Roman arbeiten könnte, dann würde ich einen weiteren historischen Roman schreiben. Ein wahrhaft brenzliges Thema aus Würzburg im

Jahr 1628. Schade, wenn Sie Geschichte studiert hätten, dann wüssten Sie sofort, worum es dabei geht.
Gibt es Geheimtipps beim Schreiben eines historischen Romans?
Es gibt keine Geheimtipps! Wenn ich tatsächlich bereits einen neuen historischen Roman geschrieben hätte, dann hätte ich profunde Recherche betrieben. Weiter nichts!
Zu guter Letzt haben Sie noch das Wort speziell an Ihre Leser:
Bleiben Sie mir treu und vor allem offen für Neues.

Quelle: www.gutowsky-online.de, stark bearbeitet

* *von der Muse geküsst werden:* kreativ sein, Inspiration haben

---

Konjunktiv II in nicht erfüllbaren Konditionalsätzen

- Bei nicht erfüllbaren Bedingungssätzen handelt sich um nicht (mehr) mögliche Handlungsalternativen, also um ein nicht mehr realisierbares Geschehen:
  Wenn Sie Geschichte studiert hätten, dann hätten Sie sofort gewusst, worum es dabei geht.
- Im Gegensatz dazu wird eine erfüllbare Bedingung im Indikativ ausgedrückt:
  Wenn er regelmäßig lernt, wird er die Prüfung bestehen.

⇨ Modalverben und das Verb *sein* im Konjunktiv: Anhang 16

1.2 Ergänzen Sie in der Tabelle die Sätze in der jeweils fehlenden Zeitform.

Gegenwart (erfüllbar)	Vergangenheit (unerfüllbar)
Wenn ich beim Schreiben eine Blockade hätte, dann würde ich ab 9 Uhr morgens dafür sorgen, dass die Muse mich küsst.	_____
Wenn ich an einem neuen Roman arbeiten könnte, dann würde ich einen weiteren historischen Roman schreiben.	_____
_____	Wenn Sie Geschichte studiert hätten, dann hätten Sie sofort gewusst, worum es dabei geht.
_____	Wenn ich tatsächlich einen neuen historischen Roman geschrieben hätte, dann hätte ich profunde Recherche betrieben.

Konjunktiv II: Vergangenheit

- Für den Konjunktiv II gibt es zwei Formen: mit dem Konjunktiv II Präteritum kann man Gegenwart oder Zukunft ausdrücken, mit dem Konjunktiv II Plusquamperfekt Vergangenheit.

	Indikativ		Konjunktiv II	
Präteritum	er studierte	ich ging	er studierte	ich ginge
Perfekt	er hat studiert	ich bin gegangen		
Plusquamperfekt	er hatte studiert	ich war gegangen	er hätte studiert	ich wäre gegangen

- Modalverben bilden den Konjunktiv II in der Vergangenheit mit *haben* und doppelten Infinitiv:
  Ich hätte studieren müssen / sollen / können / dürfen / wollen.

2.1 Formulieren Sie aus den Sätzen in 1.2 nicht erfüllbare Wünsche.

Könnte mich doch morgens 9.00 Uhr die Muse küssen!
Wenn mich doch nur früh morgens um 9.00 Uhr die Muse küssen könnte!

Wunschsätze

* Mit dem Konjunktiv II werden erfüllbare und unerfüllbare Wünsche ausgedrückt.
* Sie werden mit *wenn* oder einem *finiten Verb* an erster Stelle gebildet.
* Die Modalpartikeln *doch, nur* und *bloß* verstärken dabei den Wunsch.
* Der Wunschsatz ist eng mit dem Bedingungssatz verwandt und lässt sich zu diesem erweitern:
  Könnte er mich doch nur hören! (erfüllbarer Wunschsatz)
  Wenn er mich doch nur hören könnte! (erfüllbarer Bedingungssatz)
  Hätte er mich doch nur hören können! (unerfüllbarer Wunschsatz)

2.2 Lesen Sie den Zeitungsartikel und unterstreichen Sie die Wunschsätze.

Was alte Menschen bedauern

Was bereuen wir, wenn wir alt sind? Eine Altenpflegerin, die viele alte Menschen begleitet, hat darüber ein Buch geschrieben:

* Rudolf, ein Überlebender des Holocaust, der nach dem Krieg mit seiner Frau nach Australien zieht, realisiert im Alter, dass er seiner Familie nie all seine Gefühle gezeigt hat: „Ich wünschte, ich hätte den Mut gehabt, meine Gefühle auszudrücken."
* Katharina hat eine Tochter, zu der sie früher ein enges Verhältnis hatte: „Ich dachte, diese Nähe würde immer bleiben. Aber das Leben und unsere Geschäftigkeit kamen dazwischen."
Ähnlich ist es mit den Freundschaften der alten Dame, sie sind längst eingeschlafen, die Freunde von früher sind nicht mehr auffindbar. „Ich wünschte mir, ich hätte den Kontakt zu meinen Freunden aufrechterhalten."
* Hilde hat es zu einer der ersten weiblichen Managerinnen in ihrem Unternehmen gebracht, doch das Scheitern ihrer Ehe verwindet sie nicht: „Ich wünschte, ich hätte mir erlaubt, glücklicher zu sein."
Oft werden tragische Geschichten geschildert. Aber nicht alle bedauern etwas:
* Erwin sagt: „Auch wenn ich die Möglichkeit gehabt hätte etwas zu ändern, so hätte ich doch nichts in meinem Leben geändert."

Unerfüllbare Konzessivsätze

* Der markierte Satz in 2.2 ist ein unerfüllbarer Konzessivsatz.
* Unerfüllbare Konzessivsätze werden mit *auch wenn, selbst wenn* oder *wenn* im Nebensatz eingeleitet. Im Hauptsatz steht manchmal *so ... doch*:
  Auch wenn ich die Möglichkeit gehabt hätte, (so) hätte ich (doch) nichts geändert
* Es handelt sich um einen theoretisch konstruierten Gedanken. Der erwartete kausale Zusammenhang wird nicht erfüllt.
* Im Vergleich dazu würde bei einem unerfüllbaren Konditionalsatz die erwartete Folge eintreten, wenn die Bedingung erfüllt wäre: *Wenn ich die Möglichkeit gehabt hätte, hätte ich es geändert.*

2.3 Formulieren Sie die markierten Sätze im Zeitungsartikel aus 2.2 in die Gegenwarts- und Vergangenheitsform der verschiedenen Satzarten um.

erfüllbarer Bedingungssatz:	unerfüllbarer / fiktiver Bedingungssatz:
Gegenwart	Vergangenheit:
Konjunktiv II Präteritum *Wenn ich könnte, drückte ich meine Gefühle aus.*	Konjunktiv II Plusquamperfekt *Wenn ich gekonnt hätte, hätte ich meine Gefühle ausgedrückt.*
würde + Infinitiv Präsens *Wenn ich könnte, würde ich meine Gefühle ausdrücken.*	
Konjunktiv II Präteritum *Wenn ich könnte,* _____ _____	Konjunktiv II Plusquamperfekt *Wenn ich gekonnt hätte,* _____ _____
würde + Infinitiv Präsens *Wenn ich könnte,* _____ _____	
Konjunktiv II Präteritum _____	Konjunktiv II Plusquamperfekt _____
würde + Infinitiv Präsens _____	_____

erfüllbarer Wunschsatz:	unerfüllbarer / fiktiver Wunschsatz:
Gegenwart	Vergangenheit:
Konjunktiv II Präteritum *Könnte ich doch meine Gefühle ausdrücken!*	Konjunktiv II Plusquamperfekt *Hätte ich doch meine eigenen Gefühle ausdrücken können!*
Konjunktiv II Präteritum (mit *wenn*) *Wenn ich doch meine eigenen Gefühle ausdrücken könnte!*	
Konjunktiv II Präteritum _____ _____	Konjunktiv II Plusquamperfekt *Hätte ich bloß* _____ _____
Konjunktiv II Präteritum (mit *wenn*) *Wenn ich bloß* _____	
Konjunktiv II Präteritum *Könnte ich nur* _____	Konjunktiv II Plusquamperfekt _____
Konjunktiv II Präteritum (mit *wenn*) _____	

erfüllbarer Konzessivsatz:	unerfüllbarer / fiktiver Konzessivsatz:
Gegenwart	Vergangenheit:
Konjunktiv II Präteritum *Auch wenn ich könnte, drückte ich meine Gefühle nicht aus.*	Konjunktiv II Plusquamperfekt: *Auch wenn ich gekonnt hätte, hätte ich meine Gefühle nicht ausgedrückt.*
würde + Infinitiv Präsens *Auch wenn ich könnte, würde ich meine Gefühle nicht ausdrücken.*	
Konjunktiv II Präteritum *Auch wenn ich könnte,* _____ _____	Konjunktiv II Plusquamperfekt: *Auch wenn ich gekonnt hätte,* _____ _____
würde + Infinitiv Präsens *Auch wenn ich könnte,* _____ _____	
Konjunktiv II Präteritum _____	Konjunktiv II Plusquamperfekt: _____
würde + Infinitiv Präsens _____	

3.1 Lesen Sie den Auszug aus dem Interview und unterstreichen Sie die Sätze, die einen Vergleich oder eine Folge ausdrücken. Wie würden Sie die Sätze beschreiben?

> wirklich • nicht wirklich

Gibt es noch jemanden, dem Sie viel zu verdanken haben?
Schauspielerin: Ja, einem Lehrer auf der Schauspielschule. Er hat uns bayerische Schauspieler immer bestärkt. Dafür bin ich sehr dankbar, weil das damals keine leichte Zeit war. Ich hatte zwischendurch immer mal Zweifel, ob ich das mit dem Hochdeutschen hinkriegen würde.
Sie haben ja bisher auch fast nur Mundart-Rollen gespielt.
Schauspielerin: Ja, und selbst wenn's keine Mundart war, habe ich's so gesprochen, als ob es Mundart gewesen wäre. Ich hab schon ein paarmal auf Hochdeutsch gespielt, aber ich brauche nicht so zu tun, als wäre das meine Stärke, denn die ist wirklich der Dialekt. Es ist nicht so, dass es den Zuschauer nicht doch stören würde, wenn im Film der falsche Dialekt gesprochen wird.

3.2 Schauen Sie sich die Folge- und Vergleichssätze noch einmal genau an und ergänzen Sie dann den Regelkasten.

> Hauptsatz • wirklich • Konjunktiv II • dass

Fiktive Vergleichssätze

- Fiktive Vergleichssätze drücken einen Vergleich aus, der möglich, aber nicht _____ ist.
- Die Subjunktionen *als, als ob, als wenn* und *wie wenn* leiten die Vergleichssätze ein und werden häufig für Vergleiche mit einem Verb im Konjunktiv II verwendet:
  Als ob sie die Absicht gehabt hätte ...   *Als hätte er nichts zu tun.*

Negierte Folgesätze

- Die Folge in negierten Folgesätzen ist möglich oder wahrscheinlich, wird aber negiert.
- Der negierte Folgesatz wird mit _____ bzw. *als dass* gebildet.
- Im _____ stehen meist abstufende Ausdrücke wie *nicht so, zu, zu wenig, u.a.*
- Im Gegensatz zum Konditionalsatz steht nur der Nebensatz bzw. Folgesatz im _____:
  Es ist nicht so, dass es den Zuschauer nicht doch stören würde, wenn im Film der falsche Dialekt gesprochen wird.

3.3 Ergänzen Sie die fiktiven Vergleichssätze mit *als ob, als wenn* und *wie wenn*.

   a Sie spricht so schnell, *als ob* sie Jagdwurst gegessen hätte.
      Sie spricht so schnell, *als wenn* sie Jagdwurst gegessen hätte.
   b Er spricht so deutlich, _____ er seine Aussprache ewig vor dem Spiegel geübt hätte.
   c Ich verstehe die Schauspielerin so schlecht, _____ sie Kaugummi kauen würde.
   d Die Großeltern applaudieren nach der Vorstellung so laut, _____ es das beste Theaterstück gewesen wäre, was sie jemals gesehen haben.
   e Das wäre ja so, _____ ich zu dir sagen würde: „Du sprichst zu undeutlich!"

4.1 Ergänzen Sie in dem Telefongespräch die Modalverben in Klammern im Konjunktiv II um einen Ratschlag, eine Vermutung oder eine Möglichkeit auszudrücken.

HANS:	Hallo?
CLAUDIA:	Hi, hier ist Claudia. Hast du deine Bewerbung für das Praktikum schon abgeschickt?
HANS:	Äh, nein, habe ich noch nicht.
CLAUDIA:	Das _____ du besser mal schnell machen. (sollen)
HANS:	Das _____ schon sein, allerdings ist meine Druckerpatrone alle und … (können)
CLAUDIA:	Erzähl keinen Unsinn! Geh in einen Copyshop und druck es auf gutes Papier.
HANS:	Hm, das _____ funktionieren. Aber dann ist es zu spät, um es heute noch zur Post zu bringen. (müssen)
CLAUDIA:	Es gibt doch noch die Post am Bahnhof, die hat bis 22 Uhr geöffnet. Das schaffst selbst du auch noch bis dahin!
HANS:	Das _____ schon klappen. (dürfen)
CLAUDIA:	Und das wird es auch. Mach dich auf die Socken!

4.2 Ordnen Sie die Sätze aus Aufgabe 4.1 den Funktionen zu.

Ratschlag, Vermutung, Möglichkeit

Funktion	Beispiel
vorsichtige Vermutung	*Das dürfte schon klappen.*
Feststellung einer Möglichkeit	_____
starke Vermutung	_____
Ratschlag	_____

5.1 Lesen Sie die Alltagsdialoge aus Berlin. Wie empfinden Sie die Gespräche?

freundlich • eher unfreundlich • neutral

An der Bushaltestelle
Ein alter Mann am Stock kommt langsam auf den Bus zugelaufen.
Er fragt: „Könnten Sie mir sagen, ob Sie Richtung Alex fahren?"
Busfahrer: „Ick fahr in die andre Richtung, komm dann wieda zurück. Bis dahin hamse es ooch uff die andre Straßenseite jeschafft. Dann nehm ick Se mit."

Mit einem Zeitungsverkäufer
Passant: „Entschuldigen Sie bitte. Ich hätte gern gewusst, in welche Richtung es hier zur Volksbühne geht?"
Zeitungsverkäufer: „Seh ick aus wie der Straßen-Wisser-Mann oda wie der Straßenzeitung-Verkäufer-Mann?"

Im Restaurant
Ein Gast beim Bestellen zur Wirtin: „Wie ist denn die Suppe, die Sie hier haben?"
Wirtin: „Naja, ick sach's janz ehrlich: Ick würde nüscht aus da Dose essen."

Beim Bäcker (Der Laden heißt „Die freundliche Bäckerei")
Kunde: „Ich hätte gerne drei normale Brötchen."
Raunzt die Bäckerin: „Dit heißt hier Schrippe, dit üben wa jetzt mal…"

Im Restaurant
An einem Tisch werden die Gäste seit einer Weile nicht beachtet. Als sie schüchtern irgendwann die Bedienung fragen, ob sie etwas bestellen dürften, unterbricht die mit den Worten: „Ick hab euch schon jeseh'n – ihr kommt dran, wenn ick Zeit hab!"

Quelle: www.bild.de

5.2 Unterstreichen Sie mit unterschiedlichen Farben die Formulierungen, die Sie als freundlich und eher unfreundlich empfinden.

5.3 Ordnen Sie die freundlichen Sätze den verschiedenen Funktionen zu.

Funktionen	Beispiel
höfliche Aufforderung und Bitte	
höfliche Frage	*Könnten Sie mir sagen, ob Sie Richtung Alex fahren?*
höfliche Aussage	*Ich würde nichts aus der Dose essen.*

Höfliche Fragen, Bitten und Aufforderungen

- Mit dem Konjunktiv II kann man Fragen, Bitten, Aufforderungen und Aussagen höflicher ausdrücken.

5.4 Formulieren Sie nun für einige Antworten aus den Gesprächen mithilfe der Vorgaben sinngemäß höfliche Ratschläge.

> Wenn ich Sie wäre, … • Sie sollten … • An Ihrer Stelle würde ich…

Busfahrer: Wenn ich Sie wäre, würde ich auf die andere Straßenseite gehen.
Zeitungsverkäufer: _____
Wirtin: _____
Bäckerin: _____

7.4 Zitieren und Berichten: Konjunktiv als Mittel der indirekten Rede

Das lernen Sie:

- Verwendung von Indikativ und *würde* + Infinitiv in der indirekten Rede im gesprochenen Deutsch
- Verwendung von Konjunktiv I und Konjunktiv II in der indirekten Rede
- Konjunktiv I in der Gegenwart und Vergangenheit

1.1 Lesen Sie die Texte zum Thema „Generation Praktikum". Wie wirken die Texte auf Sie? Ordnen Sie die Beschreibungen aus dem Schüttelkasten den Texten zu.

> indirekte Rede • distanziert • umgangssprachlich • vertraut • formell • direkte Rede

1

Es gibt keine Generation Praktikum

„Ich denke, es ist nicht gerechtfertigt von einer Generation Praktikum zu sprechen", sagte der Projektleiter der Studie. „Nur drei Prozent sind nicht erwerbstätig und suchen Arbeit. 63 Prozent sind regulär erwerbstätig, 12 Prozent sind erwerbstätig und in einem Studium und drei Prozent sind nicht erwerbstätig, suchen aber eine Beschäftigung. Auf Jobsuche sind Absolventen durchschnittlich nur drei Monate lang."

Beschreibung: _____

❷ Generation Praktikum – Kritik an Studie

Grüne und Gewerkschaft üben Kritik an den Schlussfolgerungen zur Absolventenbefragung. Die vorgestellten Ergebnisse haben nicht der Realität entsprochen.

„Die vielzitierte ‚Generation Praktikum' bleibt ein Mythos", resümierte der Vorstand des Arbeitsmarktservice (AMS), Johannes Kopf, nach der Präsentation einer neuen Studie über den Berufseinstieg von Uni-Absolventen in Österreich. Der Studie zufolge seien in den letzten Jahren 68 Prozent der Jungakademiker spätestens nach zwei bis sechs Jahren nach Ende des Studiums regulär erwerbstätig und nur drei Prozent ohne Beschäftigung gewesen.

Die Aussage, wonach die Generation Praktikum ein Mythos sei, verärgert aber viele Betroffene und auch seitens der Politik stößt sie auf Widerstand. Birgit Schatz, ArbeitnehmerInnensprecherin der Grünen und Abgeordnete zum Nationalrat, findet es „erstaunlich", dass man durch die Studie zu dem Schluss kommen kann, dass es keine Generation Praktikum gebe. Das entspreche nicht der Realität.

Beschreibung: _____ , _____ , _____

❸

> Hey Martin,
> besten Dank für deine Nachricht. Stimmt, ich hab schon ein Praktikum in der Pharmabranche gefunden. Hat sich bei dir was ergeben? Hans nimmt übrigens an, dass du bereits eins gefunden hast. Er hat mir erzählt, dass er auch schon seit 3 Monaten suchen würde. Er meinte, er hat einfach keine richtige Zeit gehabt zu schauen. Das ist eben auch gar nicht so einfach! Ich soll dir von ihm ausrichten, dass, wenn du jetzt noch keins hast, du dich echt langsam mal kümmern solltest! Er sagte, er würde sich nun auch mehr Mühe geben, er hat das einfach unterschätzt.
> Na dann viel Erfolg und bis bald,
> Claudi

Beschreibung: _____ , _____ , _____

Direkte Rede

- Die direkte Rede wird in der geschriebenen Sprache in Anführungszeichen gesetzt: „ ..."

⇨ weitere Regeln des Zitierens: Kapitel 6.4

1.2 Ergänzen Sie nun die Regel.

> Konjunktiv I • Indikativ • würde-Umschreibung • Konjunktiv II

Zitieren und Berichten

- In der geschriebenen Sprache wird der _____ verwendet (Text 2). Damit stellen z. B. Nachrichtensprecher oder Journalisten eine gewisse Distanz zu den zitierten Aussagen her und übernehmen keine Garantie für den Wahrheitsgehalt.
  Die Jobchancen der Hochschulabsolventen _seien_ generell sehr gut.
- Der Konjunktiv I ist dem _____ vorzuziehen, wenn er sich vom Präsens Indikativ unterscheidet:
  Das entspreche nicht der Realität.
- Der Konjunktiv I wird oft bei _sein,_ den Singular-Formen der Modalverben (_müsse, könne, solle,_ etc.) und bei Verben, die in der 3. Person Singular des Konjunktivs I auf -e enden (_komme, liege, sehe,_ etc.) in der indirekten Rede verwendet.
- Für die indirekte Rede wird in der gesprochenen Sprache und in der Umgangssprache (Text 3) oft der_____ oder die _____ verwendet:
  Er hat mir vorhin erzählt, dass er schon seit 3 Monaten ein Praktikum sucht.
  Er hat mir vorhin erzählt, dass er schon seit 3 Monaten ein Praktikum suchen würde.

1.3 Ergänzen Sie die Tabelle, der Text 2 hilft Ihnen dabei.

Zukunfts- und Vergangenheitsform des Konjunktiv I

- Der Konjunktiv I hat nur eine Vergangenheitsform (Perfekt), diese wird mit dem Konjunktiv I von *haben* oder *sein* und dem Partizip II gebildet.
- Die Zukunftsform Futur I wird mit dem Konjunktiv von *werden* + Infinitiv gebildet.

	es entspricht / sie entsprechen	es ist / sie sind	es gibt / sie geben
Gegenwart Konjunktiv I			
ich	entspreche*	sei	gebe*
er / sie / es	_____	_____	_____
sie (3. Person Plural)	entsprechen*	_____	geben*
Vergangenheit Konjunktiv I			
	es habe / sie haben entsprochen	es sei / sie seien gewesen	es habe / sie haben gegeben
Futur Konjunktiv I			
	es werde / sie werden entsprechen	es werde / sie werden sein	es werde / sie werden geben

* Da hier die Konjunktiv-I-Formen mit dem Indikativ Präsens übereinstimmen, würde man den Konjunktiv II vorziehen:
ich entspräche / ich würde entsprechen   sie entsprächen / sie würden entsprechen
ich gäbe / ich würde geben   sie gäben / sie würden geben   ⇨ Kapitel 7.3: Konjunktiv II

Indirekte Rede

- Indirekte Rede wird nach Verben des Sagens (*sagen, mitteilen, erzählen, etc.*) verwendet.
- Temporale Adverbien ändern sich in der indirekten Rede in der Vergangenheit:
  gestern → am Tag davor
- Das Gesagte kann durch *dass*-Nebensätze wiedergegeben werden. Dies ist typisch für die indirekte Rede in der gesprochenen Sprache:
  Der Projektleiter teilte uns mit, dass es nicht gerechtfertigt ist von einer Generation Praktikum zu sprechen.
- Die Subjunktion *dass* kann in der indirekten Rede weggelassen werden:
  Der Projektleiter teilte uns mit, es sei nicht gerechtfertigt von einer Generation Praktikum zu sprechen.

1.4 Der Reporter hat sich während der Präsentation der Studie Notizen gemacht. Verfassen Sie einen kurzen Zeitungsartikel. Verwenden Sie Konjunktiv I und ggf. Konjunktiv II, wenn die Formen des Konjunktiv I mit den Indikativ-Formen identisch sind.

⇨ Modalverben mit Konjunktiv I:
Anhang 16

– Die meisten Teilnehmer der Studie haben einen Magistertitel (66 Prozent).
– Über die unterschiedlichen Jobchancen von Bachelor- und Magisterabsolventen sagt diese Studie nicht allzu viel.
– Die Einkommen der Bachelor-Absolventen, die Vollzeit arbeiten, liegen etwas unter dem Durchschnitt und sie sind häufig befristet beschäftigt.
– Für eine „Generation Praktikum" spricht jedoch ein anderes Ergebnis der Studie: 62 Prozent der Absolventen haben während ihrer Ausbildung ein Praktikum gemacht. Ich lasse dieses Argument jedoch nicht gelten, da es bei der Diskussion vor allem um fertige Akademiker geht.

> Die meisten Teilnehmer der Studie hätten einen Magistertitel. ...

177

1.5 Schreiben Sie die folgenden Zeitungsartikel so um, dass die Distanz des Autors zu dem, was er berichtet, deutlich wird. Setzen Sie die markierten Verben dazu in den Konjunktiv I.

Man kommt nicht um ein Praktikum drum herum

Auch Barbara Kasper, Jugendsekretärin, sagt im Gespräch, dass sie sehr wohl viele junge Menschen kennt, die ein Praktikum – auch unbezahlt – absolvieren. „Teilweise kommt man nicht darum herum." Sie spricht aus eigener Erfahrung, sagt Kasper. Im Bachelorstudium ist sie verpflichtet gewesen ein Praktikum zu machen, um das Studium abschließen zu können. Viele nehmen es in Kauf, keine Bezahlung zu bekommen, anstatt länger zu warten. Sie ziehen es vor, das Studium abzuschließen. „Oft genug hat man keine andere Wahl", sagt Kasper. In ihrer Rolle als Jugendsekretärin versucht Kasper jedenfalls Betroffene, die sich an sie wenden, aufzuklären, welche Rechte und Pflichten man als Praktikant hat und dass von einem Praktikanten nicht dasselbe verlangt werden kann, wie von einem regulären Angestellten.

„Wie weltfremd muss man sein"

„Wie weltfremd muss man sein, um dann zu resümieren, dass es keine Generation Praktikum gibt?", rügt Schatz die Studie. Die Studie hat zudem ausgeklammert, dass viele Praktika bereits während des Studiums erfolgten. Danach soll es keine Praktika mehr geben, findet Schatz, auch wenn es aber oft nicht der Realität entspricht.

„Praktika finden in Übergangsphasen statt"

Anna Schopf hat die Plattform Generation Praktikum gegründet. Schon vor mehreren Jahren hat sie begonnen, sich mit der Thematik zu beschäftigen und sie findet es daher erstaunlich, dass heute überhaupt noch thematisiert wird, ob im Zusammenhang mit der Generation Praktikum von einem Mythos gesprochen werden kann. „Praktika finden in Übergangsphasen statt", sagt sie. Gerade im ersten Jahr nach Beendigung des Studiums sind Praktika Gang und Gäbe.

2.1 Hören Sie das Gespräch am Bahnhof und unterstreichen Sie die sprachlichen Strukturen, mit denen Holger bzw. seine Frau ausdrücken, was sie erfahren haben.

🔊 30

MARKUS: Hallo. Du schaust ja nicht grad glücklich aus. Was ist denn passiert?

HOLGER: Ich warte auf meine Frau. Ihr Zug ist irgendwo in Bitterfeld stehen geblieben, es war wohl wieder mal 'ne Weiche kaputt. Es kam eine Durchsage, dass der Zug außerplanmäßig in Halle halten würde und die Passagiere die S-Bahn nach Leipzig nehmen sollen. Dort würden sie dann einen anderen Zug nach München bekommen.[1]

MARKUS: Ja, und?

HOLGER: Maria meinte, dass sie sich noch schnell ein S-Bahn Ticket kaufen würde.[2] Aber natürlich war vor dem Ticketautomaten eine ewig lange Schlange, da ist ihr die S-Bahn vor der Nase weggefahren.

MARKUS: Ja, aber da muss es doch irgendwelche anderen Möglichkeiten geben, dass sie von dort weiter nach München kommt!

HOLGER: Sollte man meinen, ist aber wohl kompliziert. Jetzt hat sie mir gesagt, dass sie von Halle die Regionalbahn nach Naumburg nimmt und dann mit dem ICE nach München weiterfährt.[3] Aber wie's so kommt: Auch der Zug hatte Verspätung! Jetzt sitzt sie in Naumburg fest, auch nicht viel besser.

MARKUS: Das ist ja blöd. Wann geht denn jetzt der nächste Zug nach München?

HOLGER: Sie haben ihr gesagt, dass der nächste Zug in einer Stunde abfahren würde.[4] Du wirst es nicht glauben: Jetzt hat sie mir gesagt, dass auch dieser Zug Verspätung hat.[5] Manchmal könnt' man schon verzweifeln!

MARKUS: Unglaublich! Da brauchst du wirklich gute Nerven. Gönn dir doch einen Kaffee! Sorry, ich muss jetzt leider los, mein Zug kommt – der ist nämlich ausnahmsweise nicht verspätet.

HOLGER: Danke danke, gute Nerven kann ich brauchen. Mach's gut und bis bald!

MARKUS: Ciao!

2.2 Schreiben Sie die indirekte Rede aus 2.1 (markiert durch die hochgestellten Ziffern) so
auf, wie sie tatsächlich geäußert wurde (direkte Rede).

1 Bahndurchsage: „Der Zug hält heute außerplanmäßig in Halle. Nehmen Sie die S-Bahn nach
Leipzig. Dort bekommen Sie dann einen anderen Zug nach München."

2 Maria: _____

3 Maria: _____

_____

4 Bahndurchsage: _____

5 Maria: _____

Indirekte Rede in der gesprochenen Sprache

- In der gesprochenen Sprache wird die indirekte Rede meist im Indikativ formuliert:
  Sie hat mir gesagt, dass auch dieser Zug Verspätung hat.
- Häufig in der gesprochenen Sprache ist auch die *würde*-Form (Konjunktiv II von *werden*):
  Maria meinte, dass sie sich noch schnell ein S-Bahn-Ticket kaufen würde.
- Bei Modalverben ist die *würde*-Form unüblich.
  Er sagte, er müsste das noch machen. (statt: *Er sagte, er würde das noch machen müssen.*)
- Die Sätze werden mit einem Verb des Sagens (z. B. *sagen, behaupten, erklären, erläutern,
  meinen*) eingeleitet. Daran schließt sich ein *dass*-Satz oder ein Hauptsatz an:
  Sie sagte, dass sie sich noch schnell ein S-Bahn-Ticket kaufen würde.
  Sie sagte, sie kaufe sich noch schnell ein S-Bahn-Ticket.

---

3 Sie stehen am Bahnsteig und hören die folgende Durchsage. Eine ältere Dame neben
Ihnen hat die Durchsage nicht verstanden und bittet Sie, die Ansage zu wiederholen.
Geben Sie das Gehörte wieder und achten Sie dabei auf den Perspektivenwechsel.

🔊 31

> „Meine sehr verehrten Damen und Herren, der Regional Express aus Aachen zur
> Weiterfahrt nach Hamm über Duisburg, Essen, Bochum, Dortmund hat heute leider
> Verspätung. Der Zug hält heute in den Abschnitten A bis C. Wir bitten alle Fahrgäste,
> die sich im Abschnitt D befinden, sich in die Abschnitte A bis C zu begeben.
> Dadurch helfen Sie, weitere Verzögerungen zu vermeiden."

Der Schaffner hat uns mitgeteilt, dass der Regional Express aus Aachen zur Weiterfahrt nach
Hamm mal wieder Verspätung hat. . . .

4 Sie wollen eine Reise nach Marburg machen. Geben Sie das Gespräch zwischen Ihnen
und der Reiseberaterin mündlich wieder. Verwenden Sie *dass*-Sätze.

Beraterin im Reisebüro:

„Ihre Reise nach Marburg dauert insgesamt 5 Tage. Sie starten am Gründonnerstag und wären dann am Ostermontag gegen 18.00 Uhr zurück in Augsburg. Auf dem Weg nach Marburg machen Sie einen Zwischenstopp in Weimar. Das heißt, bevor Sie nach Marburg fahren, haben Sie sogar noch die Möglichkeit die Innenstadt von Weimar zu besichtigen. Nach einer Übernachtung in Weimar kommen Sie Karfreitag gegen Mittag in Marburg an. Ihr Hotel liegt direkt an der Lahn. Von dort aus starten jeden Tag verschiedene Ausflüge. Ich gebe Ihnen die Broschüre, damit Sie sich das Programm näher anschauen können. Bei den Ausflügen handelt es sich um freiwillige Angebote. Sehr zu empfehlen ist der Besuch des Schlosses und eine Radtour ins schöne Hinterland. Etwas ganz besonderes ist eine Kanutour auf der Lahn von Marburg nach Wetzlar."

Die Beraterin hat gesagt, dass die Reise 5 Tage dauert. . . .

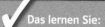

Das lernen Sie:

– Korrigieren und Wider-
  sprechen
– Stellung der Negations-
  wörter *nicht* und *kein*
– Verstärkung und
  Einschränkung von
  Negation

1 Lesen Sie den Ausschnitt eines Interviews mit der Frauenrechtlerin Alice Schwarzer und ergänzen Sie die Negationswörter und Negationspräfixe aus dem Schüttelkasten.

> außer • keine • keinesfalls • Nein • Nein • nicht • nicht • nicht • nicht • nicht •
> Nichts • nie • niemand • noch nie • un- • un- • un-

Interview mit Alice Schwarzer

von Roger Köppel

Frau Schwarzer, was machen Sie eigentlich, wenn Sie sich _____ mit der Sache der Frau beschäftigen?
Alice Schwarzer: Mich interessiert alles _____ Sport. Diesen Luxus leiste ich mir. Dann gibt es Domänen, in denen ich bedauerlicherweise _____ ausrei-chend gebildet bin, Naturwissenschaften zum Beispiel. Sonst bin ich in Bewegung. Mich interessiert, was aufkommt.

Stören Sie Etiketten wie ‚Feministin' und ‚Emanze'?
Schwarzer: _____, aber ich habe _____ ein Abzeichen getragen. Mir ist jede Etikettierung fremd. Selbst in den Hoch-Zeiten des Feminismus habe ich _____ Frauenzeichen getragen …

Heute stimmen Ihnen doch alle zu. Es traut sich fast _____ mehr, Sie zu kritisieren.
Schwarzer: Tatsächlich? Und wenn, es stört mich _____, recht zu haben.

Sie haben Ihre Karriere aus dem _____ aufgebaut. Beneiden Sie Leute, die aus besseren Startpositio-nen heraus ihr Leben gestalten konnten?
Schwarzer: Beneiden? Warum sollte ich? Eine Karriere scheint mir _____ erstrebenswert um ihrer selbst willen. Ich bin Schritt für Schritt vorangegangen, weil mich die Art der Tätigkeit und die Inhalte interessierten. Ich habe lediglich darauf geachtet, finanziell ___abhängig zu bleiben. [...]

Wie war Deutschland, als Sie Mitte der siebziger Jahre aus Frankreich zurückkamen?
Schwarzer: Das war ein Kulturschock für mich. Am _____erträglichsten war das Schwarzweißdenken. Vor allem in Berlin herrschte eine hochneurotische Stimmung. Es gab nur links oder rechts, richtig oder falsch, Parole. Man musste sich in einem bestimmten Vokabular ausdrücken, sonst gehörte man _____ dazu.

Hat die Frauenbewegung die Männer verändert?
Schwarzer: Es brauchte ja _____ die Frauenbewegung, um die Männer etwas menschlicher werden zu lassen. Mein Großvater, der ein sehr liebenswerter Mann war, hätte doch als junger Mann _____ einen Kinderwagen angefasst – mich, seine Enkelin, aber hat er gewickelt und gefüttert. In den Vierzigern. In den letzten dreißig Jahren nun hat eine wahre Kulturrevolution stattgefunden. Frauen und Männer haben sich verändert. Alle Untersuchungen, auch die von EMMA* in Auftrag gegebene aktuelle Umfrage, zeigen: Zwei Drittel der Männer sind auf unserer Seite, finden die Emanzipation gut. Nur ein Drittel bleibt hart dagegen.

Die Männer sind weiblicher und damit für Frauen _____attraktiver geworden?
Schwarzer: Ach was? Weil sie mal Ohrringe oder Kajal tragen? _____, im Ernst, natürlich sind Zeiten der Veränderung Zeiten der Verunsicherung. Aber wir schaffen das schon. [...]

* ein politisches Magazin für Frauen

Quelle: Die Weltwoche, 21.12.2006 (www.weltwoche.ch)

2 Lesen und ergänzen Sie den inneren Monolog jeweils an der richtigen Position.
Achtung: Es müssen nicht alle Lücken ergänzt werden.

> nicht (7x) • noch nicht • nicht mehr

Zu sensibel für diese Welt?

Der Nachbar hat mich eben im Treppenhaus _____ gegrüßt _____ – was hat der auf einmal gegen mich?
Helen hat _____ auf meine Mail geantwortet _____ – meine Einladung ist für sie wohl _____
wichtig genug _____.
Und was reden die beiden in der Ecke da? Ich hoffe, die tratschen* _____ über mich _____.
Mein Chef hat mich seit Monaten _____ _____ gelobt _____, ich glaube, da stimmt _____ etwas _____.
Ich habe mir auf der Betriebsfeier wirklich Mühe gegeben, aber Martin hat _____ mich _____, sondern diese
neue Sekretärin _____ zum Tanzen _____ aufgefordert.
Die finnischen Vokabeln kann ich mir _____ überhaupt _____ merken, bin ich zu doof fürs Sprachen lernen?
Ich versuche schon seit 20 Minuten, einen Kaffee zu bestellen, aber der Kellner sieht _____ mich _____ – bin
ich etwa Luft für die anderen Menschen?

*hier: schlecht reden

3 Lesen Sie die Übersicht zur Stellung des Negationswortes *nicht*.
Finden Sie zu jeder Regel ein Beispiel aus Aufgabe 1 oder 2.

Die Stellung von *nicht*

- Mit *nicht* kann ein Satzteil negiert werden. Bei dieser **Satzteilnegation** steht *nicht* unmittelbar vor dem Satzglied,
  das verneint werden soll.
  Auf die Satzteilnegation folgt häufig eine Korrektur, die durch die Konjunktion *sondern* (nicht *aber*!) eingeleitet wird. Sowohl das
  negierte Satzglied als auch die Richtigstellung werden betont:
  … aber Martin hat nicht mich, sondern diese neue Sekretärin zum Tanzen aufgefordert.
- Bei der **Satznegation** negiert *nicht* die Aussage des ganzen Satzes, es steht eher am Ende des Satzes, nach Akkusativ- und
  Dativergänzung:
  _____
- Die Satznegation mit *nicht* steht bei mehrteiligen Verbformen immer vor dem zweiten, dem infiniten Verbteil (Partizip II, Infinitiv
  oder Präfix eines trennbaren Verbs):
  _____
- *Nicht* steht auch immer vor Konstruktionen von *sein / werden / bleiben* + Adjektiv / Nomen (Prädikativ-Ergänzung):
  _____
- *Nicht* steht meist vor Präpositionalergänzungen:
  _____

4.1 Lesen Sie den Anfang des Romans von Erich Loest. Handelt es sich im ersten Satz um
eine Satz- oder Satzteilnegation? Lesen Sie den Satz laut und achten Sie auf die Betonung.

> Brigitte Neuker, genannt Brischidd, war nicht so schön, dass ich erschlagen
> gewesen wäre, mehr von dieser angenehm durchschnittlichen Hübschheit
> eines Drittels aller Weiblichkeit. Mit diesen Frauen ist gut umgehen, denn sie
> sind weder gehemmt noch eingebildet [...]
>
> aus: Erich Loest. *Es geht seinen Gang oder Mühen in unserer Ebene.*
> Leipzig: Lindenverlag, 1990

4.2 Welche Eigenschaften hat Brigitte Neuker? Kreuzen Sie an. ⇨ *weder ... noch*: Kapitel 2.2.4
Zweiteilige Konnektoren

☐ Sie ist hübsch.   ☐ Sie ist wunderschön.
☐ Sie hat Komplexe.   ☐ Sie ist nicht arrogant.

Verstärkung und Einschränkung von *nicht*

- Die Wirkung von *nicht* kann durch Voranstellung von *gar* oder *überhaupt* verstärkt werden:
  Die finnischen Vokabeln kann ich mir überhaupt nicht merken.
- Zur ausdrücklichen Verneinung können auch *keinesfalls* oder *keineswegs* an Stelle von *nicht* verwendet werden:
  Eine Karriere scheint mir keinesfalls erstrebenswert um ihrer selbst willen.
- Die Geltungsdauer der Negation kann durch *noch* und *mehr* eingeschränkt werden:
  Helen hat noch nicht auf meine Mail geantwortet.
  Bedeutung: Es gibt zum Sprechzeitpunkt keine Antwort, vielleicht kommt die Antwort aber in der Zukunft.
- **Mein Chef hat mich seit Monaten nicht mehr gelobt.**
  bedeutet: Es gab schon Lob, allerdings liegt das Lob einige Monate zurück.

⇨ Anhang 17: Deklination von *kein*

5.1 Lesen Sie die Grilltipps und ergänzen Sie *nicht* oder *kein* in der richtigen Form.

Grillen – aber richtig!

Was gibt es Schöneres, als an einem warmen Sommerabend mit guten Freunden zu grillen? Doch beim Grillen kann man auch jede Menge falsch machen. Im schlimmsten Fall verderben einem diese Fehler nicht nur das Essen, sondern sind sogar gefährlich! Damit bei Ihnen nichts schief geht, geben wir einige Tipps, wie Sie Fehler beim Grillen vermeiden können:

- ➤ Es sollten _____ Grillroste verwendet werden, an denen alte Essensreste kleben, nach jedem Grillvorgang muss der Rost gut gereinigt werden.
- ➤ Auf _____ Fall sollte man den Grill mit Spiritus anzünden. Durch die plötzlich hochschießende Stichflamme passieren jedes Jahr rund 4000 Unfälle in Deutschland.
- ➤ Geschmacklich macht es _____ Unterschied, ob man mit Gas, Strom oder Kohle grillt.
- ➤ Man darf _____ Nadelholz zum Grillen verwenden, es enthält zu viel Harz, das ungesund ist und den Geschmack des Fleisches zerstört. Wenn schon Holz, dann Laubholz wie Birke oder Buche.
- ➤ Gepökeltes* Fleisch wie Kassler, Schinken oder Wiener Würstchen darf _____ gegrillt werden, beim Grillen dieser Produkte können krebserregende Stoffe entstehen.
- ➤ Die Gabel ist _____ geeignetes Grillbesteck – Würstchen und Steaks sollten _____ mit der Gabel gewendet werden. Mit einer Zange werden die Poren des Fleisches _____ verletzt und es trocknet _____ so schnell aus.
- ➤ Das Fleisch sollte _____ zu oft gewendet werden. Besser ist es, das Fleisch von beiden Seiten anzubraten und es dann abseits der direkten Glut fertig zu garen.
- ➤ Der Kartoffelsalat oder Nudelsalat sollte _____ in fetter Mayonnaise schwimmen, eine Salatsoße aus Olivenöl und Essig ist besser für die Verdauung.
- ➤ Sie haben noch _____ Idee für den Nachtisch? Probieren Sie doch mal gegrillte Äpfel, Birnen oder Bananen.

* mit Salz konserviert

Stellung und Verstärkung von *kein*

- Der Negationsartikel *kein* steht immer dort, wo sonst der unbestimmte Artikel steht:
  Er hat *eine* Idee für den Nachtisch.
  Er hat *keine* Idee für den Nachtisch.
- Benutzt man *ein* jedoch als Zahlwort, so wird es mit *nicht* verneint:
  Ich habe *nicht ein*, sondern zwei Würstchen auf den Grill gelegt.
- Anders als der unbestimmte Artikel hat der Negationsartikel *kein* auch Pluralformen:
  Er hat Ideen für den Nachtisch.
  Er hat *keine* Ideen für den Nachtisch.
- Auch Nomen, die im Singular ohne Artikel stehen können, werden mit *kein* negiert:
  Ich habe *keine* Lust, den Grill zu putzen. Mama, ich habe *keinen* Hunger mehr!
  Es gibt im Kühlschrank *kein* Mineralwasser mehr.
- Einige feste Nomen-Verb-Verbindungen (z. B. Auto / Rad fahren, Ski laufen, Fußball spielen)
  werden mit *nicht* negiert: Ihr dürft jetzt *nicht* Fußball spielen!
- Die Wirkung von *kein* kann durch Voranstellung von *gar* oder *überhaupt* verstärkt werden:
  Ich esse *überhaupt kein* Fleisch.
- Eine Möglichkeit der Verstärkung ist auch der Gebrauch der unveränderlichen Form *keinerlei*:   ⇨ Anhang 17: Deklination von
  Ich esse *keinerlei* tierische Produkte.   *kein*

5.2 Geben Sie Ihr Wissen nun weiter – auch wenn Sie sich dabei ein bisschen unbeliebt
machen werden: Widersprechen Sie den Aussagen der anderen Gäste mit *kein* oder
nicht und korrigieren Sie mit *sondern*.

a „Los, zünden wir die Kohlen mit Spiritus an!"
  Nein, man sollte die Kohlen nicht mit Spiritus, sondern mit einem speziellen Anzünder anzünden.

b „Es gibt keine Holzkohle mehr, benutzen wir doch das Fichtenholz."
  _____

c „Werfen wir doch noch die Wiener Würstchen auf den Grill."
  _____

d „Ich benutze immer eine Gabel zum Drehen der Steaks."
  _____

e „Ich habe einen Kartoffelsalat mit leckerer Mayonnaise mitgebracht, wie findest du den?"
  _____

5.3 Was sollte man nicht tun? Wählen Sie ein Thema, bei dem Sie sich auskennen (z. B.
Kochen, Fußball, Beruf, Kindererziehung oder Partnerschaft) und geben Sie Ratschläge.

6 Lesen und ergänzen Sie den Bericht eines einsamen Wanderers.

> nie / niemals • nie / niemals • niemand • niemandem • nirgends • nichts

Auf den Brockengipfel – eine einsame Bergwanderung 1925

Das Frühstück in meiner Pension war wunderbar, ich habe _____ auf dem Teller gelassen. Satt und zufrieden machte ich mich auf den Weg zum Brocken, noch _____ habe ich mich so auf ein Wanderziel gefreut, wie auf diesen wilden Hexentanzplatz*! Ich ging schnell voran und erreichte so auch recht bald Torfhaus, wo es zu regnen und zu schneien begann. Ab Torfhaus wurde es sehr einsam um mich herum – _____ begegnete mir auf den Bergpfaden, _____ sah ich Spuren im tiefen Schnee. Je höher man den Berg hinaufsteigt, desto kürzer, zwergenhafter werden die Tannen, sie scheinen immer mehr zu schrumpfen, bis nur noch Heidelbeersträucher und Bergkräuter übrig bleiben. Es tut so gut, allein durch die stille Natur zu wandern und mit _____ ‚Konversation' machen zu müssen, _____ werde ich mich an den Lärm der Großstadt gewöhnen ... So erstieg ich ohne wesentliche Schwierigkeiten den höchsten Berg des Harzes und staunte sehr über die Windgeschwindigkeiten, die dort auf dem Gipfel zustande kommen ...

* der Sage nach feiern Hexen in der Nacht zum 1. Mai auf dem Brocken die Walpurgisnacht

Niemand und niemals

- Das Negationspronomen *niemand* wird in der gehobenen Standardsprache meist dekliniert:
  Ich möchte niemand<u>en</u> sehen. Ich möchte mit niemand<u>em</u> sprechen.
- Es kann aber auch undekliniert verwendet werden:
  Ich möchte niemand sehen. Ich möchte mit niemand sprechen.
- In der gehobenen Standardsprache kann *niemals* zur ausdrücklichen Verneinung an Stelle von *nie* verwendet werden:
  Ich werde das niemals vergessen.

 Das sagt man auch:

Ich hab' nix verstanden!
Das Negationspronomen *nichts* wird in der Umgangssprache oft [niks] gesprochen, bei der schriftlichen Wiedergabe wird dann *nix* geschrieben.

7 **Wollten Sie schon einmal allein sein und keinen Menschen sehen? Erzählen Sie und verwenden Sie die Negationswörter *niemand, nichts, nie / niemals* und *nirgends / nirgendwo*.**

8.1 **Ergänzen Sie die Negationsaffixe *un-, miss-,* und *-los* im Forumsbeitrag jeweils an der richtigen Position. Achtung: Es müssen nicht alle Lücken ergänzt werden.**

Claudi_3,
07.12.2011 19:36

Ich bin Mitte 20 und habe es in meinem Leben zu nichts, aber auch gar nichts gebracht. Andere Frauen haben einen Mann, eine Familie, ein Haus und sind glücklich. Die große Liebe habe ich nie gefunden, ich bin einsam, ____erfolg____, ____arbeits__, ____zufrieden____ und ____fähig. Meine ____trost____ Situation ____fällt____ mir, aber ich kann sie nicht verbessern. Ich brauche einen totalen Neuanfang, helfen Sie einer ____glücklichen____ Frau und sagen Sie mir, was ich tun soll!

Negationsaffixe

- Einige Adjektive lassen sich nicht mit *un-* verneinen, es handelt sich meistens um Adjektive mit einem eindeutigen Gegensatz:
  groß – klein, kurz – lang, warm – kalt
- Mit dem Suffix *-los* macht man aus Nomen negierte Adjektive:
  Arbeit > arbeitslos, Hilfe > hilflos, Glück > glücklos (Bedeutung: ohne Arbeit, ohne Hilfe, ohne Glück)
- Einige Verben und Nomen werden mit dem Präfix *miss-* negiert:
  gelingen > misslingen, gefallen > missfallen, der Erfolg > der Misserfolg, das Vertrauen > das Misstrauen

8.2 **Das Negationspräfix *un-* wird im Deutschen deutlich betont (<u>un</u>beliebt), bei Verben mit *miss-* liegt die Betonung auf der zweiten Silbe (miss<u>fa</u>llen). Lesen Sie den Forumsbeitrag mit der nötigen Dramatik und achten Sie auf die Betonung der Vorsilben.**

8.3 **Antworten Sie der jungen Frau, widersprechen Sie ihrer pessimistischen Lebensanschauung und machen Sie ihr Mut.**

9.1 In einem Online-Forum wird diskutiert, ob Männer Einkaufen („Shoppen") mögen. Lesen Sie den Beitrag und formulieren Sie den unterstrichenen Teil um, ohne eine Negation zu verwenden.

> **Shoppen muss auch mal sein!**
>
> > Ich geh nicht ungern shoppen. Allerdings bin ich schnell fertig damit: Ich gucke was ich haben will, dann probiere ich das an und dann entscheide ich ja oder nein fertig ganz einfach ☺
> >
> > *von teddybaer*

Mehrfachnegation

- Die Kombination von *nicht* mit *ohne*, *un-* und *miss-* ist eine vorsichtige Bejahung:
  Der Film ist nicht uninteressant. bedeutet: Der Film ist ziemlich interessant.
- Nach *bevor*, *bis* und *ehe* ist die Negation im Nebensatz fakultativ – der Sinn bleibt mit und ohne *nicht* gleich:
  Er kann sich keine Meinung bilden, bevor er den Film (nicht) gesehen hat.
  bedeutet: Er kann sich erst eine Meinung bilden, wenn er den Film gesehen hat, vorher nicht.

9.2 Was mögen Sie nicht beim Einkaufen: unfreundliche Verkäufer, schlechte Luft im Kaufhaus, den ungeduldigen Partner, den Stress? Erzählen Sie im Kurs.

10 Bei Mehrfachnegationen sollte man das logische Denkvermögen nicht überfordern. Lesen Sie das Zitat aus Lessings Drama *Emilia Galotti*. Wie hat der Prinz Claudias Tochter Emilia angesehen?

Claudia (Emilias Mutter): Gott! Gott! Wenn dein Vater das wüsste! – Wie wild er schon war, als er nur hörte, dass der Prinz dich jüngst nicht ohne Mißfallen gesehen!

* jüngst: vor kurzem

Gotthold Ephraim Lessing: Emilia Galotti, 2. Aufzug

9 Textstruktur und Textaufbau

Das lernen Sie:

- wie bestimmte sprachliche Handlungen (Erzählen, Beschreiben, Argumentieren und Diskutieren, Auffordern und Kontaktieren) in Texten realisiert werden
- typische sprachliche Mittel für die einzelnen sprachlichen Handlungen
- Aufbau und Funktion bestimmter Textsorten

9.1 Erzählen

 Erzählen

Täglich erzählen wir Erlebnisse oder hören anderen zu, die etwas zu erzählen haben. Selten hören die Zuhörer dabei tatsächlich nur zu, meistens werden sie aktiv, indem sie nachfragen, kommentieren oder lachen. Diese Interaktion macht das mündliche Erzählen interessant. Ganz anders ist es hingegen bei der literarischen Erzählung: Hier kennt der Autor seine Leser nicht und kann ihre Reaktionen nicht sehen. Umso besser muss er planen, damit seine Erzählung interessant und spannend wird.

9.1.1 Literarische Erzählung: „Es war einmal …"

 Es war einmal …

Wenn ein Text so beginnt, weiß man sofort, dass es sich um ein Märchen handelt. Der Rest des Satzes ist variabel, z. B.:

Es war einmal ein Fischer und seine Frau, die wohnten zusammen in einer kleinen Fischerhütte, dicht an der See … (Gebrüder Grimm: Vom Fischer und seiner Frau)

Die „Märchenformel" *es war einmal* dient also zur Einführung des Themas: Die Erzählung handelt von einem Fischer und seiner Frau.

1.1 Mit den vier Textanfänge (a-d) wird das Thema eingeführt.
Ergänzen Sie die passenden Satzenden.

- … der Sohn eines berühmten Arztes, dessen Geschichte so tragisch ist, dass sie nicht in Vergessenheit geraten darf.
- … lebte die Schneiderin Anna.
- … eine alte Geschichte, die im Volk erzählt wird, wie die Insel entstanden ist.
- … ein elegant, aber nachlässig gekleideter Fremder ein, der augenscheinlich eine längere Fußtour gemacht hatte.

a Es gibt auf Rhodos _____

b Vor einiger Zeit kehrte spät abends im „Goldenen Löwen" zu Kassel _____

c Vor langer, langer Zeit _____
d Unter meinen Jugendbekannten war _____

Quelle für a,c,d: Zifonun / Hoffmann / Strecker(1997): Grammatik der deutschen Sprache, S. 527f.

1.2 Wer oder was ist jeweils das Thema der Geschichte?

 Das liest man auch:

Manchmal beginnen literarische Erzählungen ganz abrupt. Der Erzähler tut so, als ob man die Personen schon kennt, man befindet sich sofort mitten in der erzählten Welt:

Pereira erklärt, er habe ihn an einem Sommertag kennengelernt.

(Antonio Tabucchi: Erklärt Pereira)

2.1 Lesen Sie die Anekdote vom Fremden zweimal. Unterstreichen Sie beim zweiten Lesen
alle Wörter oder Wortgruppen, die sich auf diesen Fremden beziehen.

Wilhelm Busch: Eine Nachtgeschichte

Vor einiger Zeit kehrte spät abends im „Goldenen Löwen" zu Kassel ein elegant, aber nachlässig gekleideter
Fremder ein, der augenscheinlich eine längere Fußtour gemacht hatte. Aus seinen schmerzlichen Zügen sprach
eine stille Verzweiflung, ein heimlicher Kummer musste seine Seele belasten. Er aß nur äußerst wenig und ließ
5 sich bald sein Schlafzimmer anweisen.
Es mochte wohl eine Viertelstunde später und nahezu Mitternacht sein, als der Kellner an Nr. 6, dem Zimmer
des Fremden, vorüberkam. Ein lautes, herzzerreißendes Ächzen und Stöhnen drang daraus hervor. Dem
erschrockenen Kellner erstarrte das Blut in den Adern. Irgendetwas Entsetzliches musste da vorgehen.
Schleunige Hilfe tat Not; der Kellner stürzt zur Polizei.
10 Unterdessen hat die Regierungsrätin v.Z., welche in Nr. 7 schläft, dieselbe schreckliche Entdeckung gemacht und
bereits das ganze Wirtshaus in Alarm gebracht, als der Kellner mit der Polizei zurückkommt. Man dringt nun sofort
in das Zimmer des Fremden. Aber leider kam die Hilfe zu spät, denn derselbe hatte bereits in Ermangelung eines
anderen Instrumentes mit eigener Hand unter Schmerzen und Wehklagen seine engen Stiefel ausgezogen.

augenscheinlich: man kann es sehen, offensichtlich - *die Züge*: gemeint sind die Gesichtszüge, also seine Mimik - *schleunige Hilfe*: sofortige,
schnelle Hilfe - *unterdessen*: in der Zwischenzeit - *die Regierungsrätin v.Z.*: die Frau des Regierungsrates (ein Regierungsrat arbeitet in gehobener
Stellung für den Staat)

2.2 Ergänzen Sie die grafische Darstellung, in der die Bezugnahmen auf den Protagonisten
(= den Fremden, der spät abends das Gasthaus betritt) dargestellt werden.

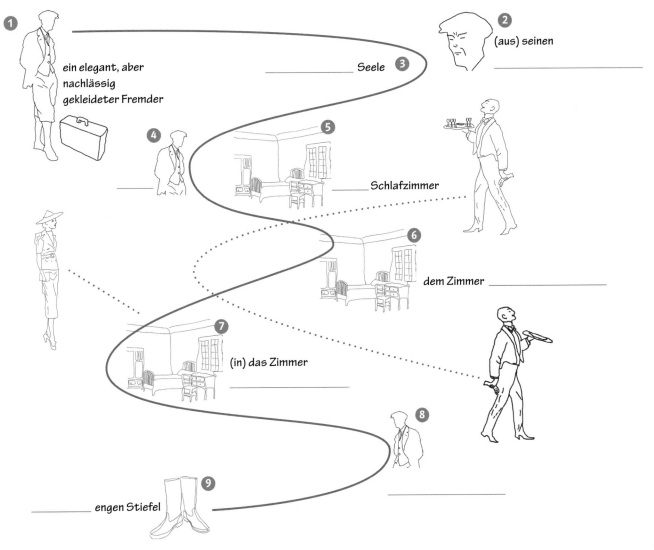

2.3 Ergänzen Sie die fehlenden Kommentare.

1 Der Protagonist ist noch nicht bekannt, das signalisiert der unbestimmte Artikel *ein*. Hier wird der Protagonist eingeführt und ein wenig beschrieben.

2 Wir haben den Protagonisten schon in **1** kennen gelernt, jetzt wird über einen Teil von ihm gesprochen, *seine Züge* (=die Mimik). *Seine* zeigt, dass es immer noch um die gleiche Person geht. Wir haben unsere Aufmerksamkeit schon auf ihn gerichtet und sollen diese Orientierung beibehalten.

3 _____

_____

4 _____

_____

5 _____

_____

6 Um wen geht es nun? Wir kennen die Person schon, deshalb steht der bestimmte Artikel *des*. Von einem *Fremden* war schon am Textanfang die Rede, es ist also wieder der Protagonist. Wir sollen uns also erneut auf ihn orientieren, nachdem eben die Aufmerksamkeit auf den Kellner gerichtet war.

7 _____

_____

_____

8 Es ist viel Bewegung in die Geschichte gekommen, das ganze Wirtshaus ist aufgeregt, die Polizei ist auch schon da. In dieser Szene soll die Aufmerksamkeit wieder auf den Protagonisten gerichtet werden: *derselbe* zeigt an, dass wir eine Person fokussieren sollen, die schon vorkam: den Fremden.

9 Schließlich geht es um ein Kleidungsstück des Protagonisten, *seine Stiefel*. Wie schon mehrmals zuvor, zeigt *seine* an, dass die Orientierung auf ihn noch immer besteht.

2.4 Schauen Sie noch einmal in den Text. Worauf beziehen sich *daraus* (Zeile 7) und *dieselbe* schreckliche Entdeckung (Zeile 10)?

daraus: _____

dieselbe schreckliche Entdeckung: _____

Erzählen: Textbezüge

- Es ist ein wichtiges Merkmal von Texten, dass es Beziehungen zwischen den Sätzen gibt. Daher kann man manche Sätze isoliert gar nicht richtig verstehen. So fragt man sich beispielsweise, wer mit dem Pronomen *er* gemeint ist, wenn man liest: *Er aß nur äußerst wenig.* Dann muss man suchen, was vorher im Text steht.
- Pronomen wie *er*, *sie* und *es* beziehen sich also in der Regel auf eine Person oder Sache, die schon früher im Text genannt wurde. Sie helfen, den Text zu verstehen, da sie anzeigen, dass es immer noch um dieselbe Person oder Sache geht, man also seine Orientierung beibehalten soll.

3.1 In der Geschichte von Wilhelm Busch passiert eigentlich nichts Spektakuläres, trotzdem ist sie spannend. Man könnte das gleiche Ereignis auch völlig ohne Spannung berichten. Lesen Sie folgenden Text.

> Vor einiger Zeit kehrte spät abends im „Goldenen Löwen" zu Kassel ein elegant gekleideter Fremder ein. Er aß nur sehr wenig und ließ sich bald ein Schlafzimmer anweisen. Etwa eine Viertelstunde später kam der Kellner an Nr. 6, dem Zimmer des Fremden vorüber. Da ein Ächzen und Stöhnen daraus hervor drang, holte er die Polizei. Man drang nun in das Zimmer des Fremden ein, der seine engen Stiefel bereits ausgezogen hatte.

3.2 Der Autor der veränderten Geschichte hat sich vier Regeln überlegt, wie er die
Geschichte schreiben muss, damit sie nicht spannend ist. Vergleichen Sie die
Originalversion und die veränderte Geschichte unter diesen vier Aspekten und erklären
Sie, warum die Originalversion viel spannender ist.

1 Vermeide Andeutungen oder Vermutungen darüber, was mit dem Fremden nicht stimmt!
2 Verwende möglichst wenige Adjektive!
3 Erzähle alles im Präteritum!
4 Die Auflösung des Rätsels darf nicht unnötig verzögert werden!

	Originalgeschichte	Veränderte Version
Andeutungen oder Vermutungen?		
Adjektive zur Beschreibung von Gefühlen und Stimmung?		
Tempus?		
Verzögerung?		

⇨ Kapitel 5.2: Vergangenheit

Erzählen: Zeit und Tempus

- Wenn jemand eine Geschichte erzählt, so muss diese schon passiert sein, sie liegt also in der
Vergangenheit. Daher ist das typische Erzähltempus das Präteritum, bei mündlichem Erzählen
auch das Perfekt.
- Wenn aber die Geschichte auf ihren Höhepunkt zugeht, wechseln Erzähler oft ins Präsens.
Dadurch hat der Leser fast das Gefühl, dass er die Geschichte live miterlebt. Durch den Wechsel
des Tempus entsteht also eine Nähe zur Handlung und das macht die Geschichte spannend.   ⇨ Kapitel 5.2: Vergangenheit

9.1.2 Alltägliche Erzählung: „Jetzt muss ich noch was erzählen ..."

1.1 Der Frau auf Bild 1, Elke, ist etwas Unerwartetes passiert.
Überlegen Sie sich in Gruppen eine Geschichte zu den Bildern.

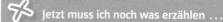

①	②	③	④	⑤
1:00 Uhr	1:10 Uhr	1:30 Uhr	1:32 Uhr	1:35 Uhr

1.2 Hören Sie nun die Geschichte, die Elke ihren Freunden bei einem Abendessen erzählt.

1.3 Lesen Sie nun das Transkript und notieren Sie zu jedem Bild aus 1.1 den passenden Abschnitt.

> **✶ Jetzt muss ich noch was erzählen ...**
>
> Warum erzählt man eine Geschichte? Die Gründe können unterschiedlich sein: Man möchte wissen, wie die Zuhörer das Ereignis bewerten, man möchte sich selbst darstellen oder andere unterhalten. Normalerweise kündigt man an, dass man etwas erzählen will (*Jetzt muss ich noch was erzählen*) oder beginnt mit einer Frage (*Weißt du, was mir gestern passiert ist?*). Wenn die Zuhörer interessiert reagieren, ist das wie ein „Ticket zum Erzählen". Die Geschichte ist in der Regel ein Ereignis, das unerwartet verläuft, also anders als geplant und von dem man denkt, dass es die Zuhörer interessiert.

🔊 32

An dem Gespräch sind zwei Ehepaare beteiligt. Hartmut und Elke sind bei Ulla und Klaus zu Gast.

HARTMUT:	Was wir mal zu fassen hatten, nich, Elke?
ELKE:	Ah ich / ja, äh, das ist ja mit Birgit, weißt du, Birgit hat ja mehr revoltiert und das war ja auch die Zeit, als sie in Neustadt immer zu jeder Party musste und ich dann im Nacht / und ich dann im Nachthemd und dann mein / mein Mantel über und dann auf der
	5 Tour meiner Tochter und fahr dann den Neustädter Berg hoch, kommt da denn die Polizei. Fahrzeugkontrolle. Ich im Nachthemd,
ULLA:	Du im Nachthemd, wunderbar!
ELKE:	Ich war eh schon geladen, weißt du, es war halb zwei oder so und dann also halt ich mit meinem Käfer und nu wollten sie mal gucken und da hab ich gesagt „was". Ja äh und
	10 dann haben sie gesagt „Und hier ist also / die TÜV-Plakette ist abgelaufen." Und ich sag „Was? Wie viele Polizisten stehen hier? Eins, zwei, drei" Ich war geladen. „Na, wenn sie damit Ihr Geld verdienen!" hab ich gesagt, „na dann also wirklich, Halleluja." Weißt du, was das gekostet hat? Hundertzwanzig Mark!
ULLA:	Weil du frech warst!
KLAUS:	15 Ulla, was hast du denn?
ELKE:	Und weil die ASU überfällig war. ASU war überfällig ... und dann war ich noch frech obendrein, weißt du
ULLA:	Du warst über... /
ELKE:	Und dann haben sie mir noch ne Verwarnung gegeben und was weiß ich und die ganze
	20 ASU hat beim Herrn Meier zwanzig Mark oder zweiundvierzig fünfzehn oder so gekostet.
HARTMUT:	So ist das, ich kenn das auch, ich bin in / in München in eine / (...)
KLAUS:	Das hab ich noch nicht erlebt.

TÜV-Plakette: TÜV ist die Abkürzung für „Technischer Überwachungsverein". Jeder Autobesitzer muss sein Auto regelmäßig überprüfen lassen und erhält dann eine TÜV-Plakette.
ASU: Abkürzung für Abgas-Sonderuntersuchung. Es wird überprüft, ob das Auto nicht zuviele Abgase ausstößt.
überfällig: Die Frist ist schon vorbei, man hätte es schon erledigen müssen.

Quelle: Graefen, Gabriele / Liedke, Martina (2008): CD-ROM zu „Germanistische Sprachwissenschaft". UTB: Francke, leicht modifiziert

1.4 Markieren Sie jeweils das Ende der einzelnen Handlungen (|) wie im Beispiel.
Wie verknüpft Elke die Handlungen miteinander?

und ich dann im Nachthemd | *und dann mein Mantel über* |

2 Das mündliche Erzählen einer Geschichte ist ein interaktiver Prozess. Hören Sie das Gespräch noch einmal und ergänzen Sie, wie sich die Zuhörer am Erzählen beteiligen.

Erzählerin	Zuhörer
– *Die Erzählerin sagt mehrmals „weißt du". Damit stellt sie sicher, dass die Zuhörer ihrer Geschichte folgen können.* – *Sie greift den Kommentar von Ulla auf („und dann war ich noch frech")*	– *Lachen: An manchen Stellen lachen die Zuhörer. Sie zeigen damit, dass sie Elkes Erzählung folgen und sie verstehen.* – *Zuweisung der Erzählerrolle:* _____ _____ – *Kommentare:* _____ _____ – *Übernahme der Erzählerrolle:* _____ _____

3.1 Elke erzählt ihre Geschichte spannend. Ordnen Sie die Elemente, mit denen sie Spannung erzeugt, der passenden Begründung zu.

> Die Erzählerin wechselt ins Präsens. • Sie zitiert, was die Personen gesagt haben. •
> Sie zählt die Polizisten (*eins, zwei, drei*). • Sie verwendet zweimal den Ausdruck *hier*.

_____

Dadurch nimmt man die Szene so wahr, wie die die Erzählerin damals wahrgenommen hat: Sie sieht die Polizisten nacheinander.

_____

Dadurch lenkt sie die Aufmerksamkeit auf etwas, das damals in ihrer Nähe war (TÜV-Plakette, Polizisten). Man nimmt den Ort so wahr, wie sie ihn damals wahrgenommen hat.

_____

Dadurch fühlt man sich, als ob man die Personen selbst sprechen hört.

_____

Dadurch markiert sie das unerwartete Ereignis (die Polizeikontrolle mitten in der Nacht). Es ist so nah, als ob es jetzt gerade passiert.

4 Am Ende einer Geschichte steht immer die Bewertung (Evaluation) des Ereignisses. Kreuzen Sie die richtigen Aussagen an.

- ☐ Elke findet es nicht richtig, dass sie so viel Geld wegen der Plakette zahlen musste.
- ☐ Ulla meint, dass die Strafe so hoch war, weil Elke so reagiert hat.
- ☐ Klaus denkt, dass die Strafe angemessen war.
- ☐ Hartmut kennt die Geschichte schon und sagt nicht, was er davon hält.

Mündliches Erzählen

- Mündliches Erzählen ist interaktiv, nicht nur der Erzähler hat eine aktive Rolle, sondern auch die Zuhörer: Sie können die Geschichte kommentieren, lachen oder etwas fragen.
- Die Handlungen werden normalerweise chronologisch genannt und häufig mit *und (dann)* verknüpft.
- Typisch für mündliches Erzählen ist auch Verberststellung: *Standen da plötzlich drei Polizisten.*
- Spannend wird eine Geschichte, wenn man das Gefühl hat, ganz nah zu sein. Das kann der Erzähler durch einen Wechsel ins Präsens oder durch das Zitieren der Personen erreichen. Ausdrücke wie *hier* und *da* können das Gefühl vermitteln, am Ort der Geschichte zu sein und den Raum „durch die Brille des Erzählers" wahrzunehmen.

5 Bestimmt ist Ihnen auch schon einmal etwas Unerwartetes passiert. Erzählen Sie.

Geld vergessen? Etwas gefunden? Auto kaputt? Jemanden nach langer Zeit getroffen?
Zu spät gekommen? Handy nicht dabei? Glück gehabt? Etwas falsch verstanden?

9.2 Beschreiben in Sach- und Fachtexten

9.2.1 Wörterbucheinträge: „im Strafraum verhängter Strafstoß"

1.1 Sehen Sie sich das Bild an. Was ist abgebildet? Wann benutzt man solche Texte?

1.2 Ergänzen Sie die Erklärung mit den Wörtern und Wortgruppen aus dem Schüttelkasten.

> erste einführende Erklärung • viele • semantisch-inhaltlich • Grundinformationen

Funktion von Wörterbucheinträgen

- In einem Wörterbuch gibt es _____ Wörterbucheinträge.
- Die Einträge sind eine _____ zu einem bestimmten Begriff. Sie enthalten _____, die als gesichert und relevant gelten.
- Die Begriffe werden sowohl grammatisch-formal als auch _____ beschrieben.

2 Wie gut kennen Sie die Regeln im Fußball? Was ist ein ‚Elfmeter'? Wie heißt ‚Elfmeter' in Ihrer Muttersprache? Versuchen Sie, den Begriff schriftlich in Ihrer Muttersprache zu definieren.

3 Lesen Sie die Erklärung zu Struktur und Inhalt von Wörterbucheinträgen. Welche Informationen haben Sie bei Ihrer Beschreibung des Begriffs ‚Elfmeter' in der Muttersprache verwendet?

Struktur und Inhalt von Wörterbucheinträgen

Wörterbucheinträge enthalten meistens folgende Teile:
a den Begriff mit Silbenangaben und Ausspracheregeln
b grammatische Informationen
c Fach- oder Wissensbereich, aus dem der Begriff stammt
d Definition oder allgemeine Charakterisierung
e Synonym(e), manchmal auch Gegensätze (Antonyme)
f Verwendungsbeispiel(e)
g Angaben zur Wortherkunft des Begriffs

4.1 Lesen Sie den Wörterbucheintrag zum Begriff ‚Elfmeter'. Ordnen Sie die Strukturelemente (a–g) aus der Erklärung oben dem Eintrag zu. Welche Aspekte werden nicht berücksichtigt?

> **Elf'me•ter** [___] (m.; -s, -; [___] Sp. [___]) *im Fußball nach schweren Regelwidrigkeiten (Foul, Handspiel) im Strafraum verhängter Strafstoß, bei dem von der Elfmetermarke aus direkt auf das Tor geschossen wird* [___]; *Sy* Strafstoß, Penalty [___]

nicht beschrieben werden: ___,___

4.2 Beantworten Sie die Fragen jeweils mit der passenden Wortgruppe aus dem
Wörterbucheintrag.

- In welchem Sportbereich wird der Strafstoß verhängt? _____
- Wann / in welchen Fällen wird der Strafstoß verhängt? _____

  _____

- Wo wird der Strafstoß verhängt? _____
- Wohin und wie wird geschossen? _____
- Von wo aus wird geschossen? _____

4.3 Welche sprachlich-grammatischen Phänomene weist der Wörterbucheintrag ‚Elfmeter'
auf? Beantworten Sie folgende Fragen:

- Definitionen beginnen oft mit „*X ist ein / eine* …" Ist das im Lexikoneintrag auch so? Warum (nicht)?
- Gibt es handelnde Personen oder Akteure? Warum (nicht)? Welche grammatische Struktur wird
  entsprechend verwendet?
- Welche Akteure könnte man einsetzen? Formulieren Sie Sätze mit Akteuren.
- Was ist Thema des Eintrages? Wo steht das Thema? Was ist die neue Information im Eintrag?
  Wo steht die neue und wichtige Information?   ⇨ Kapitel 1.5

4.4 Wodurch wird das hervorgehobene Wort näher bestimmt? Unterstreichen Sie.   ⇨ Kapitel 3.3

im Fußball nach schweren Regelwidrigkeiten (Foul, Handspiel) im Strafraum verhängter Strafstoß,

bei dem von der Elfmetermarke aus direkt auf das Tor geschossen wird

5.1 Lesen Sie einen zweiten Wörterbucheintrags zum Begriff ‚Elfmeter'. Achten Sie auf die
hervorgehobene Definition: Was ist der Kern der nominalen Gruppe und welche
Attribute bestimmen diesen Kern näher?

> Elfmeter der <-s. -> SPORT *im Fußball der als Bestrafung für ein Foul vollzogene,*
> *direkte Schuss auf das Tor* Der Schiedsrichter müsste einen Elfmeter geben., Wer
> hat den Elfmeter geschossen / verwandelt?, Der Torwart hat den Elfmeter gehalten.

5.2 In der Definition des zweiten Wörterbucheintrags ‚Elfmeter' gibt es kein Verb.
Mit welchen Verben sind folgende Wörter verwandt?

Bestrafung: jmdn. (Akk.) *bestrafen*

Foul: _____

vollzogene: _____

Schuss: _____

5.3 Wie könnte der Eintrag lauten, wenn Sie die Verben aus 5.2 verwenden?
Warum werden in Wörterbucheinträgen nur selten Verben verwendet?

6 Lesen Sie noch einmal die beiden Wörterbucheinträge zu ‚Elfmeter'. Wer handelt in den Definitionen jeweils implizit, wer verhängt bzw. vollzieht den Elfmeter?

Schiedsrichter • Fußballspieler

im Strafraum verhängter Strafstoß: _____

als Bestrafung für ein Foul vollzogener, direkter Schuss auf das Tor: _____

7 Ergänzen Sie die Erklärung. Wählen Sie dazu jeweils das richtige Wort aus.

Sprachliche Mittel in Wörterbuch- und Lexikonartikeln

Wörterbucheinträge enthalten kurze Informationen in schriftlicher Form. Es gibt sprachliche Mittel, die Platz sparen und eine hohe Informationsdichte erlauben:

* Das Kopulaverb (meistens *sein*) in der Definition wird oft weggelassen. → *(oft / nie)*

* Passiv ist ein _____ sprachliches Mittel in Lexikonartikeln, Handelnde werden meist nicht genannt. → *(typisches / untypisches)*

* Es gibt _____ Attribute vor (Adjektive, Partizipialattribute) und nach dem Kern der Nominalphrase (z. B. Präpositionalattribute, Genitivattribute, Relativsätze, Appositionen). → *(viele / keine)*

* Wörterbuchartikel zeichnen sich durch Nominalstil aus. Es gibt _____ Substantivkomposita und Substantive, die aus Verben gebildet wurden. → *(viele / keine)*

* Die bekannte Information (das Thema) steht _____ vorn, die neue Information (das Rhema) eher hinten im Satz. → *(meist / selten)*

* _____ gibt es mehrere Bedeutungen, oft mit Zahlen gekennzeichnet. → *(oft / nie)*

8 Suchen Sie in einem Wörterbuch nach Begriffen, die Sie interessieren und analysieren Sie die Einträge. Verstehen Sie die Wörterbucheinträge jetzt besser?

9 Schreiben Sie einen Wörterbucheintrag. Achten Sie dabei auf die Struktur:

* Begriff
* grammatische Informationen (Phonetik, Artikel, Genitivform, Pluralform)
* eventuell der Fachbereich, aus dem der Begriff stammt
* Definition / allgemeine Charakterisierung
* gegebenenfalls Synonym oder gegensätzliche Begriffe
* ggf. Verwendungsbeispiele

2.2 Audioguides: „. . . auf der Rampe in der großen Glaskuppel mit einem Spiegeldings in der Mitte"

1.1 Kennen Sie Audioguides? Haben Sie schon einmal einen Audioguide benutzt? Wo und wozu?

1.2 Auf der Internetseite des Deutschen Bundestages (www.bundestag.de) finden Sie zwei Audioguides, einen für Erwachsene und einen für Kinder. Hören und sehen Sie sich eine Version an. Worum geht es?

1.3 Was unterscheidet Audioguides von Wörterbucheinträgen?
Kreuzen Sie Zutreffendes an.

	Audioguide ⌒	Wörterbucheintrag ▭
Enthält wichtige Informationen.		
Man betrachtet etwas und hört gleichzeitig einen Text dazu.		
Es gibt viele Kennzeichen der Mündlichkeit (z. B. deiktische Lokalangaben wie *hier* oder *da oben*).		
Der Hörer wird direkt einbezogen (z. B. durch *Schauen Sie* … oder *Wir sehen* …).		
Es gibt viele Beschreibungen.		

1.4 Hören Sie die Abschnitte a, b, c und d aus den Audioguides. Welche beiden Abschnitte sind für Erwachsene, welche für Kinder? Kreuzen Sie an.

🔊 33

	Erwachsene	Kinder
Abschnitt a		
Abschnitt b		
Abschnitt c		
Abschnitt d		

1.5 Gehören die Abschnitte a, b, c und d jeweils an den Anfang, in die Mitte oder ans Ende der Audiotour? Kreuzen Sie an.

	Anfang	Mitte	Ende
Abschnitt a			
Abschnitt b			
Abschnitt c			
Abschnitt d			

✓ Audioguide

Wortschöpfung aus *audio* (lat. ‚ich höre') und guide (engl. ‚Reise- / Museumsführer')
Audioguides werden meist als Museums- oder Stadtführer verwendet. Dabei werden geschriebene Texte professionell eingesprochen. Die Tonaufnahmen können dann mit speziellen Geräten angehört werden.

⇨ Audioguide für Erwachsene:
http://dbtg.tv/cvid/713671
Audioguide für Kinder:
http://dbtg.tv/cvid/698536
⇨ beide Audioguides finden Sie auch auf der beiliegenden CD

2.1 Hören Sie noch einmal beide Audioguides. Was wird jeweils besonders genau beschrieben?

2.2 Wie wird die Beschreibung der beiden Dinge jeweils eingeleitet? Ordnen Sie zu.

> Gespräch mit Fragen • direkte Frage (2x) • indirekte Aufforderung

„Wenn Sie nach oben sehen, werden Sie erkennen, dass die Kuppel offen ist." _____

„Auf dem Dach des Reichstagsgebäudes dient eine Fotovoltaikanlage von mehr als 300 m² Fläche als emissionsfreie Stromquelle. Haben Sie eigentlich in der Mitte der Kuppel die Spiegel entdeckt?" _____

Briegel der Busch: „Wisst ihr eigentlich, warum die Kuppel offen ist?"
Chili das Schaf: „Vergessen zuzumachen?"
Bernd das Brot: „Keine Ahnung, mir egal?"
Kind: „Wieso offen?" _____

„Hallo du da am Kopfhörer, schau mal in die Mitte der Kuppel. Hast du da die vielen Spiegel bemerkt?" _____

3 Die beiden Audioguides unterscheiden sich teilweise. Ordnen Sie den Merkmalen die passenden Beispiele aus dem Schüttelkasten zu. Manche Beispiele passen mehrmals.

> Im Licht- und Ablufttrichter ist zudem eine Wärmerückgewinnungsanlage verborgen. • Hallo du … • Jetzt geht es nur noch bergab, wie immer in meinem Leben. • Hast du da die vielen Spiegel bemerkt? • Haben Sie eigentlich in der Mitte der Kuppel die Spiegel entdeckt? • nach oben • Schau mal runter! • Wenn Sie nach oben sehen … • So, da sind wir. • Geh die Rampe entlang! (gesungen) • unter uns

Audioguide für Erwachsene

Merkmal	Beispiel
Zuhörer wird höflich gesiezt (mit „Sie" angesprochen)	Wenn Sie …
Zuhörer wird über Fragen direkt angesprochen und auf etwas hingewiesen, was dann thematisiert wird.	
Aufforderungen sind eher indirekt.	
Zuhörer wird durch Lokaladverbien räumlich orientiert.	
Es wird eher sachlich-nominal beschrieben.	

Audioguide für Kinder

Merkmal	Beispiel
Zuhörer wird geduzt (mit „du" angesprochen)	
Zuhörer wird über Fragen direkt angesprochen und auf etwas hingewiesen, was dann thematisiert wird.	
Zuhörer wird als Teil einer Gesprächsgruppe angesprochen und geführt.	
Aufforderungen sind eher direkt.	
Aufforderungen werden auch in rhythmisch-musikalischer Form gegeben.	
Zuhörer wird durch Lokaladverbien räumlich orientiert.	
Es werden Späße gemacht.	

4 Ordnen Sie den Äußerungen der Erwachsenenversion jeweils die Entsprechung aus der Kinderversion zu. Welche Unterschiede bemerken Sie zwischen den Formulierungen?

> Wenn es regnet • die warme Luft aus dem Saal wird dann zum Heizen des Gebäudes genutzt • (Die Kuppel) wiegt 1200 Tonnen, so viel wie etwa 480 Elefanten. • Die ist 40 Meter im Durchmesser. • der Trichter ist zur Belüftung gedacht

(Die Öffnung) dient zur Entlüftung des Plenarsaals – _____

Die Wärme der Abluft wird zur Beheizung des Gebäudes genutzt – _____

Bei Regen und Schnee – _____

(Die Kuppel) hat einen Durchmesser von 40 Metern – _____

Die Kuppel wiegt 1.200 Tonnen, wovon 900 Tonnen auf die Stahlkonstruktion entfallen. – _____

5.1 Der Audioguide für Erwachsene enthält viele Nomen (Nominalstil). Mit welchen Verben sind die hervorgehobenen Substantive verwandt?

> Wenn Sie nach oben sehen, werden Sie erkennen, dass die Kuppel offen ist. Die Öffnung hat einen Durchmesser von 10 Metern und dient zur Entlüftung des Plenarsaals. Vom Straßenniveau bis zur Kuppelöffnung beträgt die Höhe des Gebäudes insgesamt 54 Meter. Die Kuppel ist von der Höhe der Terrasse bis zu ihrer Öffnung 23 ein halb Meter hoch. Bei Regen und Schnee fällt das Wasser durch die Kuppelöffnung in den Trichter. Es wird innerhalb der Konstruktion aufgefangen und abgeleitet, sodass kein Regen in den Plenarsaal eindringen kann. Im Licht- und Ablufttrichter ist zudem eine Wärmerückgewinnungsanlage verborgen. Die Wärme der Abluft wird zur Beheizung des Gebäudes genutzt. Die Kuppel wiegt 1.200 Tonnen, wovon 900 Tonnen auf die Stahlkonstruktion entfallen. Sie ist mit 3.000 qm Glas gedeckt und hat einen Durchmesser von 40 Metern. Insgesamt hat Norman Foster 40.000 qm Glas im Reichstagsgebäude verbaut. Die Transparenz der Glaskonstruktion soll zugleich auf die Transparenz unseres demokratischen Staatswesens hinweisen.

die Öffnung	öffnen
die _____	_____
_____	_____
_____	_____
_____	_____

⇨ Kapitel 4.4

5.2 Finden Sie die Substantivkomposita im Auszug aus dem Audioguide und zerlegen Sie diese in ihre grammatischen Bestandteile. Aus welchen Fachbereichen stammen die Begriffe?

Kompositum	Teil, der Grundwort näher bestimmt	Fugen-element	Grundwort
_____	plenar (von lat. „plenus' = voll)		_____
das Straßenniveau	die Straße	-n-	das Niveau
_____	_____		_____
_____	das Licht und die Abluft		_____
_____	die Wärmerückgewinnung	-s-	_____
_____	_____		_____
_____	_____		_____
_____	_____		_____

Fachbereiche: _____

5.3 Lesen Sie den Auszug noch einmal und markieren Sie alle Genitivattribute.

6.1 Lesen Sie die Auszüge aus den Audioguides. Worauf beziehen sich die hervorgehobenen Wörter jeweils? Stehen die unterstrichenen Wörter eher vorn oder hinten im Satz? Warum?

> Haben Sie eigentlich in der Mitte der Kuppel die Spiegel entdeckt? Diese 360 Spiegel lenken als so genannte Lichtumlenkelemente Tageslicht in den Plenarsaal. Hierdurch wird weniger Strom zur künstlichen Beleuchtung des Plenarsaals benötigt. Mithilfe des Sonnensegels, das entlang der Rampe parallel zur Sonne mitläuft und das Licht bricht, wird verhindert, dass es zu Blendeffekten kommen kann.

BERND DAS BROT: Hallo du da am Kopfhörer, schau mal in die Mitte der Kuppel. Hast du da die vielen Spiegel bemerkt?
BRIEGEL DER BUSCH: Klaro, die Spiegel leiten Tageslicht in den Plenarsaal. Seht ihr das Metallsegel? Das dreht sich immer mit der Sonne als Jalousien, damit die Abgeordneten nicht geblendet werden.

⇨ Kapitel 9.3: Vor-/Rückbezug

6.2 Schauen Sie sich beide Auszüge noch einmal an. Markieren Sie die adverbialen Bestimmungen des Ortes, die den Zuhörer räumlich orientieren.

6.3 Schauen Sie sich den Abschnitt für Kinder noch einmal an. Welche Formulierungen sind typisch für mündliche Kommunikation?

7 Ergänzen Sie die Erklärung mit den passenden Formulierungen aus dem Schüttelkasten.

beim Betrachten • neues Wissen • direkt angesprochen • räumlich orientiert • Dialoge

Audioguides: Funktion und typische sprachliche Mittel

- Audioguides vermitteln dem interessierten Zuhörer _____ zu einer bestimmten Sache.
- Der Zuhörende wird direkt _____ einer Sache geführt, d.h. während er/sie ein Bild oder einen Teil eines Gebäudes ansieht, hört er/sie dazu passende Informationen.
- Durch die Verwendung von Lokalangaben wird der Zuhörende _____ _____.
- Der Zuhörende wird oft _____ und etwas gefragt oder zu etwas aufgefordert.
- Durch die Verwendung von Personendeixis (*wir, Sie, du, uns*) wirken Audioguides oft wie _____.

2.3 Grafiken: „Das Kreisdiagramm zeigt ..."

1.1 Schauen Sie sich die Grafik 1 an. Was wird dargestellt? Welche Aussagen können Sie treffen?

> **✓ Das lernen Sie:**
> – Grafiken und Grafikbeschreibungen verstehen
> – Grafiken strukturiert beschreiben
> – Zahlen und Vergleiche ausdrücken

Grafik 1: Anteil der erneuerbaren Energien am gesamten Energieverbrauch

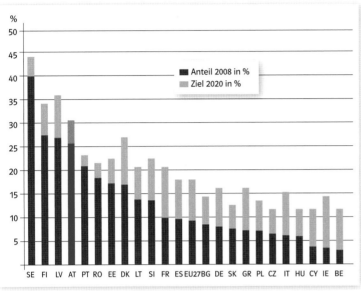

Quelle: Statistisches Amt der Europäischen Union (EuroStat)

Das Diagramm zeigt die jeweiligen Anteile der erneuerbaren Energien am gesamten Energieverbrauch der 27 EU-Mitgliedsländer (EU27) im Jahr 2008 mit besonderem Fokus auf Österreich. In der Abbildung sind außerdem die Zielsetzungen bis zum Jahr 2020 angezeigt.[1] Die Daten stammen vom Statistischen Amt der Europäischen Union.[2] Der Durchschnitt der 27 EU-Länder liegt bei ca. 10%. Mit fast 30% liegt Österreich im EU-Vergleich an vierter Stelle. Während innerhalb der EU der Anteil der erneuerbaren Energieträger am gesamten Energieverbrauch bis zum Jahr 2020 um 10 % auf 20 % steigen soll, strebt Österreich dagegen bis 2020 einen Anstieg um 5,5 % auf 34 % an.[3] Damit zeigt die Grafik, dass Österreich im Bereich der erneuerbaren Energien im europäischen Vergleich eine Spitzenposition einnimmt.[4]

1.2 Lesen Sie nun die Grafikbeschreibung und vergleichen Sie diese mit Ihren Ergebnissen aus 1.1.

1.3 Lesen Sie die Grafikbeschreibung noch einmal und ordnen Sie die vier gekennzeichneten Abschnitte den passenden Teilen in der folgenden Übersicht zu.

Grafikbeschreibung: Gliederung

Grafikbeschreibungen sind meist in folgende Teile gegliedert:
- Nennung des Themas (Abschnitt: ___)
- Angabe der Quelle (Abschnitt: ___)
- Darstellung und Vergleich der Daten (Abschnitt: ___)
- Schlussfolgerung / Fazit (Abschnitt: ___)

---

2 Vergleichen Sie folgende Grafik und Grafikbeschreibung mit denen in Aufgabe 1: Welche Unterschiede, welche Gemeinsamkeiten stellen Sie fest?

Grafik 2: Energieträgermix in Österreich im Jahr 2009

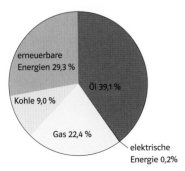

Quelle: Bundesanstalt Statistik Österreich

Das Kreisdiagramm, das von der Bundesanstalt Statistik Austria stammt, gibt Auskunft über die Anteile der verschiedenen Energieträger in Österreich im Jahre 2009.
Der Anteil des Öls beträgt rund 40 %, es nimmt damit den größten Anteil bei der Energieversorgung ein. An zweiter Stelle folgen mit fast 30 % die erneuerbaren Energien. Der Anteil des Energieträgers Gas beläuft sich auf etwas mehr als ein Fünftel (22 %). Kohle deckt nur rund 10 % des Energiebedarfs in Österreich.
Zwar ist der Anteil der erneuerbaren Energien in Österreich mit fast 30 % deutlich höher als in den meisten anderen Ländern der EU (vgl. Grafik 1), trotzdem werden 70,5 % des Energiebedarfs durch die Energieträger Öl, Kohle und Gas gedeckt. Somit macht das Diagramm auch deutlich, dass in Österreich der Anteil der fossilen Energieträger noch immer bei rund 70 % liegt.

3.1 Ergänzen Sie die folgende Übersicht mit den Angaben aus dem Schüttelkasten.

> Linien-, Säulen- und Balkendiagramme • Kreisdiagramme • beantworten •
> Zusammenhänge herstellen • Daten und Fakten

Grafiken: Formen und Funktionen

- Eine Grafik ist eine bildliche Darstellung von Informationen, Grafiken zeigen _____.
- Grafiken _____ oft die Fragen: „Wie viele?" und „Wann?"
- Anhand von Grafiken kann man Daten vergleichen, Entwicklungen aufzeigen und _____.
- Grafiken werden nach ihrer Form unterschieden, es gibt z.B. Kreisdiagramme, Liniendiagramme, Säulendiagramme oder Balkendiagramme.
- _____ stellen meist die einzelnen Anteile eines Ganzen (100%) dar.
- _____ zeigen oft zeitliche Entwicklungen.
- Daten werden statt in Grafiken auch oft als Tabellen präsentiert.

3.2 Um welche Diagrammform handelt es sich bei den Grafiken 1 und 2?

Grafik 1: _____   Grafik 2: _____

4.1 Markieren Sie in den Grafikbeschreibungen 1 und 2 die sprachlichen Mittel, mit denen

- ▸ das Thema der Grafik ausgedrückt wird
- ▸ die Quelle angegeben wird
- ▸ Vergleiche und Entwicklungen ausgedrückt werden
- ▸ ein Fazit gezogen wird.

4.2 Ergänzen Sie nun mit den markierten sprachlichen Mitteln aus 4.1 die folgende Übersicht.

Sprachliche Mittel der Grafikbeschreibung I

Thema	– _____ – In der Abbildung sind … angezeigt. – Das Kreisdiagramm … gibt Auskunft über …
Angabe der Quelle	– _____ – Das Kreisdiagramm, das von … stammt.
Vergleiche und Entwicklungen	– _____ der 27 EU-Länder liegt bei ca. 10 %. – Mit fast 30 % _____ Österreich im EU-Vergleich _____ vierter Stelle. – _____ innerhalb der EU _____ der erneuerbaren Energieträger am gesamten Energieverbrauch _____ Jahr 2020 _____ 10 % _____ 20 % _____, _____ Österreich dagegen _____ 2020 _____ 5,5 % _____ 34 % _____. – _____ des Öls beträgt rund 40 %, es _____ damit _____ bei der Energieversorgung _____. – _____ mit fast 30 % die erneuerbaren Energien. – Der Anteil des Energieträgers Gas _____ etwas mehr als ein Fünftel (22 %). – Kohle deckt _____ in Österreich. – _____ erneuerbaren Energien in Österreich mit fast 30 % _____ _____ in den meisten anderen Ländern der EU (vgl. Grafik 1), _____ 70,5 % _____ die Energieträger Öl, Kohle und Gas _____.
Fazit / Schlussfolgerung	– _____ – Somit macht das Diagramm auch deutlich, dass …

4.3 Manchmal wird behauptet, dass im Deutschen der Genitiv „ausstirbt"[1]. Vermuten Sie, warum Grafikbeschreibungen im Gegensatz zu dieser Behauptung viele Genitivformen enthalten.

1 z. B. im Bestseller von Bastian Sick: Der Dativ ist dem Genitiv sein Tod. Ein Wegweiser durch den Irrgarten der deutschen Sprache.

Sprachliche Mittel der Grafikbeschreibung II

- Beschreibung von Mengen:
  Der Anteil liegt bei / beträgt / beläuft sich auf …

- Vergleichen und Veränderungen beschreiben:
  (an)steigen – stieg (an) – ist (an)gestiegen (Nominal: der Anstieg)
  (ab)sinken – sank (ab) – ist (ab)gesunken (Nominal: der Abstieg)

- Gegensätze ausdrücken:
  während, zwar, trotzdem, aber, dagegen

- Schlussfolgern:
  damit, somit

- Möglichkeiten der Graduierung:
  … hat sich deutlich / wesentlich / geringfügig / kaum / extrem verändert
  … ist gewachsen / gestiegen / angestiegen / gesunken
  … stieg / sank
  … ist / liegt höher / niedriger

- Häufig werden zur Graduierung auch die Partikeln *nur* und *immerhin* verwendet. So wird eine unterschiedliche Erwartungshaltung ausgedrückt:
  Kohle deckt nur noch 10 % des Energiebedarfs in Österreich.
  Kohle deckt immerhin noch 10 % des Energiebedarfs in Österreich.

- Zahlenangaben:

39,7 %	etwas weniger als fast knapp annähernd	vierzig Prozent (oder: 40 %)
12,3 %	etwas mehr als gut über	zwölf Prozent (oder 12 %)
79,9 % oder 80,1 %	rund circa ungefähr	achtzig Prozent (oder 80 %)

- Achtung: *2 % – 100 %* verlangen ein Verb im Plural:
  Rund 70 % des Energiebedarfs werden durch fossile Brennstoffe gedeckt.
  1 %, die Hälfte, ein Drittel etc. verlangt ein Verb im Singular:
  Fast ein Drittel des Energiebedarfs wird durch erneuerbare Energien gedeckt.

5.1 Welche Mengenangaben entsprechen einander? Ordnen sie zu.

ein Drittel • 20 % • ein Viertel • 1/4 • ein Fünftel • ca. 33 % • 1/2 • 1/5 • 50 %

die Hälfte	_____	_____
_____	1/3	_____
_____	_____	25 %
_____	_____	_____

5.2 Wie könnte man die folgenden Prozentangaben umschreiben?

10,2 % _____   24,6 % _____   32 % _____

76 % _____   51,3 % _____

6.1 Ergänzen Sie die Sätze jeweils mit den passenden Angaben aus den Schüttelkästen.

> stellt ... dar • gibt Auskunft über • hat ... zum Gegenstand

Thema der Grafik:

Das Schaubild _____ öffentliche Ausgaben je Schüler an allgemeinbildenden Schulen pro Bundesland.

Die Tabelle _____ den Anteil an Betriebsräten in größeren und kleineren Unternehmen _____.

Die von der Hans-Böckler-Stiftung im Jahr 2011 herausgegebene Grafik _____ die Entwicklung des Verhältnisses der Deutschen zum Beruf des Politikers _____ .

> stammen vom • macht Aussagen • wird ... differenziert

Quelle oder Details der Darstellung:

In der Grafik _____ zwischen Betrieben mit 5 bis 50 Mitarbeitern und Betrieben mit mehr als 500 Mitarbeitern in Ost- und Westdeutschland _____ .

Die Daten _____ Statistischen Bundesamt.

Die Tabelle _____ zu den Bundesländern Thüringen, Hamburg, Nordrhein-Westfalen und Gesamtdeutschland.

> Während (2x) • Im Vergleich fällt auf • liegen • gaben ... an • liegt ... höher

Beschreibung (Vergleich und Entwicklung):

_____ im Jahre 1978 noch 24% der befragten Deutschen angaben, den Beruf des Politikers zu achten, _____ dies 2008 nur noch 6% der Befragten _____.

_____ die Anzahl der kleineren Betriebe mit Betriebsräten mit 6 Prozent relativ gering ist, _____ der Anteil der größeren Betriebe mit Betriebsrat deutlich _____, nämlich bei fast 100 Prozent – und zwar in den neuen und den alten Bundesländern.

_____ , dass in Nordrhein-Westfalen die Ausgaben mit 4.900 € pro Schüler deutlich unter dem bundesdeutschen Durchschnitt von 5.600 € _____. Dagegen wird in Thüringen pro Schüler mit 7.100 € wesentlich mehr als im Durchschnitt ausgegeben.

> lässt erkennen • Es wird ersichtlich • Somit

Schlussfolgerung:

Die Grafik _____ , dass die Achtung der Deutschen dem Beruf des Politikers gegenüber in den letzten Jahren kontinuierlich gesunken ist.

_____ sind Betriebsräte in größeren Unternehmen fast immer die Regel, wohingegen sie in kleineren Betrieben eher die Ausnahme darstellen.

_____ , dass einzelne Bundesländer unterschiedlich viel in Bildung investieren.

6.2 Ordnen Sie jeder Grafik die inhaltlich passenden Sätze zu. Achten Sie dabei auf die richtige Reihenfolge der Sätze in der Grafikbeschreibung.

- ▸ Thema
- ▸ Quelle und Details der Darstellung
- ▸ Beschreibung
- ▸ Schlussfolgerung

1 BILDUNG

Thüringen zahlt am meisten

Öffentliche Ausgaben je Schüler allgemeinbildender Schulen

Thüringen	7.100 €
Hamburg	6.900 €
NRW	4.900 €
Deutschland	5.600 €

Daten für 2008; Statistisches Bundesamt, April 2011

2 MITBESTIMMUNG

Großbetriebe fast immer mit Vertretung

Einen Betriebsrat hatten 2010 von allen Betrieben mit...

	West	Ost
5 bis 50 Mitarbeitern	6 %	6 %
über 500 Mitarbeitern	90 %	94 %

IAB-Betriebspanel 2011

3 DEMOKRATIE

Kühles Verhältnis zu professioneller Politik

„Besondere Achtung" vor dem Beruf des Politikers hatten...

Prozent

24 % (1978) • 12 % (1988) • 11 % (1999) • 6 % (2008)

ab 1993 Gesamtdeutschland
IfD Allensbach, April 2011

www.boecklerimpuls.de

7   Sehen Sie sich die folgende Grafik an und ergänzen Sie die Grafikbeschreibung.

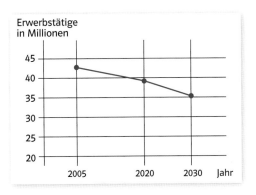

Erwerbstätige in Millionen

Entwicklung der Zahl der Erwerbstätigen in Deutschland (Prognose)

Jahr	2005	2020	2030
Erwerbstätige in Millionen	42,63	39,48	35,02

> um ca. • über • auf dann nur noch • Das heißt • der • weniger • bis zum • von • bis • Während es • noch ca. • nochmals um • ungefähr • zurück gehen • gab • sinken • betragen

Die Statistik gibt Auskunft _____ die voraussichtliche Entwicklung _____ Erwerbspersonen-zahlen _____ 2005 _____ 2030. _____ im Jahr 2005 bundesweit _____ 43 Mill. Erwerbspersonen _____, wird diese Zahl _____ Jahr 2020 _____ 3,1 Mill. Erwerbspersonen _____, d.h. im Jahr 2020 wird die Erwerbspersonzahl rund 40 Mill. _____. Zwischen 2020 und 2030 könnte die Erwerbspersonenzahl bundesweit _____ _____ 4,5 Mill. _____ 35 Mill. _____. _____, dass im Jahr 2030 _____ 8 Millionen Erwerbspersonen _____ auf dem Arbeitsmarkt zur Verfügung stehen werden.

> ✳ **Das liest man oft:**
>
> Der Anteil der Erwerbspersonenzahl in Deutschland sank von 43 Millionen im Jahr 2005 um ca. 3 Millionen, also ca. 7 % auf rund 40 Millionen im Jahre 2010.
> Der Anteil (+ Genitiv) … stieg / sank / fiel von … (%) im Jahr … um … (%) auf … (%) im Jahr …
> Anteile werden meist mit Genitivkonstruktionen ausgedrückt:
> *Fünf Prozent der Befragten; 10 % des Energiebedarfs; der Anteil des Energiebedarfs*

8   Beschreiben Sie die Grafik mit den sprachlichen Mitteln, die Sie in Kapitel 9.2.3 geübt haben.

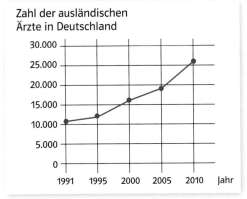

Zahl der ausländischen Ärzte in Deutschland

Jahr	1991	1995	2000	2005	2010
ausländische Ärzte in Deutschland	10.653	12.000	16.000	19.000	25.316

9   Wählen Sie eine der Grafiken rechts aus und beschreiben Sie diese mit den sprachlichen Mitteln, die Sie in Kapitel 9.2.3 geübt haben.

MITBESTIMMUNG

Dialog für Vereinbarkeit

Betriebsräte* sagen, wichtig für die Vereinbarkeit von Job und Privatleben sind …

Mitarbeitergespräche
28 %

Teilzeitarbeit
17 %

angepasste Rahmenarbeitszeiten
17 %

Langzeitkonten
16 %

* in gewerblichen Betrieben ab 20 Beschäftigten; WSI-Betriebsrätebefragung 2011

BILDUNG

Mehr Weiterbildung bei höherem Abschluss

Eine betriebliche Weiterbildung machten 2010 von den Beschäftigten mit …

23 %   37 %   48 %

Haupt-schul-abschluss   mittlerer Reife   Abitur/ Fach-abitur

Statistisches Bundesamt, Dezember 2011

GENDER

Lohnabstand wächst wieder

Die durchschnittliche Lohndifferenz* zwischen Männern und Frauen betrug …

633 €   591 €   625 €

2008   2009   2010

* Basis: Bruttolöhne Vollzeitbeschäftigter ohne Sonderzahlungen
Statistisches Bundesamt, Januar 2012

www.boecklerimpuls.de

9.3 Argumentieren und Diskutieren

9.3.1 Argumentieren: „Es steht außer Frage, dass ..."

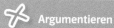

Argumentieren

Wenn man argumentiert, äußert man sich zu einem Problem oder einer Streitfrage. Man versucht, die eigene Position mit Argumenten zu begründen und andere von etwas zu überzeugen.

Es ist nicht leicht, in einem Text die verschiedenen Argumente und Positionen zu identifizieren – aber es gibt einige Indikatoren, die dabei helfen.

1.1 Lesen Sie den folgenden Zeitungsartikel. Um welches Problem geht es?

Debatte um Zuwanderung ausländischer Fachkräfte

Trotz Arbeitslosigkeit fehlen in Deutschland Fachkräfte. Junge Leute aus krisengebeutelten Regionen Europas suchen ihr Glück auf dem deutschen Arbeitsmarkt.

Die Bundesagentur für Arbeit (BA) hat die Debatte um Zuwanderung angeheizt. Um einen Fachkräftemangel zu verhindern, soll sich Deutschland um Ingenieure, Pfleger und Ärzte aus den südeuropäischen Krisenländern Spanien, Portugal und Griechenland bemühen. Wissenschaftliche Prognosen belegen, dass die Zahl der Erwerbsfähigen in Deutschland bis 2025 um 6,5 Millionen zurückgehen wird, wenn niemand zuwandert. „Es steht außer Frage, dass sich Deutschland um ausländische Fachkräfte bemühen muss", so ein Sprecher der BA. Grund sei die demographische Entwicklung. Kritiker aus der CSU schimpfen: „Anstatt sich im Ausland umzuschauen, sollten sich die Jobcenter* auf den Abbau der Arbeitslosigkeit hierzulande konzentrieren". Die beträgt laut Statistischem Bundesamt derzeit über sieben Prozent. Deshalb brauche man mehr Qualifizierung in Deutschland, sagte ein CSU-Politiker gestern. Die BA wehrte sich jedoch gegen den Vorwurf, Inländer zu vernachlässigen. Um Engpässe zu vermeiden, sei ein Bündel von Maßnahmen notwendig: „Natürlich müssen Schulabbrecher gefördert werden, Ältere und Frauen sollten stärker in den Arbeitsmarkt integriert werden". Weil das aber nicht ausreiche, sei zusätzlich eine Zuwanderung von rund 200 000 Menschen pro Jahr nötig.

*Jobcenter: Behörde, die Arbeitssuchende fördert und betreut

1.2 Was ist der Kern der Debatte, also die Streitfrage? Kreuzen Sie an.

☐ Die demographische Entwicklung in Deutschland geht zurück.
☐ Es fehlen Fachkräfte in Deutschland.
☐ Soll sich Deutschland um die Zuwanderung ausländischer Fachkräfte bemühen?
☐ Sollten Ältere und Frauen besser in den Arbeitsmarkt integriert werden?

1.3 Ergänzen Sie die Erklärung.

> Autorität • implizit • Streitfrage • eindeutig • These

Argumentieren: Zentrale Kategorien

- Beim Argumentieren wird eine These (eine bestimmte Meinung oder Behauptung) zu einer _____ geäußert.

- Um eine _____ zu begründen oder einer These zu widersprechen werden Argumente, Beispiele und Belege vorgetragen.

- Um eine These zu bekräftigen, verweist man oft auch auf eine _____ (z. B. eine anerkannte Person oder Institution).

- Die Streitfrage, die Thesen und Argumente bleiben oft _____, man muss sie selbst erschließen. Es ist auch nicht immer _____, ob etwas eine These, ein Argument oder ein Beispiel ist.

1.4 Lesen Sie den Zeitungsartikel noch einmal und ergänzen Sie die fehlenden Angaben in der Übersicht.

Thesen • Autoritäten • Streitfrage • Beispiele / Belege • Argumente • Bundesagentur für Arbeit • CSU-Politiker

Problem:	Fachkräftemangel in Deutschland	
_____	Soll sich Deutschland um die Zuwanderung ausländischer Fachkräfte bemühen?	
_____	Pro:	Contra:
	Ja, Deutschland soll sich um die Zuwanderung ausländischer Fachkräfte bemühen.	Nein, Deutschland soll sich nicht um die Zuwanderung ausländischer Fachkräfte bemühen.
Wer vertritt die These?	_____	_____
_____	Durch die demographische Entwicklung werden in den nächsten Jahren immer mehr Fachkräfte fehlen. In südeuropäischen Staaten sind viele junge Hochschulabsolventen arbeitslos	Die Zahl der Arbeitslosen in Deutschland muss abgebaut werden, anstatt Arbeitskräfte aus dem Ausland zu holen.
_____	Rückgang der Erwerbstätigen bis 2025 um 6,5 Millionen	Über 7 Prozent Arbeitslose in Deutschland
_____	Wissenschaft (wissenschaftliche Prognosen)	Statistisches Bundesamt

Sprachliche Argumentationssignale

In Argumentationen finden sich häufig folgende sprachliche Signale:

- Konditionale, konsekutive, kausale und modal-substitutive Konnektoren
  ..., wenn niemand zuwandert
  Um einen Fachkräftemangel zu verhindern ...
  Deshalb brauche man mehr Qualifizierung ...
  Anstatt sich im Ausland umzuschauen, ...   ⇨ Kapitel 2

- Distanzierungssignale, die Abstand des Autors zu Aussagen ausdrücken / Konjunktiv I
  Grund sei die demographische Entwicklung.
  Deshalb brauche man mehr Qualifizierung ...   ⇨ Kapitel 7.4

- Ausdrücke, die eine allgemeine Notwendigkeit einleiten (z.B. Modalverben, Passiv)
  ..., soll sich Deutschland um ... bemühen
  Es steht außer Frage, dass sich Deutschland um ausländische Fachkräfte bemühen muss.
  Natürlich müssen Schulabbrecher gefördert werden, Ältere und Frauen sollten stärker in den Arbeitsmarkt integriert werden.
  Um Engpässe zu vermeiden ...   ⇨ Kapitel 6.4 und 7

- Lexikalische Argumentationssignale und Wörter, die erst im Zusammenhang des Textes ihre argumentative Wirkung entfalten
  Junge Leute aus krisengebeutelten Regionen Europas suchen ihr Glück auf dem deutschen Arbeitsmarkt.
  Die Bundesagentur für Arbeit (BA) hat die Debatte um Zuwanderung angeheizt.
  Es steht außer Frage, dass ...
  Grund sei die demographische Entwicklung.

So leitet man eigene Thesen oder Argumente ein

– (Der) Grund (dafür) ist ...
– Es ist weitgehend unstrittig, dass ... / Es kann keine Frage sein, dass ... / Und eins ist doch klar: ...
– Es steht außer Frage, dass ... / Es steht außer Zweifel, dass ...
– Was spricht dagegen, mit ... anzufangen?
– Wir brauchen ... / Wir müssen ...

 So distanziert man sich von Sachverhalten und anderen Meinungen:

– Sicher ist es richtig, dass ... Dennoch / Trotzdem / Aber / Jedoch ...
– Das ist nicht die Frage, bedenken sollte man allerdings auch, dass ...
– Es ist ein Trugschluss zu glauben, dass ... Vielmehr müssen / sollten / brauchen wir ...

1.5 Der Zeitungsartikel in 1.1 stammt von einem Journalisten, der eher distanziert verschiedene Perspektiven wiedergibt. Lesen und ergänzen Sie hier die Argumentation eines Politikers.

> nicht ernsthaft • sollten • wenn wir so weitermachen wie bisher • viel weniger • während • Um ... zu • Anstatt • Ohne Zweifel • laut • Argument • Deswegen ist eines klar

_____ einen Fachkräftemangel _____ verhindern, will die BA Ingenieure, Pfleger und Ärzte in

den südeuropäischen Krisenländern Griechenland, Spanien und Italien suchen.

Ihr _____: die demographische Entwicklung. _____ werden in ein

paar Jahren _____erwerbsfähige Menschen in Deutschland zur Verfügung stehen,

_____.

Aber die BA kann doch als Lösung _____ ausländische Fachkräfte

vorschlagen, _____ die Arbeitslosenquote in Deutschland _____ Statistischem

Bundesamt bei über sieben Prozent liegt.

_____ : wir brauchen mehr Qualifizierung innerhalb

Deutschlands. _____ sich also im Ausland umzuschauen, _____ sich die Jobcenter

auf den Abbau der Arbeitslosigkeit hierzulande konzentrieren.

1.6 Argumentieren Sie jetzt aus Sicht eines Vertreters der Arbeitsagentur.

Die Frage, ob sich Deutschland um die Zuwanderung ausländischer Fachkräfte bemühen muss,
ist eindeutig zu beantworten: Ja. Um einen Fachkräftemangel ...

.2 Stellung nehmen im Leserbrief: „Her mit den Griechen!"

1.1 Lesen Sie den Leserbrief. Argumentiert Herr Baumeister für oder gegen die Zuwanderung von Fachkräften nach Deutschland? Unterstreichen Sie die sprachlichen Mittel, die er zum Argumentieren verwendet.

Leserbrief zum Zeitungsartikel: Debatte um Zuwanderung ausländischer Fachkräfte

Her mit den Griechen! In Deutschland fehlen Fachkräfte, während sie in Südeuropa arbeitslos sind.

Die Zahlen sind alarmierend. 2030 werden in Deutschland mehr als sechs Millionen Arbeitskräfte
5 fehlen, die Hälfte davon Akademiker. Aus eigener Kraft, mit Arbeitslosen, lässt sich diese Lücke nicht schließen. Allein schaffen wir das nicht. Es ist doch ein Trugschluss zu glauben, dass das ohne qualifizierte Zuwanderer ginge. Schon heute fehlen tausende
10 Ingenieure und Ärzte, sehr bald werden es auch tausende Facharbeiter und Pflegerinnen sein. Als Abteilungsleiter eines großen Technologiebetriebes weiß ich, wovon die Rede ist: seit mehr als zwei Monaten suchen wir verzweifelt nach Ingenieuren und finden
15 sie nicht.

Die Bundesagentur für Arbeit hat die Zeichen der Zeit erkannt: Sie will junge Fachkräfte im Ausland anwerben. Davon profitieren nicht nur wir Deutsche, son-
20 dern auch die jungen Menschen ohne Job in Griechenland, Spanien und Portugal. Und was spricht dagegen Fachkräfte auch aus Indien, Brasilien oder Ägypten zu holen? In der Politik ist man wohl aber noch nicht so weit. So fordern CSU-Mitglieder von der Bundesagentur, sie möge sich doch lieber um Jobs für Langzeitar-
25 beitslose, Ältere und Frauen bemühen. Zuwanderer scheinen bei uns offenbar noch immer als Bedrohung, und nicht als Bereicherung zu gelten.

Michael Baumeister, Köln

1.2 Ergänzen Sie die passenden unterstrichenen Beispiele aus dem Leserbrief.

Autor fordert Zuwanderung:	Her mit den Griechen!
Einleitung einer These:	Es ist doch _____
Einleitung einer These:	Und was _____, … zu …?
Argumente – fehlende Fachkräfte in Deutschland und arbeitslose Fachkräfte in Südeuropa:	In Deutschland fehlen Fachkräfte – während sie in Südeuropa arbeitslos sind.
– Vorteil für beide Seiten:	Davon _____ _____ _____
Fachkräftemangel wird mit „alarmierenden" Zahlen untermauert – heute fehlen: – in Zukunft fehlen:	2030 werden in Deutschland mehr als sechs Millionen Arbeitskräfte fehlen, die Hälfte davon Akademiker. _____ _____
angegebene Zahlen sind vage und nach oben offen	_____ sechs Millionen; tausende (2x)
Verwendung von Futur, um Zukunft zu prognostizieren	_____ ; _____
Autor nennt zwei Standpunkte: – er bewertet den Standpunkt der Arbeitsagentur – und im Gegensatz dazu den Standpunkt der Politik	hat die Zeichen der Zeit erkannt in der Politik _____
Autor verallgemeinert durch unpersönliche Ausdrücke	lässt sich; man (in der Politik)
Autor distanziert sich von anderen Meinungen	ginge; _____ ; scheinen … offenbar … zu gelten
Autor berichtet eigene Erfahrung aus der Arbeitswelt als Beispiel für Fachkräftemangel	_____ _____ _____
Autor versteht sich als Teil der deutschen Gesellschaft	aus eigener Kraft; _____ ; wir Deutsche; _____

Textkohärenz: Pro-Wörter

- Pro-Wörter stehen für andere Wörter oder Wortgruppen. Sie beziehen sich meist auf etwas, das bereits zuvor im Text erwähnt wurde (Rückbezug).
- Aufnehmende Pro-Wörter nehmen ein Thema wieder auf (z. B. *er, sie, es*).
- Fokussierende Pro-Wörter setzen oft einen neuen Fokus (z. B. *der, die das, dieser, diese / darüber, davon, damit / deshalb, darum*).
- Man kann auch auf etwas verweisen, das später im Text erwähnt wird (Vorausweisen).
- Pro-Wörter tragen dazu bei, dass aus Sätzen zusammenhängende und kohärente Texte werden. Außerdem kann man mit ihnen Wortwiederholungen vermeiden.
- Pro-Wörter können sich auch auf ganze Sätze oder Textabschnitte beziehen.

1.3 Geben Sie an, wofür die markierten Pro-Wörter in den Beispielen stehen. Ergänzen Sie auch, ob es sich um einen Rückbezug (7x) oder ein Vorausweisen (2x) handelt. ⇨ Kapitel 2

Ein Leser möchte einen Artikel kommentieren. Er [*ein Leser*] schreibt einen Leserbrief.	aufnehmendes Personalpronomen [Rückbezug] → altes Thema wird aufgenommen
Dieser Leserbrief [*der Leserbrief*] nimmt Bezug auf einen Zeitungsartikel, in dem [_____] die Zuwanderung nach Deutschland thematisiert wird.	fokussierendes Artikelwort [_____] fokussierendes Relativpronomen [_____] → Aufmerksamkeit wird auf ein anderes Thema gelenkt
Der Leser ist davon [_____] überzeugt, dass Zuwanderung notwendig ist.	fokussierendes Adverb [_____] → *da-* bezieht sich auf einen noch folgenden Textteil, die Präposition *von* ist vom Verb gefordert (überzeugt sein von)
Darüber [_____] wird nicht nur in den Medien diskutiert.	aufnehmendes und fokussierendes Adverb [_____] → Thema wird wieder aufgenommen und fokussiert, *da-* bezieht sich auf einen vorher erwähnten Textteil, die Präposition *über* ist vom Verb gefordert (diskutieren über)
Auch in der Politik ist eines [_____] klar: Es fehlen Fachkräfte.	indefiniter Artikel [_____] → Aufmerksamkeit wird auf einen folgenden Textteil gelenkt
Deshalb [_____] wird auch hier [_____] über Vor- und Nachteile der Zuwanderung nach Deutschland diskutiert. Damit steht fest, dass Zuwanderung ein viel diskutiertes Thema ist.	fokussierendes Adverb [_____] fokussierendes Adverb [_____] fokussierendes Adverb [_____] → Aufmerksamkeit wird auf zuvor erwähnte Textteile gelenkt

1.4 Worauf verweisen die markierten Wörter und Wortgruppen im Leserbrief jeweils?

Her mit <u>den Griechen</u> (Überschrift): *Verweis auf Zeitungstext vorher sowie auf nachfolgend beschriebene arbeitslose, griechische Fachkräfte; so entsteht Spannung*
<u>sie</u> (Überschrift): _____
Die Hälfte <u>davon</u> (Zeile 5): _____
<u>Diese</u> Lücke (Zeile 6): _____
…, dass <u>das</u> ohne Zuwanderung ginge (Zeile 8): _____
<u>Sie</u> will junge Fachkräfte anwerben (Zeile 17): _____
<u>Davon</u> profitieren (Zeile 18): _____
<u>Die</u> jungen Menschen (Zeile 19): _____

Textkohärenz: Konnektoren und Stellung

- Auch Konnektoren dienen dazu, Sätze und Textabschnitte zu verbinden und sorgen so für einen zusammenhängenden und kohärenten Text. ⇨ Kapitel 2
- Wichtig für den Textzusammenhang ist auch die Wortstellung. Ein schon bekanntes, vorher erwähntes Thema steht meist am Anfang des Satzes und wird dann oft durch Pro-Wörter ersetzt. Neue Informationen stehen meist am Ende eines Satzes. ⇨ Kapitel 1

2 Schreiben Sie zu einem aktuellen Zeitungsartikel, dessen Thema sie interessiert, einen Leserbrief. Schicken Sie ihn an die Zeitung, vielleicht wird er veröffentlicht.

3.3 Erörterung: „Insgesamt bin ich der Meinung, dass ..."

1.1 Lesen Sie die Erörterung und markieren Sie Einleitung, Hauptteil und Schluss.

Im Zuge der Bologna-Hochschulreform wurden in Deutschland Bachelor- und Masterstudiengänge eingeführt. Ein Bachelorstudium dauert meistens drei Jahre. Für einen Masterabschluss muss man zusätzlich noch einmal ein bis zwei Jahre studieren. Viele Studierende stehen vor der Frage: Soll ich nach dem Bachelor noch einen Masterstudiengang absolvieren?

Zur Beantwortung dieser Frage möchte ich im Folgenden auf die Aspekte Zeit, Aufgabenbereiche und Gehalt eingehen. Zunächst zum Zeitfaktor: Einen Bachelorabschluss hat man gewöhnlich schon nach drei Jahren, für einen Masterabschluss braucht man insgesamt wenigstens vier bis fünf Jahre. Will man also möglichst schnell in den Beruf einsteigen, reicht dafür ein Bachelorabschluss völlig aus. Andererseits ist jedoch auch zu bedenken, dass man mit einem Bachelor zwar relativ schnell eine Berufsqualifikation erwirbt, aber dafür im Job später meist weniger Verantwortung trägt. Statistiken zeigen, dass Mitarbeiter mit einem Masterabschluss etwa in Projektteams häufig mehr Verantwortung tragen als Mitarbeiter mit einem Bachelorabschluss. Eng damit verbunden ist das Gehalt. Mehr Verantwortung wird honoriert. Auch hier belegen Studien, wie sie etwa von IW-Personaltrends durchgeführt wurden, dass Masterabsolventen insbesondere aus den Betriebs- und Naturwissenschaften im Vergleich zu den Bachelorabsolventen deutlich mehr verdienen. Ein weiterer Aspekt ist die Spezialisierung. Ein Master bietet die Chance, sich zu spezialisieren. Seit Langem ist bekannt, dass in Deutschland Fachkräfte fehlen. Mit dem fundierten Wissen aus einem Master hat man sicher auch mehr Chancen auf dem Arbeitsmarkt.

In meinem Heimatland Ägypten gibt es abgesehen von ein paar Ausnahmen keine Masterstudiengänge. Wir haben einen vierjährigen Bachelor. Nur die besten Absolventen können dann ein Magisterstudium anschließen, das vor allem auf die Tätigkeit an einer Universität vorbereitet. Dort kann man also nicht selbst entscheiden, ob man weiterstudiert. Nur mit den allerbesten Noten hat man überhaupt die Möglichkeit dazu. Insgesamt bin ich der Meinung, dass jeder für sich selbst entscheiden sollte, ob er/sie einen Master machen will oder ob ein Bachelor ausreicht. Letztlich ist es doch auch eine Typfrage. Nicht jede/r hat Lust über Jahre hinweg zu studieren. Mit einem Bachlorabschluss kann man schnell und bei ganz gutem Gehalt einen Beruf ausüben. Wer allerdings gern studiert, gern mehr Verantwortung im Beruf übernimmt und dies auch finanziell honoriert sehen will, der sollte sich auf jeden Fall für ein Masterstudium entscheiden.

Erörterung

• Eine Erörterung ist eine kontroverse Argumentation.
• Zunächst wird in der Einleitung die Frage oder These genannt, die erörtert werden soll. Im Hauptteil werden Pro- und Contra-Argumente angeführt und mit Beispielen belegt. Nach dem Abwägen der Argumente zieht man im Schlussteil ein Fazit und stellt seinen eigenen Standpunkt dar.

1.2 Lesen Sie die Erörterung noch einmal und schauen Sie sich beide Grafiken an. An welcher Stelle des Textes werden die Grafiken als Belege angeführt, um Argumente zu stützen? ⇨ Kapitel 9.3.1

Einstiegspositionen für akademische Berufsanfänger	Bachelor	Master
Sachbearbeitung nach Anweisung	88,5	70,5
Eigenständige Bearbeitung einer Projektaufgabe	86,6	90,6
Gesamtverantwortung für ein Projekt ohne Personalführung	40,8	57,0
Gesamtverantwortung für ein Projekt mit Personalführung	15,8	21,8

Quelle: IW-Personaltrends 2010 (www.mba-master.de)

Jahresbruttogehälter im Vergleich: Bachelor und Master

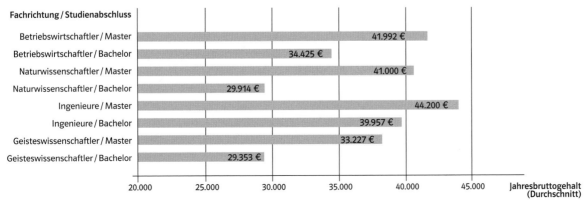

Quelle: PersonalMarkt 2011 (www.mba-master.de)

1.3 Die Aufgabenstellung, zu der die Erörterung geschrieben wurde, lautet wie folgt:

Seit der Bologna-Hochschulreform gibt es in Deutschland erstmals Bachelor- und Masterstudiengänge. Für viele Studierende stellt sich die Frage, ob sie an den meist dreijährigen Bachelor noch ein Masterstudium anhängen sollen. Erörtern Sie, was für die Aufnahme eines Masterstudiums spricht und was dagegen spricht. Berücksichtigen Sie dabei z. B. Aspekte wie Dauer des Studiums, Aufgabenbereiche im späteren Berufsleben und Gehalt. Führen Sie Pro- oder Contra-Argumente an und belegen sie diese mit Beispielen aus den gegebenen Statistiken und aus Ihrer eigenen Erfahrung (etwa aus Ihrem Heimatland). Ziehen Sie zum Schluss ein Fazit und vertreten Sie Ihren Standpunkt.

Markieren Sie im Text, welche Elemente aus der Aufgabenstellung wo in der Erörterung thematisiert werden. Welche weiteren Aspekte wurden berücksichtigt?

1.4 Mit welchen sprachlichen Mittel werden folgende Teile der Erörterung eingeleitet bzw. formuliert?

Einleitung der Frage bzw. These der Erörterung: *Viele Studierende* _____

Einleitung des Hauptteils: *Zur* _____

Ausdrücke, die Argumente miteinander verbinden und die Erörterung gliedern:

_____ *zum Zeitfaktor; Andererseits ist jedoch auch zu bedenken, dass..., aber dafür ...;*

_____ *das Gehalt;* _____ *die Spezialisierung*

Wie werden Belege angeführt? *Statistiken zeigen, dass ...;* _____

Einleitung des Bezugs zum Heimatland: _____

Einleitung des Schlussteils: _____

1.5 Ergänzen Sie die folgende Übersicht mit den sprachlichen Mitteln aus dem Schüttelkasten.

> Meines Erachtens ... • Es stellt sich die Frage: ...? • Statistiken belegen, dass ... • Ich denke, ... • Um diese Frage beantworten zu können, ... • Schließlich / Letztlich ... • Als Beispiel für ... kann ... angeführt werden. • Aus eigener Erfahrung weiß ich, dass ... • Studien bestätigen, dass ... • Ich bin der Meinung, dass ... • Zur Beantwortung dieser Frage ...

Erörterung: Formulierungshilfen

- Thema der Erörterung für die Einleitung formulieren:
  Wir stehen vor der Frage: ...?; _____
- Hauptteil einleiten:

  _____ , _____
- Argumente verbinden / Text gliedern:
  Erstens ..., zweitens ..., drittens ...; Zum einen ..., zum anderen ...
  Darüber hinaus ...; Hinzu kommt, dass ...
  Eng damit verknüpft ist ...; Ein weiterer Gesichtspunkt ist ...
  Außerdem ist anzumerken, dass ...
  Zuletzt sei erwähnt, dass...
- Argumente hervorheben:
  Besonders betont werden muss ...
  Wichtiger erscheint mir ...; Am wichtigsten jedoch ist ...
- Belege und Beispiele anführen:

  _____ , _____ ,

  _____ , _____
- Argumente gegenüberstellen:
  Einerseits ..., andererseits ...
  Zwar ..., jedoch / aber / doch / dennoch...
  Im Gegensatz dazu ...; Stattdessen brauchen wir ...
  Anstatt ..., sollte man ...
- Schlussteil einleiten:
  Insgesamt lässt sich zusammenfassen: ...

  _____ , _____

  _____ , _____   ⇨ Kapitel 2

2 Seit Jahrzehnten ist Umweltschutz ein vieldiskutiertes Thema. Erörtern Sie die These:
   „Die gesamte Stromversorgung sollte mit Ökostrom abgedeckt werden".
   Die aufgelisteten Vor- und Nachteile können Sie dabei als Pro- und Contra-Argumente
   verwenden. Belegen Sie Ihre Argumente auch mit den Grafiken zu erneuerbaren
   Energien im Kapitel 9.2.3. Benutzen Sie für Ihre Erörterung typische sprachliche Mittel.

Vorteile von Ökostrom

- Fossile Energieträger wie Holz, Getreide, Abfälle der Land- und Forstwirtschaft
  stehen nur begrenzt zur Verfügung. Wind, Sonne, Erdwärme sind unbegrenzt
  vorhanden und erneuerbare Rohstoffe wachsen nach.

- Erzeugung von Ökostrom ist CO2-frei.

- Ökostrom leistet einen wichtigen Beitrag zur Erreichung der klimapolitischen
  Zielsetzungen (Stichwort: Kyoto-Protokoll).

- Energie muss nicht aus anderen Ländern importiert werden.

- Ausbau von Ökostromanlagen schafft neue Arbeitsplätze.

Nachteile von Ökostrom

- Ökostrom ist meist teurer als herkömmlicher Strom.

- Ökostrom muss noch finanziell gefördert werden.

- Windkraft, aber auch Sonnenkraft sind stark vom Wetter abhängig.

- Rohstoffe wie Biomasse, Holz oder Getreide sind auch nur begrenzt verfügbar.

- Strom aus Pflanzen steht oft in Konkurrenz zur Nutzung als Nahrungs- oder
  Futtermittel.

- Rohstoffe wie Biomasse, Holz oder Getreide sind von Rohstoffmärkten abhängig, auf
  denen es starke Preisschwankungen gibt.

- Manche Ökostromanlagen, z. B. Wasserkraftanlagen, zerstören durch ihre Errichtung
  nachhaltig die Umwelt.

3 Seit einigen Jahren gibt es soziale Online-Netzwerke wie Facebook, StudiVZ oder Twitter,
   durch die man mit anderen Menschen öffentlich kommunizieren kann. Mit Fotos,
   Berichten und Kommentaren kann man dort sehr viel Persönliches aus seinem Leben
   preisgeben. Es wird immer wieder die These vertreten, soziale Online-Netzwerke tragen
   dazu bei, dass Freundschaft und Intimität verloren gehen. Erörtern Sie das Thema und
   nehmen Sie Stellung dazu.

4 In Chefetagen sitzen oft viel mehr Männer als Frauen. Sind gesetzlich festgelegte
   Frauenquoten ein sinnvolles Instrument gegen die Macht der Männer in den
   Führungsetagen? Erörtern Sie die Frage aus Ihrer Perspektive. Informieren Sie sich
   z. B. im Internet zum Sachverhalt. Contra-Argumente finden Sie auch im Kapitel 9.3.4.
   Beziehen Sie Ihre eigenen Erfahrungen (z. B. aus dem Heimatland) mit ein.

Quelle: www.facebookmarketing.de

9.3.4 Diskussionsforum: „Stimmt genau!"

1.1 Lesen Sie die Übersicht zu den Charakteristika von Diskussionsforen. Suchen Sie anschließend Beispiele für diese typischen Merkmale in den zwei Diskussionsbeiträgen.

Diskussionsforum

- In Diskussionsforen nehmen Personen öffentlich zu einem kontroversen Thema Stellung.
- Meist handelt es sich um eher kurze Beiträge.
- Die Verfasser bleiben oft anonym und haben ein Pseudonym.
- Es handelt sich um „Diskussionen in Zeitlupe": die schriftlichen Texte haben Merkmale der mündlichen Kommunikation (z.B: viele Partikeln, Pro-Wörter, Ellipsen, regionalsprachliche Elemente).
- In Diskussionsbeiträgen wird oft sehr emotional und pauschal bewertet, was zusätzlich z.B. durch Großschreibung und Ausrufezeichen hervorgehoben wird.
- In Diskussionsbeiträgen werden Meinungen aber auch begründet, es wird also auch argumentiert.

Petra schrieb am
3.3.2012, 18:17

Also ich möchte wegen meiner Eignung eingestellt werden, nicht weil der Chef es muss.

Flari schrieb am
4.3.2012, 12:30

Unsinn. Nur LEISTUNG zählt!!!
Ich hab ne Chefin + bin sehr zufrieden mit ihr!
Andere Quoten gibt's ja zum Glück auch nicht!

1.2 Wie lautet wohl das Thema des Diskussionsforums, dem die beiden Beiträge entstammen?

1.3 Was ist wohl mit „Unsinn" (Eintrag von „Flari") gemeint? Formulieren Sie einen vollständigen Satz.

2.1 Lesen Sie die folgende Einleitung, in dem zur Meinungsbildung aufgerufen wird. Was ist die Frage, zu der man Stellung nehmen soll?

Deutsche Einheit: Denkmal in Berlin

Nach 13 Jahren Diskussion und mehr als 500 eingereichten Entwürfen haben Sasha Waltz und milla&Partner das Rennen um den Denkmalentwurf gewonnen.
Es soll ein Denkmal in Bewegung werden, das den Besuchern die Wahl lässt, eine Bewegung auszulösen oder eben nicht. Mehr als 50 Menschen müssen auf einer Seite stehen, damit sich die Einheitsschale überhaupt neigt. Und genau das ist Verknüpfung zu 1989, die sich die Gestalter der Einheitsschale überlegt haben: Irgendjemand muss die Richtung vorgeben, den ersten Schritt machen, sonst passiert nichts. Genau wie bei den ersten Demonstrationen der Bürgerbewegung. Nun soll das Einheitsdenkmal nicht nur einen historischen Moment für alle Zeit in Erinnerung rufen, sondern vor allem ein positiv besetztes Nationaldenkmal werden. Geschätzte Kosten: zehn Millionen Euro.
Wie bei allen Bauwerken lässt sich über das ästhetische Urteil einer Wettbewerbsjury streiten. Und Gegenwind kam reichlich: Von „Salatschüssel" bis „Spielplatzwippe" reichten die erfinderischen Kritiken, ohne den Kern des Entwurfes wirklich verstanden zu haben.

Was meinen Sie dazu?

Aber die entscheidende Frage ist nicht die nach der Ästhetik des geplanten Entwurfes, sondern nach der Sinnhaftigkeit eines solchen Denkmals überhaupt. Brauchen wir ein Einheitsdenkmal, wenn 2000 Meter entfernt das Wahrzeichen des Mauerfalls steht, das Brandenburger Tor? Was meinen Sie dazu?

2.2 Wird in den folgenden Beiträgen für oder gegen den Bau des Denkmals plädiert?
Geben sie einen Textbeleg an (a). Wo finden sich Bewertungen? (b) Welche Argumente
werden formuliert? (c) Wo werden neue Aspekte erwähnt? (d)

1 a　gegen das Denkmal → *[Das Denkmal] brauchen wir nicht.*
　　b　Bewertung: *so ein BLÖDSINN!*
　　c　Kontra-Argument: *wir haben doch das Brandenburger Tor.*
　　d　neuer Aspekt: –

2 a　____ und _____ das Denkmal → _____ / _____.
　　b　Bewertung: *Die Symbolik ist sehr gut.*
　　c　Pro-Argument: *Es* _____ *zusammen etwas bewegen kann.*
　　d　Einschränkung, neuer Aspekt: *Ich* _____
　　　　ein Demokratiedenkmal ist.

3 a　____ und _____ das Denkmal → *Wenn schon,* _____.
　　b　Bewertung: *..., dass ein MitMach-Mal die* _____ *Variante ist*
　　c　Pro-Argument: *..., denn* _____ *zum Nachdenken und Erinnern* _____ *Kunst,*
　　　　an der man selbst Teil hat?
　　d　Einschränkung, Kontra-Argument: _____ *in Berlin* _____
　　　　_____ *„Denkmäler", in einer Stadt, die* _____ *geschichts- und denkmallastig*
　　　　ist.

4 a　_____ das Denkmal → *Ich bin* _____.
　　b　Bewertung: _____ *zu fassen;* _____
　　c　Kontra-Argumente: *dafür ist Geld da (Geld besser anders zu gebrauchen); weit weg von den*
　　　　Bürgern
　　d　Kontra-Argumente als neue Aspekte: _____ *Geld* ____, _____ *Steuersenkungen*
　　　　und kaputte Straßen _____; *alles* _____ *in Berlin* _____,
　　　　den Bürgern.

2.3 Ergänzen Sie die folgenden Forumsbeiträge mit den Formulierungen aus dem
Schüttelkasten.

> größten • mal eben • Was soll der Schwachsinn • ein Schlag ins Gesicht • ! • pleite •
> schlecht • Weg damit • verschleudert • mal wieder • nun wirklich

Steuerzahler schrieb am 01.07.2011 / 23:17
Haben wir zuviel Geld? Berlin ist _____, Deutschland ist so gut wie pleite, wesentliche Beiträge zur
Erhaltung der Infrastruktur können nicht mehr geleistet werden, die Schere zwischen Arm und Reich
klafft immer weiter auseinander. Und jetzt werden _____ 10 Millionen Euro für ein Denkmal
verschwendet, das _____ keiner braucht und das auch noch nur wenige tausend Meter entfernt
ist vom _____ Symbol der deutschen Einheit, dem Brandenburger Tor. _____
_____? Daran sieht man _____, wie unsere Steuergelder _____ werden. Das ist ____
_____ all derer, bei denen scheinheilig gekürzt wird. _____! Bringt lieber
unsere _____ ausgestatteten Schulen und Kindergärten in Schuss __

> schließe mich … an • stimmt genau!

S.B. schrieb am 01.07.2011 / 23:58
_____ Ich _____ dem Beitrag von Steuerzahler zu 100 % ___!

2.4 Mit Passiv kann Verallgemeinerung ausgedrückt werden. Finden Sie die Passivsätze im
Forumsbeitrag von „Steuerzahler". Markieren Sie diese im Text.

⇨ Kapitel 6

3 Gehen Sie ins Internet und suchen Sie dort gezielt nach Diskussionsforen. Schreiben Sie
einen eigenen Forumsbeitrag zu einem Thema, das Sie interessiert. Keine Angst vor
Fehlern, in Foren schreiben auch Muttersprachler oft nicht korrekt.

1 **petrus** schrieb am 01.07.2011 / 23:37

brauchen wir nicht. so ein
BLÖDSINN! wir haben doch
das Brandenburger Tor.

2 **Bernd** schrieb am 01.07.2011 / 12:54

Ich bin froh über dieses
Denkmal. Die Symbolik ist
sehr gut. Es zeigt anschaulich,
dass man zusammen etwas
bewegen kann. Ich frage mich
aber schon, ob das nicht eher
ein Demokratiedenkmal ist.

3 **Berliner** schieb am 02.07.2011 / 9:32

Wenn schon, dann so.
Sicherlich brauchen wir in
Berlin eigentlich nicht noch
mehr „Denkmäler", in einer
Stadt, die schon so geschichts-
und denkmallastig ist. Aber
da sich die Frage „ob" wohl
nicht mehr stellt, bin ich der
Meinung, dass ein „MitMach-
Mal" die beste Variante ist,
denn was ist zum Nachden-
ken und Erinnern besser als
Kunst, an der man selbst Teil
hat?

4 **Franziska** schrieb am 01.07.2011 /
23:56

Nicht zu fassen, dafür ist Geld
da, aber für Steuersenkungen
und kaputte Straßen nicht.
Typisch, alles weit weg in
Berlin und weit weg von uns,
den Bürgern. Unglaublich! Ich
bin dagegen.

9.3.5 Radiodiskussion: „Nee, ganz und gar nicht."

1.1 Sie hören einen Ausschnitt aus einer Radiodiskussion. Worum geht es in der Diskussion?   🔊 34

> **Mündliche Diskussionen**
>
> An mündlichen Diskussionen sind immer mehrere Diskussionspartner beteiligt. Je nach Diskussionsrunde variiert der Grad an Charakteristika der Mündlichkeit. Auch in mündlichen Diskussionen werden Streitfragen verhandelt, es wird für oder gegen Thesen argumentiert. In Diskussionen kann man den anderen direkt widersprechen oder zustimmen.

1.2 Hören Sie den Ausschnitt aus der Radiodiskussion noch einmal und achten Sie auf ablehnende oder zustimmende Kommentare. Ergänzen Sie die Transkription.

MODERATOR (M): Unser Thema heute ist die gesetzlich vorgeschriebene Frauenquote. Seit langem wird die ja von den einen vehement gefordert, von den anderen entschieden abgelehnt. In der Sendung werden wir verschiedene Meinungen hören und am Ende vielleicht genauer sagen können, ob wir eine Frauenquote brauchen oder nicht? Ich begrüße meine drei Gäste, da sind Frau Kersting, freie Mitarbeiterin in einer Frauenberatungsstelle. Herr Schmiedel ist Pilot. Und dann ist da noch Frau Naumann. Frau Naumann ist in der Führungsetage eines großen Unternehmens tätig und Mutter von zwei Kindern.
Frau Naumann, Sie haben zwei Kinder und arbeiten von früh bis spät. Wie kriegen Sie das hin?

FRAU NAUMANN: Ach, das ist gar nicht so schwer, schließlich ist mein Mann ja auch noch da und die Zeiten, da Frauen nur Mütter und für den Haushalt zuständig sind, sind ja zum Glück vorbei.

M: Sind sie für oder gegen eine Frauenquote?

FRAU NAUMANN: Ich bin dagegen, ich finde, nur Leistung sollte zählen. Und ich wehre mich dagegen, Frauen in unserem System zur Minderheit zu machen, aber genau das würde eine gesetzlich vorgeschriebene Frauenquote bedeuten.

FRAU KERSTING: _____ .

M: Frau Kersting, was ist Ihre Meinung?

FRAU KERSTING: Leistung _____, die – _____ – bringen Frauen ganz genauso wie Männer. _____ . _____ . Trotz der Leistung sitzen Frauen viel seltener in höheren Positionen. Warum? Man stellt sie nicht ein, weil nun mal Frauen die Kinder kriegen, rein biologisch kann das ja der Mann noch nicht, und dann ist da die Angst bei Arbeitgebern, dass die Frauen dann erst mal ausfallen. Dann muss Ersatz her. Und in verantwortlichen Positionen ist das nicht immer so einfach. Logisch, dass man da Männer vorzieht. Aber die Frauen können ja nichts dafür, dass sie beides können, also arbeiten und Kinder kriegen. Um die Fähigkeiten von Frauen zu fördern, muss der Staat her. Deshalb brauchen wir die Frauenquote.

M: Jetzt Herr Schmiedel. Wie sehen Sie das? Würde es mit der Frauenquote mehr Pilotinnen geben?

HERR SCHMIEDEL: _____ , _____ Frauen beides können, und … _____ , Frauen bringen auch Leistung, aber ich glaube, man muss unterscheiden zwischen Intelligenz und körperlicher Anstrengung. Männer sind doch robuster und halten rein körperlich oft mehr aus. Das sehe ich täglich in meinem Beruf als Pilot, wie anstrengend das ist. Und ich glaube, dass Frauen oft viel emotionaler reagieren und mit Stresssituationen einfach nicht so gut zurechtkommen. Wenn –

FRAU KERSTING: _____ ? _____ ! Das sind doch reine Vorurteile. Also da –

HERR SCHMIEDEL: _____ . Warum bewerben sich dann nur ca. 5 Prozent Frauen für den Beruf des Piloten? Das ist vielen Frauen einfach zu anstrengend.

FRAU KERSTING: _____ ?

M: Ja bitte!

FRAU KERSTING: _____ die Frauenquote, mit anderen Worten also um eine Einmischung des Staates in …

1.3 Wer vertritt welche Meinung zu der Frage: Frauenquote, ja oder nein? Ordnen Sie zu.

> äußert sich nicht dazu • ist gegen die Frauenquote, weil allein Leistung zählt • ist für die Frauenquote, weil sie die Fähigkeiten von Frauen unterstützt

Frau Kersting: _____

Frau Naumann: _____

Herr Schmiedel: _____

1.4 Diskutieren Sie über dieses Thema. Überlegen Sie sich vorher Argumente.

.4 Auffordern

⇨ Kapitel 7.1.3: Imperativ

> ✕ **Auffordern**
>
> Wie die Bilder zeigen, können Aufforderungen sehr kurz
> sein und nur aus wenigen Wörtern bestehen. Sie können
> aber auch viel umfangreicher sein. In den nächsten Unter-
> kapiteln lernen Sie verschiedene Textsorten kennen, mit
> denen Sie als Leser zu bestimmten Handlungen aufgefor-
> dert werden. Bei einigen Textsorten müssen Sie die Auf-
> forderung befolgen, bei anderen hingegen ist es Ihre
> Entscheidung.

4.1 Mahnung: „Sicherlich haben Sie nur übersehen, die Prämie zu entrichten."

1.1 Lesen Sie die Mahnung und rekonstruieren Sie die Situation: Was hat Herr Hettinger
nicht getan? Wozu wird Herr Hettinger aufgefordert und was passiert, wenn er die
Aufforderung nicht befolgt?

AKA VERSICHERUNGS-AG
Postfach 73 56 86
51643 Gummersbach

AK Insurance

Briefkopf

Herrn
Manfred Hettinger
Heinrich-Heine-Straße 50
28211 Bremen

Versicherungs-Nr.: 56789324
Kunden-Nr.: 1974238

Gummersbach, 28.04.2011

Zahlungserinnerung: Haushaltversicherung

Prämie für den Zeitraum von 01.04.2011 bis 01.04.2012, Einlösebetrag: 148,75 €

Sehr geehrter Herr Hettinger,

sicherlich haben Sie nur übersehen, die fällige Prämie an uns zu entrichten. Bitte
überweisen Sie den angeforderten Betrag innerhalb von zwei Wochen, damit Sie Ihren
Versicherungsschutz nicht verlieren.

Um Ihnen den Weg zum Kreditinstitut sowie Überweisungsgebühren zu ersparen,
können Sie die fälligen Prämien im Lastschriftverfahren einziehen lassen. Bitte
verwenden Sie hierfür das als Anlage beigefügte Formular.

**Sollte die Zahlung in den letzten Tagen bereits erfolgt sein, betrachten Sie dieses
Schreiben bitte als gegenstandslos.**

Mit freundlichen Grüßen

AKA VERSICHERUNGS-AG

Dr. Schütte

AKA-Kundenservice Mo. - Fr. 7-20 Uhr   Telefon: 01803 / 543354*   Telefax: 01803 / 543354-99*

---

fällig: etwas muss zu einem bestimmten Zeitpunkt gemacht werden, hier: die Prämie muss gezahlt werden
Lastschriftverfahren: Der Kontoinhaber erteilt einem Unternehmen die Erlaubnis, das Geld von seinem Konto
abzubuchen. In diesem Fall würde die Versicherung einmal pro Jahr 148,75 € abbuchen.

Mahnung

- Eine Mahnung bekommt man, wenn man eine fällige Rechnung nicht pünktlich bezahlt.
- Der Autor einer Mahnung möchte, dass der Kunde die Rechnung bezahlt. Am besten erreicht er das, wenn er möglichst direkte Aufforderungen verwendet. Das Problem ist allerdings, dass diese unhöflich wirken können und den Kunden vielleicht verärgern. Deshalb sollte er höfliche Formulierungen wählen und dem Kunden signalisieren, dass er die gute Beziehung durch die Mahnung nicht gefährden möchte.

1.2 Lesen Sie die Mahnung an Herrn Hettinger noch einmal. Welche sprachlichen Mittel zeigen an, dass er etwas tun muss (Aufforderung)? Welche Elemente zeigen, dass dem Autor die gute Beziehung zum Kunden wichtig ist (Kundenbeziehung)?

Aufforderung	Kundenbeziehung
Imperativ, z. B.: _____ _____	_Sicherlich haben Sie nur übersehen …:_ Der Autor zeigt Verständnis für den Kunden: Er denkt nicht, dass dieser absichtlich nicht gezahlt hat. „Sicherlich" hat er es „nur" vergessen – das kann jedem passieren.
Betreffzeile: _____ Nennung einer Frist: _____	_____ Der Autor zeigt, dass er sich um den Kunden sorgt und negative Konsequenzen für ihn vermeiden möchte.
Nennung der negativen Konsequenz: _____	Der Autor wählt das Verb _____ bei dem kein Täter genannt wird, um die möglichen Konsequenzen als eine Art Automatismus darzustellen. _Um Ihnen den Weg zum Kreditinstitut sowie Überweisungsmöglichkeiten zu ersparen, können Sie die fälligen Prämien im Lastschriftverfahren einziehen lassen._ _____ _____ Das Modalverb _____ zeigt an, dass es sich um eine Handlungsmöglichkeit handelt. Unterschrift: Durch die handschriftliche Unterschrift wirkt der Brief _____. dreimalige Verwendung von _bitte_: _____

2 Warum wird die Mahnung wohl als „Zahlungserinnerung" bezeichnet?

3 Schriftliche Mahnungen haben in der Regel die Form eines formellen Briefes. Ordnen Sie die Elemente der Mahnung in 1.1 zu.

Unterschrift   Anschrift des Absenders
Anschrift des Empfängers   Grußformel
Datum   Betreffzeile
Anrede   ~~Briefkopf~~

.2 Verbots- und Warnschilder: „Rauchen verboten"

1.1 Verbots- und Warnschilder begegnen Ihnen überall im Alltag. Überlegen Sie für die folgenden Schilder: Was darf man nicht tun? Wo könnte das Schild stehen?

Betreten des Grundstücks verboten!
Eltern haften für ihre Kinder!

Parken verboten
Für Rettungskräfte freihalten!

Was darf man nicht tun?	Man darf nicht mit dem Handy telefonieren.			
Wo könnte das Schild stehen?	z. B. in einer Bibliothek, in einer Schule oder in einem Krankenhaus		z. B. vor einem Krankenhaus oder einer Feuerwehr	

Verbots- und Warnschilder

- Verbots- und Warnschilder sollen bewirken, dass Sie etwas nicht machen (=eine bestimmte Handlung unterlassen). Es sind also sozusagen „negative Aufforderungen".
- Sprachlich drückt man die Verbote und Warnungen z. B. durch folgende Mittel aus:
  - Verblose Sätze mit Partizip II (*Rauchen verboten*)
  - Infinitive (*Bei laufender Hochdruck-Reinigungseinrichtung nicht öffnen!*)
  - feste Wendungen (*Es ist polizeilich untersagt / Es ist verboten / Es ist nicht erlaubt …*)
- Manche Schilder verzichten auf Sprache und drücken das Verbot durch ein Piktogramm aus.

1.2 Erklären Sie, worin die Unterschiede und Gemeinsamkeiten der Schilder in 1.1 bestehen und geben Sie Beispiele. Achten Sie z. B. auf:

- Satzzeichen
- Inhalt: Weiß man, wer verbietet oder warnt? Kennt man die Konsequenzen, wenn man es trotzdem tut? Warum ist es verboten?

2.1 Bei welchen der Piktogramme handelt es sich um Verbote, bei welchen um Warnungen?

 Verbote und Warnungen

Eine Warnung soll Sie als Leser vor einer Gefahr schützen, z. B. vor einer glatten Straße oder vor den Folgen des Rauchens. Es ist also in Ihrem Interesse, eine bestimmte Handlung zu unterlassen. Nicht immer wird bei einer Warnung explizit gesagt, was man nicht tun soll (z. B. *Rauchen kann tödlich sein*). Bei einem Verbot ist das anders: Für Sie ist es z. B. nicht gefährlich, mit einem Handy in einer Bibliothek zu telefonieren. Dennoch dürfen Sie es nicht. Der Grund ist hier, dass Sie andere Menschen stören können.

Verbote: ___, ___
Warnungen: ___, ___, ___

2.2 Schreiben Sie passende Verbote und Warnungen zu den Schildern.

9.4.3 Kochrezept: „Die Äpfel nach Belieben schälen"

1.1 Schauen Sie sich den folgenden Text an, ohne ihn zu lesen. Woran erkennen Sie sofort, dass es sich um ein Kochrezept handelt?

Apfel-Zimtküchlein

Für 4 Personen

4 Eigelb
80 g Zucker
200 g Quark
Abrieb von je einer unbehandelten Zitrone und Orange
1 TL gemahlener Zimt
3 Eiweiß
1 Prise Salz
50 ml Mehl
2-3 Äpfel

Außerdem:
Öl und Butter zum Backen
Zimt-Zucker zum Bestreuen

Das Eigelb mit dem Zucker schaumig rühren. Den Quark mit Zitrusschale und Zimt unterrühren. Das Eiweiß mit 1 Prise Salz cremig schlagen. Mit Milch und Mehl unter die Eigelb-Quark-Masse ziehen. Die Äpfel nach Belieben schälen. Das Kerngehäuse ausstechen. Äpfel in etwa 5 mm dicke Scheiben schneiden. In einer Pfanne etwas Öl erhitzen. Einige Apfelscheiben einlegen. Auf die Mitte jeder Scheibe 1 bis 2 Esslöffel Teig geben. Wenn die Küchlein von der Unterseite goldbraun sind, vorsichtig wenden und nach Belieben einen Stich Butter zugeben. Mit Zimt-Zucker bestreut auf ein Backblech legen. Im vorgeheizten Backofen bei 180 Grad Celsius 5 Minuten backen.

1.2 Lesen Sie nun das Kochrezept. Ergänzen Sie die passenden Satzanfänge in der Erklärung.

> Die Zutaten • Die Verben • Die Handlungen • Mengenangaben • Kochrezepte

- _____ bestehen normalerweise aus einem Zutatenteil und einem Zubereitungsteil.
- _____ werden im Zubereitungsteil mit dem bestimmten Artikel eingeführt, weil sie im Zutatenteil schon aufgeführt sind. Sie werden nur selten durch Pronomen ersetzt.
- _____ werden in der Reihenfolge genannt, in der sie ausgeführt werden sollen.
- _____ haben zum Teil eine sehr spezifische Bedeutung (*unterrühren, unterziehen, ausstechen*). _____ stehen im Zutatenteil, damit man vor dem Backen schnell überprüfen kann, ob man genug Mehl, Zucker, Eier usw. hat.

Kochrezept

- Ein Kochrezept hat die Funktion, dem Leser zu erklären, wie er ein Gericht zubereiten kann.
- Es besteht aus Aufforderungen, was er zuerst, was er als nächstes und was er zum Schluss machen soll.
- Die Aufforderungen haben meistens die Form von Infinitiven. Man nennt sie auch „imperativische Infinitive". Manche Kochrezepte sind im Passiv verfasst.
- Zu den Mahnungen und den Verboten / Warnungen gibt es einen wichtigen Unterschied: Der Leser muss die Aufforderungen nicht befolgen. Er kann sich entscheiden, überhaupt keine Apfel-Zimt-Küchlein zu backen oder das Rezept zu verändern.

1.3 Kochrezepte können auch im Passiv verfasst werden. Schreiben Sie das Rezept im Passiv. Dabei bietet es sich an, kurze Sätze durch Konnektoren zu verknüpfen.

> *Zuerst wird das Eigelb mit dem Zucker schaumig gerührt, dann wird der Quark mit Zitrusschale und* ⇨ Kapitel 2
> *Zimt untergerührt. Das Eiweiß wird …*

2 Suchen Sie ein Kochrezept in Ihrer Muttersprache. Vergleichen Sie das Layout, den Aufbau und die Formen der Aufforderung mit dem deutschen Kochrezept.

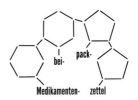

4.4 Medikamentenbeipackzettel: „Fragen Sie Ihren Apotheker."

1 „Medikamentenbeipackzettel" – ein ziemlich langes Wort. Können Sie erklären, was es bedeutet?

2.1 Sehen Sie sich den Beipackzettel an, ohne ihn zu lesen. Wie ist er gegliedert? Was fällt Ihnen auf?

Lesen Sie die gesamte Packungsbeilage sorgfältig durch, denn sie enthält wichtige Informationen für Sie. Dieses Arzneimittel ist ohne Verschreibung erhältlich. Um einen bestmöglichen Behandlungserfolg zu erzielen, muss ACC® *akut* 600 mg Hustenlöser jedoch vorschriftsmäßig angewendet werden.
- Heben Sie die Packungsbeilage auf. Vielleicht möchten Sie diese später nochmals lesen.
5 - Fragen Sie Ihren Apotheker, wenn Sie weitere Informationen oder einen Rat benötigen.
- Wenn sich Ihre Symptome verschlimmern oder nach 4-5 Tagen keine Besserung eintritt, müssen Sie auf jeden Fall einen Arzt aufsuchen.
- Wenn eine der aufgeführten Nebenwirkungen Sie erheblich beeinträchtigt oder Sie Nebenwirkungen be-
10 merken, die nicht in dieser Gebrauchsinformation angegeben sind, informieren Sie bitte Ihren Arzt oder Apotheker.

Gebrauchsinformation: Information für den Anwender

ACC® *akut* 600 mg Hustenlöser
Brausetabletten
Wirkstoff: Acetylcystein

Lesen Sie die gesamte Packungsbeilage sorgfältig durch, denn sie enthält wichtige Informationen für Sie. Dieses Arzneimittel ist ohne Verschreibung erhältlich. Um einen bestmöglichen Behandlungserfolg zu erzielen, muss ACC® *akut* 600 mg Hustenlöser jedoch vorschriftsmäßig angewendet werden.
- Heben Sie die Packungsbeilage auf. Vielleicht möchten Sie diese später nochmals lesen.
- Fragen Sie Ihren Apotheker, wenn Sie weitere Informationen oder einen Rat benötigen.
- Wenn sich Ihre Symptome verschlimmern oder nach 4-5 Tagen keine Besserung eintritt, müssen Sie auf jeden Fall einen Arzt aufsuchen.
- Wenn eine der aufgeführten Nebenwirkungen Sie erheblich beeinträchtigt oder Sie Nebenwirkungen bemerken, die nicht in dieser Gebrauchsinformation angegeben sind, informieren Sie bitte Ihren Arzt oder Apotheker.

Diese Packungsbeilage beinhaltet:
1. Was ist ACC® *akut* 600 mg Hustenlöser und wofür wird es angewendet?
2. Was müssen Sie vor der Einnahme von ACC® *akut* 600 mg Hustenlöser beachten?
3. Wie ist ACC® *akut* 600 mg Hustenlöser einzunehmen?
4. Welche Nebenwirkungen sind möglich?
5. Wie ist ACC® *akut* 600 mg Hustenlöser aufzubewahren?
6. Weitere Informationen

1 Was ist ACC® *akut* 600 mg Hustenlöser und wofür wird es angewendet?

ACC® *akut* 600 mg Hustenlöser ist ein Arzneimittel zur Verflüssigung zähen Schleims in den Atemwegen.

ACC® *akut* 600 mg Hustenlöser wird angewendet
zur Schleimlösung und zum erleichterten Abhusten bei Atemwegserkrankungen mit zähem Schleim.

2 Was müssen Sie vor der Einnahme von ACC® *akut* 600 mg Hustenlöser beachten?

ACC® *akut* 600 mg Hustenlöser darf nicht eingenommen werden,
wenn Sie überempfindlich (allergisch) gegen Acetylcystein oder einen der sonstigen Bestandteile von ACC® *akut* 600 mg Hustenlöser sind.

ACC® *akut* 600 mg Hustenlöser darf wegen des hohen Wirkstoffgehaltes nicht angewendet werden bei Kindern unter 14 Jahren.

Besondere Vorsicht bei der Einnahme von ACC® *akut* 600 mg Hustenlöser ist erforderlich
Sehr selten ist über das Auftreten von schweren Hautreaktionen wie Stevens-Johnson-Syndrom und Lyell-Syndrom im zeitlichen Zusammenhang mit der Anwendung von Acetylcystein berichtet worden. Bei Neuauftreten von Haut- und Schleimhautveränderungen sollte daher unverzüglich ärztlicher Rat eingeholt und die Anwendung von Acetylcystein beendet werden.

Vorsicht ist geboten, wenn Sie an Asthma bronchiale leiden oder ein Magen- oder Darm-Geschwür in der Vergangenheit hatten oder haben.

Bei Patienten mit Histaminintoleranz ist Vorsicht geboten. Eine längerfristige Therapie sollte bei diesen Patienten vermieden werden, da ACC® *akut* 600 mg Hustenlöser den Histaminstoffwechsel beeinflusst und zu Intoleranzerscheinungen (z. B. Kopfschmerzen, Fließschnupfen, Juckreiz) führen kann.

Bei Einnahme von ACC® *akut* 600 mg Hustenlöser mit anderen Arzneimitteln
Bitte informieren Sie Ihren Arzt oder Apotheker, wenn Sie andere Arzneimittel einnehmen/anwenden bzw. vor kurzem eingenommen/angewendet haben, auch wenn es sich um nicht verschreibungspflichtige Arzneimittel handelt.

Antitussiva
Bei kombinierter Anwendung von ACC® *akut* 600 mg

Hustenlöser und hustenstillenden Mitteln (Antitussiva) kann aufgrund des eingeschränkten Hustenreflexes ein gefährlicher Sekretstau entstehen, so dass die Indikation zu dieser Kombinationsbehandlung besonders sorgfältig gestellt werden sollte. Fragen Sie daher vor einer kombinierten Anwendung unbedingt Ihren Arzt.

Antibiotika
Aus experimentellen Untersuchungen gibt es Hinweise auf eine Wirkungsabschwächung von Antibiotika (Tetracycline, Aminoglykoside, Penicilline) durch Acetylcystein. Aus Sicherheitsgründen sollte deshalb die Einnahme von Antibiotika getrennt und in einem mindestens 2-stündigen Abstand zeitversetzt erfolgen. Dies betrifft nicht Arzneimittel mit dem Wirkstoff Cefixim oder Loracarbef. Diese können gleichzeitig mit Acetylcystein eingenommen werden.

Schwangerschaft und Stillzeit
Schwangerschaft
Da keine ausreichenden Erfahrungen mit der Anwendung von Acetylcystein bei Schwangeren vorliegen, sollten ACC® *akut* 600 mg Hustenlöser während der Schwangerschaft nur anwenden, wenn Ihr behandelnder Arzt dies für absolut notwendig erachtet.

Stillzeit
Es liegen keine Informationen zur Ausscheidung von Acetylcystein in die Muttermilch vor. Daher sollten Sie ACC® *akut* 600 mg Hustenlöser während der Stillzeit nur anwenden, wenn Ihr behandelnder Arzt dies für absolut notwendig erachtet.

Fragen Sie vor der Einnahme von allen Arzneimitteln Ihren Arzt oder Apotheker.

Verkehrstüchtigkeit und das Bedienen von Maschinen
Es sind keine Besonderheiten zu beachten.

Wichtige Informationen über bestimmte sonstige Bestandteile von ACC® *akut* 600 mg Hustenlöser
1 Brausetablette enthält 6,03 mmol (138,8 mg) Natrium. Wenn Sie eine kochsalzarme Diät einhalten müssen, sollten Sie dies berücksichtigen.

Dieses Arzneimittel enthält Lactose. Bitte nehmen Sie ACC® *akut* 600 mg Hustenlöser daher erst nach Rücksprache mit Ihrem Arzt ein, wenn Ihnen bekannt ist, dass Sie unter einer Unverträglichkeit gegenüber bestimmten Zuckern leiden.

3 Wie ist ACC® *akut* 600 mg Hustenlöser einzunehmen?

Nehmen Sie ACC® *akut* 600 mg Hustenlöser immer genau nach der Anweisung in dieser Packungsbeilage ein. Bitte fragen Sie bei Ihrem Arzt oder Apotheker nach, wenn Sie sich nicht ganz sicher sind.
Fortsetzung auf der Rückseite >>

3 Wie ist ACC® *akut* 600 mg Hustenlöser einzunehmen?

Nehmen Sie ACC® *akut* 600 mg Hustenlöser immer genau nach der Anweisung in dieser Packungsbeilage ein. Bitte fragen Sie bei Ihrem Arzt oder Apotheker nach, wenn Sie sich nicht ganz sicher sind.
Fortsetzung auf der Rückseite >>

Falls vom Arzt nicht anders verordnet, ist die übliche Dosis
Die folgenden Angaben gelten, soweit Ihnen Ihr Arzt ACC® *akut* 600 mg Hustenlöser nicht anders verordnet hat. Bitte halten Sie sich an die Anwendungsvorschriften, da ACC® *akut* 600 mg Hustenlöser sonst nicht richtig wirken kann!

Alter	Tagesgesamtdosis (Brausetabletten)
Jugendliche über 14 Jahre und Erwachsene	2-mal täglich je ½ oder 1-mal täglich je 1 (entsprechend 600 mg Acetylcystein pro Tag)

Art der Anwendung
Nehmen Sie ACC® *akut* 600 mg Hustenlöser nach den Mahlzeiten ein.

Die Brausetabletten sind teilbar.

Lösen Sie bitte die Brausetablette in 1 Glas Trinkwasser auf und trinken Sie den Inhalt des Glases vollständig aus.

Dauer der Anwendung
Wenn sich das Krankheitsbild verschlimmert oder nach 4-5 Tagen keine Besserung eintritt, sollten Sie einen Arzt aufsuchen.

Bitte sprechen Sie mit Ihrem Arzt oder Apotheker, wenn Sie den Eindruck haben, dass die Wirkung von ACC® *akut* 600 mg Hustenlöser zu stark oder zu schwach ist.

Wenn Sie eine größere Menge ACC® *akut* 600 mg Hustenlöser eingenommen haben als Sie sollten
Bei Überdosierung können Reizerscheinungen im Magen-Darm-Bereich (z. B. Bauchschmerzen, Übelkeit, Erbrechen, Durchfall) auftreten.

Schwerwiegende Nebenwirkungen oder Vergiftungserscheinungen wurden bisher auch nach massiver Überdosierung bei Einnahme von Acetylcystein nicht beobachtet. Bei Verdacht auf eine Überdosierung mit ACC® *akut* 600 mg Hustenlöser benachrichtigen Sie bitte dennoch Ihren Arzt.

Wenn Sie die Einnahme von ACC® *akut* 600 mg Hustenlöser vergessen haben
Wenn Sie einmal vergessen haben ACC® *akut* 600 mg Hustenlöser einzunehmen oder zu wenig eingenommen haben, setzen Sie bitte beim nächsten Mal die Einnahme von ACC® *akut* 600 mg Hustenlöser wie in der Dosierungsanleitung beschrieben fort.

Wenn Sie weitere Fragen zur Anwendung des Arzneimittels haben, fragen Sie Ihren Arzt oder Apotheker.

4 Welche Nebenwirkungen sind möglich?

Wie alle Arzneimittel kann ACC® *akut* 600 mg Hustenlöser Nebenwirkungen haben, die aber nicht bei jedem auftreten müssen.

Bei der Bewertung von Nebenwirkungen werden folgende Häufigkeiten zugrunde gelegt:

sehr häufig: mehr als 1 Behandelte von 10
häufig: 1 bis 10 Behandelte von 100
gelegentlich: 1 bis 10 Behandelte von 1.000
selten: 1 bis 10 Behandelte von 10.000
sehr selten: weniger als 1 Behandelter von 10.000
nicht bekannt: Häufigkeit auf Grundlage der verfügbaren Daten nicht abschätzbar

Nebenwirkungen
Allgemeine Erkrankungen und Beschwerden am Verabreichungsort
Gelegentlich: Kopfschmerzen, Fieber, allergische Reaktionen (Juckreiz, Quaddelbildung, Hautausschlag, Atemnot, Herzschlagbeschleunigung und Blutdrucksenkung)
Sehr selten: anaphylaktische Reaktionen bis zum Schock.

Ihre Ärztin/Ihr Arzt, Ihre Apotheke und

Falls vom Arzt nicht anders verordnet, ist die übliche Dosis
Die folgenden Angaben gelten, soweit Ihnen Ihr Arzt ACC® *akut* 600 mg Hustenlöser nicht anders verordnet hat. Bitte halten Sie sich an die Anwendungsvor- 5
schriften, da ACC® *akut* 600 mg Hustenlöser sonst nicht richtig wirken kann!

Alter	Tagesgesamtdosis (Brausetabletten)
Jugendliche über 14 Jahre und Erwachsene	2-mal täglich je ½ oder 1-mal täglich je 1 (entsprechend 600 mg Acetylcystein pro Tag)

Art der Anwendung
Nehmen Sie ACC® *akut* 600 mg Hustenlöser nach den Mahlzeiten ein. 10

Die Brausetabletten sind teilbar.

Lösen Sie bitte die Brausetablette in 1 Glas Trinkwasser auf und trinken Sie den Inhalt des Glases vollständig aus.

Dauer der Anwendung 15
Wenn sich das Krankheitsbild verschlimmert oder nach 4-5 Tagen keine Besserung eintritt, sollten Sie einen Arzt aufsuchen.

Bitte sprechen Sie mit Ihrem Arzt oder Apotheker, wenn Sie den Eindruck haben, dass die Wirkung von 20
ACC® *akut* 600 mg Hustenlöser zu stark oder zu schwach ist.

Wenn Sie eine größere Menge ACC® *akut* 600 mg Hustenlöser eingenommen haben als Sie sollten 25
Bei Überdosierung können Reizerscheinungen im Magen-Darm-Bereich (z. B. Bauchschmerzen, Übelkeit, Erbrechen, Durchfall) auftreten.

Schwerwiegende Nebenwirkungen oder Vergiftungserscheinungen wurden bisher auch nach mas- 30
siver Überdosierung bei Einnahme von Acetylcystein nicht beobachtet. Bei Verdacht auf eine Überdosierung mit ACC® *akut* 600 mg Hustenlöser benachrichtigen Sie bitte dennoch Ihren Arzt.

Wenn Sie die Einnahme von ACC® *akut* 600 mg Hustenlöser vergessen haben 35
Wenn Sie einmal vergessen haben ACC® *akut* 600 mg Hustenlöser einzunehmen oder zu wenig eingenommen haben, setzen Sie bitte beim nächsten Mal die Einnahme von ACC® *akut* 600 mg Hustenlöser wie in 40
der Dosierungsanleitung beschrieben fort.

Wenn Sie weitere Fragen zur Anwendung des Arzneimittels haben, fragen Sie Ihren Arzt oder Apotheker.

Quelle: Pharmazeutischer Unternehmer HEXAL AG

2.2 Lesen Sie nun die vergrößerten Ausschnitte aus dem Beipackzettel.
Finden Sie Beispiele, die die folgenden Aussagen unterstützen.

Der Text enthält viele Imperative. Das ist eine sehr direkte Form der Aufforderung.
Lesen Sie die gesamte Packungsbeilage sorgfältig durch, …

_____

_____

Er wirkt aber nicht unhöflich, denn es wird deutlich, dass die Beziehung zum Kunden wichtig ist
und die Sorge um seine Gesundheit im Vordergrund steht.
Sie (die Packungsbeilage) enthält wichtige Informationen für Sie.

_____

Außerdem ist der Beipackzettel (im Vergleich zum Kochrezept) viel persönlicher, der Kunde wird
immer wieder direkt angesprochen.

_____

Medikamentenbeipackzettel

- Ein Medikamentenbeipackzettel soll den Patienten über die richtige Anwendung und Dosierung
  eines Medikamentes informieren.
- Es ist Pflicht, alle Nebenwirkungen des Medikaments zu nennen. Das macht einigen Patienten
  Angst und sie möchten das Medikament vielleicht nicht mehr nehmen. Für den Produzenten des
  Medikaments ist es daher wichtig, eine gute Beziehung zum Patienten herzustellen.

2.3 Was soll ich tun, wenn …? – In dem Ausschnitt aus dem Beipackzettel gibt es viele
konditionale Verbindungen. Schreiben Sie in die folgende Tabelle, was jeweils die
Bedingung und was die Folge ist.

Fragen Sie einen Arzt oder Apotheker, wenn Sie weitere Informationen oder einen Rat benötigen. ⇨ Kapitel 2.3.3

Bedingung	Folge
Ich benötige weitere Informationen / einen Rat.	*Ich soll einen Arzt oder Apotheker fragen.*

…

2.4 Formulieren Sie einige Sätze neu, indem Sie die vorgegebenen Bausteine verwenden.

a Für den Fall, dass _____ ,
  fragen Sie bitte einen Arzt oder Apotheker.

b Verschlimmern sich die Symptome _____
  _____ .

c Bei _____ fragen Sie einen Arzt
  oder Apotheker.

d _____ es sei denn,
  _____ .

e Im Falle einer Überdosierung _____ .

f Bei _____
  _____ .

5 Kontaktieren

Es gibt kein größeres Wunder
auf Erden
als ein kleines Kind

*Alles Gute zur
Hochzeit*

Lust auf nen
Kaffee?
LG Sandrina

 Herzlichen Glückwunsch!

Warum gratuliert man eigentlich zum Geburtstag, zur Hochzeit oder zur Geburt des Kindes?
Ein Glückwunsch bringt keine neuen Informationen, denn der andere weiß, dass er Geburtstag
hat, geheiratet hat oder ein Kind bekommen hat. Man will dadurch auch nicht überzeugen
oder zu etwas auffordern. Vielmehr geht es darum, zu zeigen, dass man an die Person denkt
und sich mit ihr freut. Wichtiger als der Inhalt ist also die Beziehung zum anderen: Man
möchte den Kontakt erhalten oder wieder aufnehmen.
Nicht nur Karten haben diese Funktion, sondern auch ein „Smalltalk", viele SMS oder
Facebook-Einträge.

5.1 Glückwunschkarte: „Alles Gute zur Hochzeit"

1 Lesen Sie die beiden Glückwunschkarten. Wer gratuliert hier wem wozu?

Petra heiratet ihren Michael. Dazu
gratulieren wir euch beiden ganz
herzlich und wünschen euch alles Gute
für die gemeinsame Zukunft.
Bernd und Klara

Liebes Brautpaar,
für euren gemeinsamen Lebensweg wünschen wir euch Harmonie,
Gesundheit, Geduld und viel Energie. Mögen alle eure Träume in
Erfüllung gehen!

Barbara und Ulrich mit Jan und Christine

2.1 In Glückwunschkarten findet man immer wieder ähnliche Formulierungen. Ergänzen Sie die
folgenden Glückwunschkarten.

Liebe Maya,
nun bist du schon 12 Jahre alt. Zu d_____
G_____ möchten w____ d____ ganz herzlich
gratulieren. Für das neue Lebensjahr w_____
w____ dir alles Gute. Feiere schön!
Oma und Opa

Liebe Heidi, lieber Christof,
Kinder bedeuten nicht viel und nicht wenig, sie bedeuten alles (P. Rosegger).
Z___ G_____ e_____Tochter möchten wir euch g_____ h_____
gratulieren und e____ alles nur erdenklich G_____ wünschen. Möge sie
wachsen und gedeihen!

2.2 Ergänzen Sie die Lücken mit *sehr, ganz, viel* oder *alles*. Manchmal gibt es zwei Möglichkeiten.

a Zu unserer Hochzeit möchten wir euch _____ herzlich einladen. Wir hoffen _____,
   dass ihr kommen könnt.
b Zum Geburtstag wünsche ich dir _____ Gute: _____ Glück und Gesundheit.
c Zur Geburt eures Kindes gratulieren wir _____ herzlich und wünschen euch _____
   nur erdenklich Gute für das Leben zu dritt.
d Für die Glückwünsche möchten wir uns _____ herzlich bedanken.
e Es hat uns _____ gefreut, dass ihr bei unserer Hochzeit wart.
f ____en Dank für die Blumen!

3.1 Verfassen Sie eine Glückwunschkarte an einen Freund. Gratulieren Sie zu einem Ereignis Ihrer
   Wahl (Geburtstag, Namenstag, bestandene Prüfung, Klipp und Klar durchgearbeitet . . .).

3.2 Stellen Sie sich vor, Sie haben die Glückwunschkarte erhalten. Schreiben Sie eine Dankeskarte.

9.5.2 SMS-Kommunikation: „Lust auf nen Kaffee?"

 Lust auf nen Kaffee?

Auch der Austausch per SMS hat oft eine Kontaktfunktion: Man zeigt seinen Freunden und Bekannten, dass man an sie denkt. Oft dienen SMS dazu, sich zu einem privaten Treffen zu verabreden. Als weitere Funktion kommt hinzu, dass man Informationen übermitteln möchte (z. B. einen Treffpunkt vereinbaren).

SMS steht für „Short Message System" (deutsch: Kurzmitteilung). Wie der Name sagt, versucht man, sich möglichst kurz auszudrücken. Man erklärt nur so viel wie unbedingt nötig und verwendet häufig Abkürzungen.

1 Lesen Sie die SMS-Kommunikation zwischen Kerstin und Anke sowie zwischen Sophie und Johannes (Jo). Beschreiben Sie, in welcher Situation sich die Personen befinden.

Sophie, 12.05., 13:37

> Hej Jo, drück dir ganz doll die Daumen – meld dich mal, wenn's vorbei ist. LG, Sophie

Johannes, 12.05., 15:11:16

> Prüfung war heftig, aber Hauptsache bestanden. Gehen jetzt ins Schroeder's. Kommst du auch?

Sophie, 12.05., 15:13

> ;-) Mach mich gleich los!!!

Kerstin, 27.07., 16:41

> Sitze jetzt endlich im Zug – total über- füllt ☹

Anke, 27.07., 16:53

> Oh nee! Und das bei der Affen- hitze! Mensch, ich freu mich total aufs WE!!! Sag mal Be- scheid, wenn du in L bist.

Kerstin, 27.07., 18:29

> Bin jetzt endlich da ... und echt am Ende

Anke, 27.07., 18:32

> Du Arme! Gibt gleich was Leckeres :-)

2 In einer SMS drückt man sich möglichst kurz aus. Auf einer Postkarte würde Sophie vielleicht einen etwas längeren Text wie unten schreiben. Was macht die SMS so kurz? Nennen Sie Aspekte und geben Sie jeweils Beispiele an.

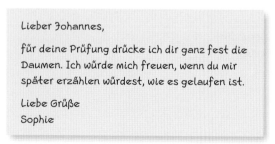

> Lieber Johannes,
>
> für deine Prüfung drücke ich dir ganz fest die Daumen. Ich würde mich freuen, wenn du mir später erzählen würdest, wie es gelaufen ist.
>
> Liebe Grüße
> Sophie

Das Subjekt „ich" oder „wir" wird meistens weggelassen (Beispiele: drück dir die Daumen, gehen jetzt ..., mach mich ...). Andere Subjektpronomen werden hingegen nicht weggelassen (du, ihr, er, sie, es).

...

3 Was bedeuten die folgenden Abkürzungen oder Emoticons? Ordnen Sie zu.

> Nimm es nicht so schwer! • Liebe Grüße • Juchhu! (Ich freue mich.) •
> Wie schade! (Ich bin traurig.) • Wochenende

☺ _____

☹ _____

;-) _____

WE _____

LG _____

4 Bei der SMS-Kommunikation zwischen Petra und Susanne ist der Text durcheinander geraten. Ordnen Sie die Textteile zu!

– Schön, von dir zu hören. Bei mir läuft leider gerade alles schief :-(Autoradio geklaut, Probleme mit Thomas ...
– Heute Abend bin ich da. Ruf doch einfach an, wenn du Zeit hast.
– Hej Suse, lange nichts von dir gehört. Wie geht s denn so?
– Oh nein, tut mir echt leid. Lass uns mal telefonieren!

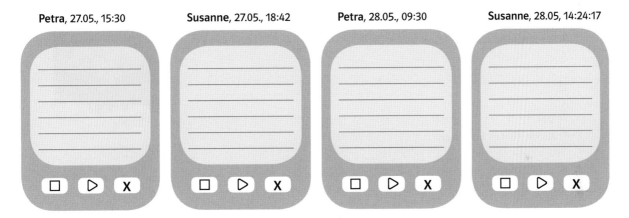

Petra, 27.05., 15:30   **Susanne**, 27.05., 18:42   **Petra**, 28.05., 09:30   **Susanne**, 28.05, 14:24:17

5 Zwei Freunde haben Tim auf den Anrufbeantworter gesprochen. Hören Sie den Text. Die beiden haben danach die Idee, ihm auch noch eine SMS zu schreiben. Formulieren Sie zwei möglichst kurze SMS.

◎ 35

Hi, hier ist Jörn. Ich wollt mich nur mal melden, ich bin aus'm Urlaub zurück und ich wollt eigentlich ne Runde laufen gehen, aber da du nicht da bist, hmm, allein ist blöd. Na, kann man nichts machen, dann, tschüss.

Jörn, 26.10, 12:14

Morgen Tim, hier ist Ben Schleicher. Es ist Mittwoch 10:17 Uhr. Jana hat mir erzählt, dein Auto sei kaputt und du wüsstest nicht, wie du zur Arbeit kommst. Wenn du möchtest, kann ich dich nächste Woche mitnehmen, ich hab Frühschicht und fahr ja sowieso bei dir vorbei. Wenn du willst, melde dich. Ich bin den ganzen Tag zu Hause. Tschüß.

Ben, 27.10, 09:32

9.5.3 Alltagsgespräche: „Bei dem Wetter . . .“

1.1 Hören Sie den Ausschnitt aus einem Gespräch zwischen einer Friseurin und ihrem Kunden. Welche Beschreibungen der Gesprächssituationen sind zutreffend?

◎ 36

☐ Der Kunde und die Friseurin kennen sich schon viele Jahre. Daher haben sie sofort gemeinsame Gesprächsthemen und führen ein sehr persönliches und emotionales Gespräch.

☐ Der Kunde und die Friseurin haben keine private Beziehung, sondern eine typische „Servicebeziehung“. Nach der Besprechung des Haarschnittes könnten sie schweigen. Da dies dem Kunden möglicherweise unangenehm wäre, beginnt die Friseurin ein Gespräch über das Wetter.

☐ Das Gespräch ist ein typisches Beispiel für einen Smalltalk: Man wählt ein Thema wie das Wetter, bei dem ein Konflikt unwahrscheinlich ist, weil die meisten Menschen ähnliche Erfahrungen haben. Man verwendet Signale wie *ne*, weil man möchte, dass der Gesprächspartner zustimmt

☐ Während des Gespräches ist die Stimmung sehr angespannt, da der Kunde immer wieder Unzufriedenheit äußert (*das hier ist ja kein Zustand*). Die Friseurin möchte einen Konflikt vermeiden und versucht, den Kunden zu beruhigen.

1.2 Lesen Sie nun das Transkript zu dem Gesprächsausschnitt. Geben Sie stichpunktartig an, wie sich das Thema entwickelt vom Husten des Kunden bis zu den verfrühten Eisheiligen.

1: Der Kunde hustet.

2: _____

3: _____

4: _____

5: die verfrühten Eisheiligen

... kein Wunder, dass man sich erkältet ...

Ein etwa 50jähriger Mann (Kunde) und eine etwa 35 Jahre alte Frau (Friseurin) unterhalten sich beim Haareschneiden. Der Kunde hustet.

FRISEURIN: Bei dem Wetter ist es ja auch kein Wunder, dass man sich erkältet, mal heiß, mal kalt - das reinste Wechselbad.

KUNDE: Ich glaub', man holt sich da immer wieder neu 'nen Knacks weg.

FRISEURIN: Ich hatte bis jetzt noch gar nichts, nicht mal 'ne Erkältung.

5 KUNDE: Nee? Ja, ich hab im Allgemeinen auch keine Probleme damit. Einmal im Jahr vielleicht, ne?

FRISEURIN: Ja. Aber ab Donnerstag soll's wieder besser werden mit'm Wetter.

KUNDE: Ja, echt? Ich hab gar nicht geguckt.

FRISEURIN: Die haben im Radio gesagt, da wird's ja endlich wärmer, bis 20 Grad,

10 da hab ich ja auch Urlaub.

KUNDE: Ja, es muss ja auch endlich mal wärmer werden, das hier ist ja kein Zustand, das sind ja die verfrühten Eisheiligen, ne?

FRISEURIN: Ja, meinen Sie?

KUNDE: Ich weiß nicht, in der BILD hab ich so was gelesen ...

15 FRISEURIN: Wann sind denn immer die Eisheiligen?

KUNDE: Ja, die kommen normalerweise erst Mitte Mai, aber in der BILD stand, die kämen dieses Jahr früher.

FRISEURIN: Echt? Aha!

der Knacks: ein Defekt, ein Schaden, hier: eine Erkältung
die Eisheiligen: Damit sind die Namenstage von drei Heiligen Mitte Mai gemeint. Dem Volksglaube zufolge ist die Periode zwischen den Namenstagen instabil, es kann noch einmal sehr kalt werden.
die BILD: eine Tageszeitung, die für ihren Sensationsjournalismus bekannt ist

Alltagsgespräche

- Man unterhält sich im Alltag, um Neuigkeiten auszutauschen.
- Dabei spielt immer auch der soziale Aspekt eine Rolle: Man will eine gute Beziehung zu seinen Mitmenschen herstellen oder sie aufrechterhalten. Manchmal ist dieser Aspekt wichtiger als der Inhalt des Gesprächs.
- Alltagsgespräche sind spontan und das Thema ist nicht festgelegt, man kommt also „von einem zum anderen". Sie haben viele Merkmale, die typisch für die mündliche Interaktion sind.

2 Die Friseurin und der Kunde verwenden häufig das Wort *ja*. Sie kennen *ja* schon als (positive) Antwort auf eine Frage. In dem Gespräch hat es aber primär andere Funktionen. Ergänzen Sie in der Tabelle weitere Beispiele aus dem Transkript.

1	**ja** ↗ „Ich bin überrascht und will sichergehen, dass ich das auch richtig verstanden habe"	Ja, echt? _____
2	**ja** → „Ich weiß, dass etwas offensichtlich oder schon bekannt ist. Daher nehme ich an, dass der Hörer es auch weiß."	Bei dem Wetter ist es ja auch kein Wunder, dass man sich erkältet, _____ _____ _____
3	**ja** → „Ich möchte weitersprechen oder jetzt anfangen zu sprechen. Was ich sagen möchte, passt zu dem, was gerade gesagt wurde."	Ja, ich hab im Allgemeinen auch nichts damit zu tun. _____ _____

ja

- Die Grundfunktion von *ja* ist die positive Antwort auf eine Frage: *Kommst du heute? – Ja.* Daneben hat *ja* aber noch andere Funktionen: Mit dem fragenden *ja* (1) fordert der Sprecher den Hörer zu einer Reaktion auf, nach Möglichkeit soll er ihm zustimmen. Eine ähnliche Funktion haben *ne* ↗, *gell* ↗ oder *okay* ↗.
- Die Verwendung von *ja* (2) signalisiert: „das wissen wir beide schon / das ist bekannt oder sollte bekannt sein".
- Außerdem wird *ja* häufig verwendet, um zu signalisieren, dass man weitersprechen möchte (3). In dieser Funktion ist es mit *äh* vergleichbar.

3 Typisch für mündliche Alltagsgespräche ist, dass man statt Pronomen (*er, sie, es*) Artikel verwendet (*der, die, das*). Häufig ist auch der Ausdruck *da*. Worauf beziehen sich die folgenden Ausdrücke?

da (Zeile 3): *bei dem Wetter*
damit (Zeile 5): _____
da (Zeile 9): _____
das hier (Zeile 11): _____
die (Zeile 16): _____

da

Der Ausdruck *da* gehört zu den lokalen Zeigewörtern (*hier, da, dort*). Mit ihnen lenkt der Sprecher die Aufmerksamkeit auf einen Ort im Raum. Von den drei Zeigewörtern ist *da* am wenigsten spezifisch und wird aus diesem Grund so häufig verwendet.
In Gesprächen wird *da* aber nicht nur verwendet, um auf einen Ort im Raum zu verweisen, sondern auch auf etwas vorher Gesagtes. Man könnte auch sagen, dass es in dieser Funktion auf einen „Ort im Text" verweist.

4 Welche anderen Themen sind Ihrer Erfahrung nach typisch für ein Gespräch beim Friseur?

Anhang und Register

Anhang

Anhang 1: Verben, Nomen und Adjektive mit festen Präpositionen

VERBEN mit festen Präpositionen

anfangen mit (+Dativ)	Ich fange mit der guten Nachricht an.
sich anpassen an (+Akkusativ)	Du musst dich schnell an die neue Situation anpassen.
antworten auf (+Akkusativ)	Kerstin hat auf ihre E-Mail geantwortet.
arbeiten an (+Dativ)	Du arbeitest bestimmt noch an deiner Diplomarbeit.
sich auseinandersetzen mit (+Dativ)	Der Autor setzt sich mit der Konsumgesellschaft auseinander.
sich befassen mit (+Dativ)	Das Buch befasst sich mit dem Konsum als Lebensform der Moderne.
begeistern für (+Akkusativ)	Sie konnte viele Kinder für den Reitverein begeistern.
beginnen mit (+Dativ)	Ich beginne mit der schlechten Nachricht.
sich bemühen um (+Akkusativ)	Ich bemühe mich um eine schnelle Lösung des Problems.
berichten von (+Dativ)	Die Vorsitzende berichtet vom weiteren Rückgang der Mitgliederzahlen.
sich beschweren bei (+Dativ) **sich beschweren über** (+Akkusativ)	Der Student beschwert sich beim Professor über die schlechte Note.
sich beschäftigen mit (+Dativ)	Die Studierenden beschäftigen sich mit einem Problem.
bleiben bei (+Dativ)	Du kannst bei deiner Idee bleiben.
danken für (+Akkusativ)	Die Vorsitzende dankt den Mitgliedern für die geleistete Arbeit im Verein.
diskutieren mit (+Dativ) **diskutieren über** (+Akkusativ)	Gerne diskutieren die Kongressteilnehmer mit den Vortragenden über die angewandte Forschungsmethodik.
eingehen auf (+Akkusativ)	Der Autor geht auf die Frage der Konsumgesellschaft ein.
sich entscheiden für (+Akkusativ)	Die Kundin entscheidet sich für einen schönen Mantel.
erhalten von (+Dativ) **erhalten für** (+Akkusativ)	Für ihren Roman erhielt die Schriftstellerin den Adelbert-von-Chamiso-Förderpreis.
sich erinnern an (+Akkusativ)	Danke, dass du mich an Marios Geburtstag erinnerst!
erzählen von (+Dativ)	Die Schriftstellerin hat uns von ihrem Leben erzählt.
fragen nach (+Dativ)	Die beiden Freundinnen fragen den Verkäufer nach einem guten Buch.
sich freuen auf (+Akkusativ)	Ich freu mich so auf den Moment!
sich freuen über (+Akkusativ)	Er freut sich über die schöne Überraschung.
finanzieren mit (+Dativ)	Ich habe mein Auslandssemester mit einem DAAD-Stipendium finanziert.
es geht um (+Akkusativ)	Im Buch geht es um den Problembereich „Konsum".
glauben an (+Akkusativ)	Ich glaube an dich.
halten für (+Akkusativ)	Einige Gäste halten das Städtchen für den besten Kongressort der Welt.
kämpfen für (+Akkusativ)	Du kannst für dein Recht kämpfen.
kommen zu (+Dativ)	Kommst du am Samstag zu meiner Party?
sich kümmern um (+Akkusativ)	Lena kümmert sich um den Grillabend.
nachdenken über (+Akkusativ)	Du solltest über den Vorschlag nachdenken.
sprechen über (+Akkusativ)	Mario und Thomas haben über den Vorschlag gesprochen.
sprechen von (+Dativ)	Bei den Verkaufszahlen kann man von einem Erfolg sprechen.
teilnehmen an (+Dativ)	Sie nimmt dieses Jahr am Slalomwettbewerb teil.
sich unterhalten mit (+Dativ) **sich unterhalten über** (+Akkusativ)	Ich habe mich vorhin mit ihm über den Vorschlag unterhalten.
sich verlassen auf (+Akkusativ)	Du kannst dich auf mich verlassen.

verweisen auf (+Akkusativ)	Der Autor verweist auf diesen Zusammenhang.
verzichten auf (+Akkusativ)	Du musst nicht auf deinen Wunsch verzichten.
verfügen über (+Akkusativ)	Das Hotel verfügt über einen großen Wellness-Bereich.
warten auf (+Akkusativ)	Ich habe ewig auf den Bus gewartet.
zählen zu (+Dativ)	„Dichtung und Wahrheit" zählt zum Hauptwerk Goethes.

NOMEN mit festen Präpositionen

die Angst um (+Akkusativ) / vor (+Dativ)	Die Mutter hat immer große Angst um ihr Kind. Simon hat Angst vor dem großen Nachbarshund.
die Antwort auf (+Dativ)	Auch er hatte keine Antwort auf meine Frage.
der Ärger über (+Akkusativ)	Sie zog aus Ärger über ihre Nachbarn um.
die Entschuldigung für (+Akkusativ)	Seine Eltern schrieben ihm eine Entschuldigung für sein Fehlen.
die Enttäuschung über (+Akkusativ)	Ihre Enttäuschung über sein Verhalten zeigte sie deutlich..
die Frage nach (+Dativ)	Er wollte die Frage nach seinem Gehalt nicht beantworten.
die Freude auf / über (+Akkusativ)	Die Freude auf das verlängerte Wochenende ist groß. Man konnte ihr die Freude über seinen Besuch ansehen.
der Grund für (+Akkusativ)	Ich kenne den Grund für seine Verspätung.
die Hoffnung auf (+Akkusativ)	Die Hoffnung auf einen neuen Arbeitsplatz wird immer kleiner.
das Interesse an (+Dativ)	Ich habe großes Interesse an der ausgeschriebenen Stelle.
die Kritik an (+Dativ)	Es gab keine negative Kritik an unserer Präsentation.
die Liebe zu (+Dativ)	Ich kann meine Liebe zu dir nicht mehr verbergen.
der Mangel an (+Dativ)	Aus Mangel an Beweisen wurde der Verdächtige freigelassen.
der Neid auf (+Akkusativ)	Sie schaut mit Neid auf den perfekten Garten ihrer Nachbarin.
das Recht auf (+Akkusativ)	Durch das Grundgesetz wird das Recht auf Religionsfreiheit garantiert.
der Respekt vor (+Dativ)	Sie haben großen Respekt vor ihrem Lehrer.
die Rücksicht auf (+Akkusativ)	Mein Bruder nimmt keine Rücksicht auf seine Mitbewohner.
die Suche nach (+Dativ)	Die Suche nach der Vermissten war erfolglos.
die Teilnahme an (+Dativ)	Ich brauche eine Bestätigung für meine Teilnahme an dem Kurs.
der Überblick über (+Akkusativ)	Ich habe keinen Überblick über meine Finanzen mehr.
die Ursache für (+Akkusativ)	Die Ursache für den Unfall konnte geklärt werden.
das Urteil über (+Akkusativ)	Meine Kollegin bildet sich immer sofort ein Urteil über neue Mitarbeiter.
die Verantwortung für (+Akkusativ)	Wer trägt die Verantwortung für diese Gruppe?
das Verständnis für (+Akkusativ)	Sie kein Verständnis für meine Situation.
die Voraussetzung für (+Akkusativ)	Englischkenntnisse sind eine Voraussetzung für die Stelle.
die Vorbereitung auf (+Akkusativ)	Der Stress bei den Vorbereitungen auf ihre Hochzeit war sehr groß.
der Wunsch nach (+Dativ)	Ihr Wunsch nach einem Kind wurde immer stärker.
der Zweifel an (+Dativ)	Ich habe keine Zweifel an seiner Unschuldigkeit.

ADJEKTIVE mit festen Präpositionen

abhängig von (+Dativ)	Er war lange Zeit von Medikamenten abhängig.
angewiesen auf (+Akkusativ)	Sie ist auf die finanzielle Unterstützung ihrer Eltern angewiesen.
arm an (+Dativ)	Island ist arm an Menschen.
befreundet mit (+Dativ)	Ich bin mit meiner Kollegin privat sehr gut befreundet.
begeistert von (+Dativ)	Er ist begeistert von dem neuen Album seiner Lieblingsband.
beliebt bei (+Dativ)	Anne ist bei ihren Mitschülern sehr beliebt.
beschäftigt mit (+Dativ)	Ich bin mit den Hochzeitsvorbereitungen beschäftigt.
beteiligt an (+Dativ)	Wer war an dem Überfall beteiligt?
bereit zu (+Dativ)	Die Belegschaft ist bereit zu Lehneinschnitten.
charakteristisch für (+Akkusativ)	Welche Architektur ist charakteristisch für den Barockstil?
dankbar für (+Akkusativ)	Wir sind sehr dankbar für eure Hilfe beim Umzug.
eifersüchtig auf (+Akkusativ)	Er ist unheimlich eifersüchtig auf ihren Kollegen.
einverstanden mit (+Dativ)	Mit deinem Vorschlag bin ich einverstanden.
enttäuscht von (+Dativ)	Von seiner Abwesenheit ist sie sehr enttäuscht.
fertig mit (+Dativ)	Wann bist du fertig mit deinem Studium?
freundlich zu (+Dativ)	Meine Oma ist wirklich zu jedem Menschen freundlich.
froh über (+Akkusativ)	Ich bin sehr froh über dein Kommen.
gewöhnt an (+Akkusativ)	Habt ihr euch schon an das kalte Wetter gewöhnt?
glücklich über (+Akkusativ)	Marlene ist sehr glücklich über ihre neue Wohnung.
interessiert an (+Dativ)	Alle im Kurs sind an Grammatik interessiert.
schuld an (+Dativ)	Die Polizei versucht zu klären, wer schuld an dem Unfall war.
verantwortlich für (+Akkusativ)	Er ist für die gesamte Abteilung verantwortlich.
verliebt in (+Akkusativ)	Als Teenager war er in Britney Spears verliebt.
wichtig für (+Akkusativ)	Fremdsprachenkenntnisse sind sehr wichtig für die Karriere.
zufrieden mit (+Dativ)	Wir sind sehr zufrieden mit unserem neuen Auto.

Anhang 2: Relativpronomen

	maskulin	feminin	neutrum	Plural
Nominativ	der	die	das	die
Akkusativ	den	die	das	die
Dativ	dem	der	dem	denen
Genitiv	dessen	deren	dessen	derer, deren

Anhang 3: Deklination Artikelwörter

- **unbestimmter Artikel** (*ein, eine, ein*)
- **Possessivartikel** (*mein, dein, sein usw.*),
- *kein, irgendein, was für ein*

	maskulin	feminin	neutrum	Plural
Nominativ	(m)ein Vater	(m)eine Mutter	(m)ein Kind	(meine) Kinder
Akkusativ	(m)einen Vater	(m)eine Mutter	(m)ein Kind	(meine) Kinder
Dativ	(m)einem Vater	(m)einer Mutter	(m)einem Kind	(meinen) Kindern
Genitiv	(m)eines Vaters	(m)einer Mutter	(m)eines Kindes	(meiner) Kinder

- **bestimmter Artikel** (*der, die, das*)
- *dieser, jener, welcher*
- *jeder, mancher, alle, einige, etliche, irgendwelche*
- *mehrere* (bei Pluralen), *solche* (bei Pluralen und Substanznomina)

	maskulin	feminin	neutrum	Plural
Nominativ	dieser Mut	diese Liebe	dies(es) Leid (das Kind)	diese Fälle
Akkusativ	diesen Mut	diese Liebe	dieses Leid (das Kind)	diese Fälle
Dativ	diesem Mut	dieser Liebe	diesem Leid	diesen Fällen
Genitiv	diesen Mutes	dieser Liebe	dieses Leides	dieser Fälle

Anhang 4: Deklination Adjektive

Schwache Deklination nach
- **bestimmtem Artikel** (*der, die, das*)
- *dieser, jener, welcher*
- *jeder, alle, einige, etliche, irgendwelche*
- *mehrere, solche*

	maskulin	feminin	neutrum	Plural
Nominativ	der heiße Tee	die frische Milch	das saubere Wasser	die kalten Getränke
Akkusativ	den heißen Tee	die frische Milch	das saubere Wasser	die kalten Getränke
Dativ	dem heißen Tee	der frischen Milch	dem sauberen Wasser	den kalten Getränken
Genitiv	des heißen Tees	der frischen Milch	des sauberen Wassers	der kalten Getränke

Gemischte Deklination nach
- **unbestimmtem Artikel** (*ein, eine, ein*)
- **Possessivartikel** (*mein, dein, sein* usw.)
- *kein, irgendein, was für ein*

	maskulin	feminin	neutrum	Plural
Nominativ	ein heißer Tee	eine frische Milch	ein sauberes Wasser	kalte Getränke
Akkusativ	einen heißen Tee	eine frische Milch	ein sauberes Wasser	kalte Getränke
Dativ	einem heißen Tee	einer frischen Milch	einem sauberen Wasser	kalten Getränken
Genitiv	eines heißen Tees	einer frischen Milch	eines sauberen Wassers	kalten Getränke

Starke Deklination nach
– **Nullartikel** (=kein Artikel)
– *manch, wie viel*

	maskulin	feminin	neutrum	Plural
Nominativ	heißer Tee	kalte Milch	sauberes Wasser	kalte Getränke
Akkusativ	heißen Tee	kalte Milch	sauberes Wasser	kalte Getränke
Dativ	heißem Tee	kalter Milch	sauberem Wasser	kalten Getränken
Genitiv	heißen Tees	kalter Milch	sauberen Wassers	kalter Getränke

Anhang 5: Bildung Präsens

regelmäßige Verben

	spielen	arbeiten	baden	atmen	schützen
ich	spiele	arbeite	bade	atme	schütze
du	spielst	arbeitest	badest	atmest	schützt
er, sie, es	spielt	arbeitet	badet	atmet	schützt
wir	spielen	arbeiten	baden	atmen	schützen
ihr	spielt	arbeitet	badet	atmet	schützt
sie, Sie	spielen	arbeiten	baden	atmen	schützen

Endet der Verbstamm auf **d**, **t** oder auf einem Konsonanten + **m** oder **n**, wird bei der
2. und 3. Person Singular sowie bei der 2. Person Plural ein **e** zwischen Stamm und Endung gefügt,
um die Aussprache zu erleichtern.
Endet der Stamm auf **s**, **ss**, **ß** oder **z**, steht in der 2. Person Singular nur die Endung **t**.

unregelmäßige Verben

⇨ Liste der wichtigsten unregelmäßigen Verben: Anhang 7

	haben	sein	müssen	wissen	werden	laufen	sehen
ich	habe	bin	muss	weiß	werde	laufe	sehe
du	hast	bist	musst	weißt	wirst	läufst	siehst
er, sie, es	hat	ist	muss	weiß	wird	läuft	sieht
wir	haben	sind	müssen	wissen	werden	laufen	sehen
ihr	habt	seid	müsst	wisst	werdet	lauft	seht
sie, Sie	haben	sind	müssen	wissen	werden	laufen	sehen

Einige unregelmäßige Verben ändern im Singular ihren Stammvokal, bei einigen Verben ändert
sich der gesamte Stamm. Häufig haben die unregelmäßigen Verben in der 1. und 3. Person
Singular keine Endung.

Anhang 6: Bildung Perfekt, Präteritum und Plusquamperfekt

PERFEKT

Das Perfekt wird gebildet mit den Hilfsverben *haben* oder *sein* im Präsens und dem Partizip II des jeweiligen Vollverbs:

Perfekt mit *haben*:

ich	habe	gespielt
du	hast	gespielt
er, sie, es	hat	gespielt
wir	haben	gespielt
ihr	habt	gespielt
sie, Sie	haben	gespielt

Perfekt mit *sein*:

ich	bin	gereist
du	bist	gereist
er, sie, es	ist	gereist
wir	sind	gereist
ihr	seid	gereist
sie, Sie	sind	gereist

PLUSQUAMPERFEKT

Das Plusquamperfekt wird gebildet mit den Hilfsverben *haben* oder *sein* im Präteritum und dem Partizip II des jeweiligen Vollverbs:

Plusquamperfekt mit *haben*:

ich	hatte	geschlafen
du	hattest	geschlafen
er, sie, es	hatte	geschlafen
wir	hatten	geschlafen
ihr	hattet	geschlafen
sie, Sie	hatten	geschlafen

Plusquamperfekt mit *sein*:

ich	war	gelaufen
du	warst	gelaufen
er, sie, es	war	gelaufen
wir	waren	gelaufen
ihr	wart	gelaufen
sie, Sie	waren	gelaufen

Die meisten Verben bilden das Perfekt und das Plusquamperfekt mit *haben*, so zum Beispiel alle Verben, die mit einem Akkusativobjekt gebraucht werden, alle Modalverben und alle reflexiven Verben.
Nur relativ wenige Verben bilden das Perfekt und das Plusquamperfekt mit *sein*. Im Anhang 8 finden Sie eine Liste dieser Verben. Da sie häufig verwendet werden, ist es sinnvoll, sie auswendig zu lernen.

PARTIZIP II der regelmäßigen Verben

Infinitiv	Partizip II		
	Vorsilbe	Stamm	Endung
spielen	ge	spiel	t

Infinitiv	Partizip II		
	Vorsilbe	Stamm auf d, t	Endung
antworten	ge	antwort	et

PARTIZIP II der unregelmäßigen Verben

⇨ Liste der wichtigsten unregel-mäßigen Verben: Anhang 7

Infinitiv	Partizip II		
	Vorsilbe	Stamm (Vokalwechsel)	Endung
schwimmen	ge	schwomm	en

Infinitiv	Partizip II		
	Vorsilbe	Stamm (Vokalwechsel)	Endung
kennen	ge	kann	t

Infinitiv	Partizip II		
	Vorsilbe	Stamm (verändert)	Endung
gehen	ge	gang	en

PARTIZIP II der nicht trennbaren Verben

Infinitiv	Partizip II		
	Vorsilbe (Verb)	Stamm	Endung
besuchen	be	such	t

Die nicht trennbaren Präfixe *be-*, *ent-*, *er-*, *miss-*, *ver-* und *zer-* werden nicht betont.

PARTIZIP II der Verben auf *–ieren*

Infinitiv	Partizip II		
	keine Vorsilbe	Stamm	Endung
kopieren		kopier	t

Zu diesen Verben gehören z.B. informieren, kapieren, markieren, operieren, passieren, sortieren und studieren.

PARTIZIP II der trennbaren Verben

Infinitiv	Partizip II			
	Vorsilbe (Verb)	Vorsilbe (Partizip)	Stamm	Endung
zuhören	zu	ge	hör	t

Trennbaren Präfixe wie *ab-*, *an-*, *auf-*, *aus-*, *ein-*, *her-*, *hin-*, *los-*, *mit-*, *raus-*, *rein-*, *vor-*, *weg-*, *zu-* und *zurück-* werden betont.

PRÄTERITUM der regelmäßigen Verben

	spielen	arbeiten	baden	atmen
ich	spielte	arbeitete	badete	atmete
du	spieltest	arbeitetest	badetest	atmetest
er, sie, es	spielte	arbeitete	badete	atmete
wir	spielten	arbeiteten	badeten	atmeten
ihr	spieltet	arbeitetet	badetet	atmetet
sie, Sie	spielten	arbeiteten	badeten	atmeten

Das Präteritum der regelmäßigen Verben wird mit -te gebildet. Endet der Verbstamm auf d, t oder auf einem Konsonanten + m oder n wird ein e zwischen Stamm und -te gefügt, um die Aussprache zu erleichtern.

PRÄTERITUM der unregelmäßigen Verben

⇨ Liste der wichtigsten unregelmäßigen Verben: Anhang 7

	werden	müssen	denken	geben	haben	sein
ich	wurde	musste	dachte	gab	hatte	war
du	wurdest	musstest	dachtest	gabst	hattest	warst
er, sie, es	wurde	musste	dachte	gab	hatte	war
wir	wurden	mussten	dachten	gaben	hatten	waren
ihr	wurdet	musstet	dachtet	gabt	hattet	wart
sie, Sie	wurden	mussten	dachten	gaben	hatten	waren

Die unregelmäßigen Verben ändern im Präteritum ihren Stammvokal, bei einigen Verben ändert sich der gesamte Stamm. Häufig haben die unregelmäßigen Verben in der 1. und 3. Person Singular keine Endung.

Anhang 7: Unregelmäßige Verben

Hier finden Sie die wichtigsten unregelmäßigen Verben in alphabetischer Reihenfolge mit der Infinitivform und der dritte Person Singular im Präsens, Präteritum und Perfekt.
Abgeleitete Verben wie *abnehmen, betrügen, mitnehmen, wegnehmen* finden Sie unter dem Grundverb. Bildet das abgeleitete Verb das Perfekt mit einem anderen Hilfsverb als das Grundverb, werden beide Formen angegeben (z.B. *biegen*).

Infinitiv	Präsens	Präteritum	Perfekt
backen	backt / bäckt	backte	hat gebacken
befehlen	befiehlt	befahl	hat befohlen
beginnen	beginnt	begann	hat begonnen
beißen	beißt	biss	hat gebissen
betrügen	betrügt	betrog	hat betrogen
beweisen	beweist	bewies	hat bewiesen
bewerben	bewirbt	bewarb	hat beworben
biegen	biegt	bog	hat gebogen aber: ist abgebogen, ist eingebogen
bieten	bietet	bot	hat geboten
binden	bindet	band	hat gebunden
bitten	bittet	bat	hat gebeten
blasen	bläst	blies	hat geblasen
bleiben	bleibt	blieb	ist geblieben
braten	brät	briet	hat gebraten
brechen	bricht	brach	hat gebrochen aber: ist ausgebrochen, ist / hat eingebrochen
brennen	brennt	brannte	hat gebrannt
bringen	bringt	brachte	hat gebracht
denken	denkt	dachte	hat gedacht
dürfen	darf	durfte	hat gedurft / hat dürfen
empfangen	empfängt	empfing	hat empfangen
empfehlen	empfiehlt	empfahl	hat empfohlen
erschrecken	Er erschrickt. Ich erschrecke ihn.	Er erschrak. Ich erschreckte ihn.	Er ist erschrocken. Ich habe ihn erschreckt.
erwägen	erwägt	erwog	hat erwogen
essen	isst	aß	hat gegessen
fahren	fährt	fuhr	ist / hat gefahren
fallen	fällt	fiel	ist gefallen aber: hat überfallen
fangen	fängt	fing	hat gefangen
finden	findet	fand	hat gefunden
fliegen	fliegt	flog	ist / hat geflogen
fliehen	flieht	floh	ist geflohen
fließen	fließt	floss	ist geflossen
fressen	frisst	fraß	hat gefressen
frieren	friert	fror	hat gefroren
geben	gibt	gab	hat gegeben
gehen	geht	ging	ist gegangen

Infinitiv	Präsens	Präteritum	Perfekt
gelingen	gelingt	gelang	ist gelungen
gelten	gilt	galt	hat gegolten
genießen	genießt	genoss	hat genossen
geschehen	geschieht	geschah	ist geschehen
gewinnen	gewinnt	gewann	hat gewonnen
gießen	gießt	goss	hat gegossen
gleichen	gleicht	glich	hat geglichen
gleiten	gleitet	glitt	ist geglitten
graben	gräbt	grub	hat gegraben
greifen	greift	griff	hat gegriffen
haben	hat	hatte	hat gehabt
halten	hält	hielt	hat gehalten
hängen	Der Hut hängt an der Garderobe.	Der Hut hing an der Garderobe. Er hängte den Hut an die Garderobe.	Der Hut hat an der Garderobe gehangen. Er hat den Hut an die Garderobe gehängt.
heben	hebt	hob	hat gehoben
heißen	heißt	hieß	hat geheißen
helfen	hilft	half	hat geholfen
kennen	kennt	kannte	hat gekannt
klingen	klingt	klang	hat geklungen
kneifen	kneift	kniff	hat gekniffen
kommen	kommt	kam	ist gekommen
können	kann	konnte	hat gekonnt / hat können
kriechen	kriecht	kroch	ist gekrochen
laden	lädt	lud	hat geladen
lassen	lässt	ließ	hat gelassen
laufen	läuft	lief	ist gelaufen
leiden	leidet	litt	hat gelitten
leihen	leiht	lieh	hat geliehen
lesen	liest	las	hat gelesen
liegen	liegt	lag	hat gelegen
lügen	lügt	log	hat gelogen
meiden	meidet	mied	hat gemieden
messen	misst	maß	hat gemessen
mögen	mag	mochte	hat gemocht
müssen	muss	musste	hat gemusst / hat müssen
nehmen	nimmt	nahm	hat genommen
nennen	nennt	nannte	hat genannt
pfeifen	pfeift	pfiff	hat gepfiffen
raten	rät	riet	hat geraten
reiben	reibt	rieb	hat gerieben
reißen	reißt	riss	Das Seil ist gerissen. Der Hund hat an der Leine gerissen.
reiten	reitet	ritt	ist / hat geritten
rennen	rennen	rannte	ist gerannt
riechen	riecht	roch	hat gerochen

Infinitiv	Präsens	Präteritum	Perfekt
rufen	ruft	rief	hat gerufen
saufen	säuft	soff	hat gesoffen
schaffen	schafft	schuf	Er hat die Prüfung geschafft. Er hat ein großes Kunstwerk geschaffen.
scheinen	scheint	schien	hat geschienen
schieben	schiebt	schob	hat geschoben
schießen	schießt	schoss	hat geschossen
schlafen	schläft	schlief	hat geschlafen aber: ist eingeschlafen
schlagen	schlägt	schlug	hat geschlagen
schleichen	schleicht	schlich	ist geschlichen
schleifen	schleift	schliff	hat geschliffen
schließen	schließt	schloss	hat geschlossen
schneiden	schneidet	schnitt	hat geschnitten
schreiben	schreibt	schrieb	hat geschrieben
schreien	schreit	schrie	hat geschrien
schweigen	schweigen	schwieg	hat geschwiegen
schwimmen	schwimmt	schwamm	ist geschwommen
schwören	schwört	schwor	hat geschworen
sehen	sieht	sah	hat gesehen
sein	ist	war	ist gewesen
singen	singt	sang	hat gesungen
sinken	sinkt	sank	ist gesunken
sitzen	sitzt	saß	hat gesessen
sollen	soll	sollte	hat gesollt / hat sollen
sprechen	spricht	sprach	hat gesprochen
springen	springt	sprang	ist gesprungen
stechen	sticht	stach	hat gestochen
stehen	steht	stand	hat gestanden
stehlen	stiehlt	stahl	hat gestohlen
steigen	steigt	stieg	ist gestiegen aber: hat bestiegen, hat überstiegen
sterben	stirbt	starb	ist gestorben
stinken	stinkt	stank	hat gestunken
stoßen	stößt	stieß	Er ist mit dem Arm gegen die Tür gestoßen. Er hat sich an der Tür gestoßen.
streichen	streicht	strich	hat gestrichen
streiten	streitet	stritt	hat gestritten
tragen	trägt	trug	hat getragen
treffen	trifft	traf	hat getroffen
treiben	treibt	trieb	Das Schiff ist an Land getrieben. Er hat die Schweine in den Stall getrieben.
treten	tritt	trat	hat getreten aber: ist eingetreten, ist ausgetreten
trinken	trinkt	trank	hat getrunken
trügen	trügt	trog	hat getrogen

Infinitiv	Präsens	Präteritum	Perfekt
tun	tut	tat	hat getan
verbieten	verbietet	verbot	hat verboten
verbinden	verbindet	verband	hat verbunden
verderben	verdirbt	verdarb	Das Obst ist in der Hitze verdorben. Sie hat mir die ganze Party verdorben.
vergessen	vergisst	vergaß	hat vergessen
vergleichen	vergleicht	verglich	hat verglichen
verlieren	verliert	verlor	hat verloren
verschwinden	verschwindet	verschwand	ist verschwunden
verzeihen	verzeiht	verzieh	hat verziehen
wachsen	wächst	wuchs	ist gewachsen
waschen	wäscht	wusch	hat gewaschen
weichen	weicht	wich	ist gewichen
werben	wirbt	warb	hat geworben
werden	wird	wurde	ist geworden
werfen	wirft	warf	hat geworfen
wiegen	wiegt	Die Mutter wiegte ihr Kind. Er wog das Gemüse.	hat gewogen
wissen	weiß	wusste	hat gewusst
wollen	will	wollte	hat gewollt / hat wollen
ziehen	zieht	zog	Er ist nach Hamburg gezogen. Die Hunde haben den Schlitten gezogen.
zwingen	zwingt	zwang	hat gezwungen

Anhang 8: Verben, die Perfekt und Plusquamperfekt mit *sein* bilden

Verben der Bewegung von A nach B:

aufstehen	Sie ist aufgestanden.
auftauchen	Sie ist wieder aufgetaucht.
fahren	Er ist nach Frankreich gefahren. (Er hat sein Auto in die Werkstatt gefahren.)[2]
fallen	Er ist gefallen.
fliegen	Er ist nach Frankreich geflogen. (Er hat das Flugzeug über die Grenze geflogen.)[2]
fliehen	Er ist aus dem Gefängnis geflohen.
gehen	Sie ist aus dem Haus gegangen.
kommen	Sie ist nach Hause gekommen.
kriechen	Er ist gekrochen.
laufen	Er ist gelaufen.
reisen	Sie ist nach Deutschland gereist.
reiten	Er ist schon oft geritten. (Heute hat er das wildeste Pferd geritten.)[2]
rennen	Sie ist nach Hause gerannt.
schleichen	Sie ist nach Hause geschlichen.
schwimmen	Sie ist im See geschwommen.
springen	Er ist über das Hindernis gesprungen.
steigen	Er ist auf den Berg gestiegen.
umziehen	*Sie ist umgezogen.* [**aber:** *Sie hat sich vor der Feier mich umgezogen.* (**reflexiv**)]
verschwinden	Sie ist verschwunden.

Verben der Zustandsveränderung:

aufwachen	Sie ist sehr früh aufgewacht
einschlafen	Sie ist endlich eingeschlafen.
ertrinken	Die Fliege ist im Saft ertrunken.
geschehen	Dort hinten ist der Überfall geschehen.
passieren	Mir ist schon ein Missgeschick passiert.
platzen	Der Ballon ist geplatzt.
schrumpfen	Das Vermögen ist geschrumpft.
sterben	Mein Goldfisch ist gestorben.
wachsen	Er ist fünf Zentimeter gewachsen.
werden	Sie ist Ärztin geworden.

sein und *bleiben*:

sein	Sie ist letzten Monat in Berlin gewesen.
bleiben	Sie ist länger in Berlin geblieben.

1 Auch die abgeleiteten Verben wie *wegfliegen*, *aussteigen*, *ankommen*, *dableiben* usw. bilden das Perfekt mit *sein*.
2 Einige Verben der Bewegung wie *fahren*, *fliegen* und *reiten* können (bei leichter Bedeutungsveränderung) auch mit einer Akkusativergänzung verwendet werden, das Perfekt wird dann mit *haben* gebildet:
Er *ist mit dem Auto nach Frankreich gefahren.* (die Ortsveränderung steht im Zentrum der Aussage)
Er *hat sein Auto in die Werkstatt gefahren.*   (er hat am Steuer des Wagens gesessen)
3 Im süddeutschen, österreichischen und Schweizer Sprachraum bilden auch die Verben *stehen*, *liegen* und *sitzen* das Perfekt mit *sein*.

Anhang 9: Bildung Futur I und Futur II

FUTUR I

Das Futur I wird gebildet mit dem Hilfsverb *werden* im Präsens und dem Infinitiv des jeweiligen Vollverbs:

ich	werde	kommen
du	wirst	kommen
er, sie, es	wird	kommen
wir	werden	kommen
ihr	werdet	kommen
sie, Sie	werden	kommen

FUTUR II

Das Futur II wird gebildet mit dem Hilfsverb *werden* im Präsens und dem Infinitiv Perfekt (*haben* oder *sein* + Partizip II) des jeweiligen Vollverbs:

ich	werde	gegessen	haben	ich	werde	gefahren	sein
du	wirst	gegessen	haben	du	wirst	gefahren	sein
er, sie, es	wird	gegessen	haben	er, sie, es	wird	gefahren	sein
wir	werden	gegessen	haben	wir	werden	gefahren	sein
ihr	werdet	gegessen	haben	ihr	werdet	gefahren	sein
sie, Sie	werden	gegessen	haben	sie, Sie	werden	gefahren	sein

Anhang 10: Bildung Passiv

Passiv im Hauptsatz

Passiv Präsens	Seine Freundin wird verletzt.
Passiv Präteritum	Seine Freundin wurde verletzt.
Passiv Perfekt	Seine Freundin ist verletzt worden.
Passiv Plusquamperfekt	Seine Freundin war verletzt worden.
Passiv Futur I	Das Baby wird betreut werden.
Passiv Futur II	Das Baby wird betreut worden sein.

Passiv mit Modalverb

Passiv Präsens	Die Verletzte muss operiert werden.
Passiv Präteritum	Die Verletzte musste operiert werden.
Passiv Perfekt	Die Verletzte hat operiert werden müssen.
Passiv Plusquamperfekt	Die Verletzte hatte operiert werden müssen.

Passiv im Nebensatz

Passiv Präsens	Er war überrascht, dass im Museum Konservendosen ausgestellt werden.
Passiv Präteritum	Er war überrascht, dass im Museum Konservendosen ausgestellt wurden.
Passiv Perfekt	Er war überrascht, dass im Museum Konservendosen ausgestellt worden sind.
Passiv Plusquamperfekt	Er war überrascht, dass im Museum Konservendosen ausgestellt worden waren.

Passiv im Nebensatz mit Modalverb

Passiv Präsens	Es überraschte uns, dass die Exponate angefasst werden dürfen.
Passiv Präteritum	Es überraschte uns, dass die Exponate angefasst werden durften.
Passiv Perfekt	Es überraschte uns, dass die Exponate haben angefasst werden dürfen.
Passiv Plusquamperfekt	Es überraschte uns, dass die Exponate hatten angefasst werden dürfen.

Passiv in der Infinitivkonstruktion

Infinitiv Präsens Passiv	Sie hofft, zur Party eingeladen zu werden. Er bittet darum, am Flughafen abgeholt zu werden.
Infinitiv Perfekt Passiv	Er meint, verstanden worden zu sein. Er behauptet, nicht gefragt worden zu sein.

Anhang 11: Passivalternativen (modale unpersönliche Ausdrucksformen)

sein + *zu* + Infinitiv: Modalität: Möglichkeit (können) oder Notwendigkeit (müssen/sollen)

Die Batterien sind auszuwechseln.	
Bedeutung 1:	– Die Batterien *müssen/sollen* ausgewechselt werden.
Bedeutung 2:	– Die Batterien *können* ausgewechselt werden.
Für die Verkehrssicherheit ist noch viel zu tun.	
Bedeutung:	– Für die Verkehrssicherheit *muss* noch viel getan werden.

Die Bedeutung ergibt sich aus dem Kontext. Meistens wird eine Notwendigkeit ausgedrückt.

lassen + *sich* + Infinitiv: Modalität: Möglichkeit (können)

Manche Batterien lassen sich aufladen.	
Bedeutung:	– Manche Batterien *können* aufgeladen werden.
Dieses Problem lässt sich nicht lösen.	
Bedeutung:	– Dieses Problem *kann* nicht gelöst werden.

sein + Adjektiv auf *-bar, -abel, -lich, -fähig*: Modalität: Möglichkeit (können)

Manche Batterien sind aufladbar.	
Bedeutung:	– Manche Batterien können aufgeladen werden.
Salz ist in Wasser löslich.	
Bedeutung:	– Salz kann in Wasser gelöst werden.
Dieses Problem ist nicht lösbar.	
Bedeutung:	– Dieses Problem kann nicht gelöst werden.
Die Uhr ist nicht reparabel.	
Bedeutung:	– Die Uhr kann nicht repariert werden.
Der Kranke ist transportfähig.	
Bedeutung:	– Der Kranke kann transportiert werden.

gehören / es gilt: Modalität: Notwendigkeit (müssen/sollen)

Es gilt die Infrastruktur zu verbessern.	
Bedeutung:	– Die Infrastruktur muss/soll verbessert werden.
Es galt eine Krise zu vermeiden.	
Bedeutung:	– Eine Krise sollte/musste vermieden werden.
Ein solches Verhalten gehört bestraft.	
Bedeutung:	– Ein solches Verhalten muss/sollte bestraft werden.

geben + *zu* + Infinitiv: Modalität: Möglichkeit (können) oder Notwendigkeit (müssen)

Es gibt viel zu berichten.	
Bedeutung:	– Es kann/muss viel berichtet werden,

Anhang 12: Funktionsverbgefüge in passivischer Bedeutung

Vor allem Verbindungen mit folgenden Verben haben passivische Bedeutung:

erfahren	*Sein Vorschlag erfuhr breite Unterstützung.*
finden	*Ihr Vortrag fand viel Beachtung.*
geraten in	*Niemand ist in Gefahr geraten.*
kommen zu/in	*Es kam zu umfangreichen Veränderungen.*
stehen	*Er steht in der Kritik.*
stoßen auf	*Seine Forderungen stoßen auf Ablehnung.*
unterliegen	*Die Produktionsprozesse unterliegen ständiger Kontrolle.*

Anhang 13: Formen der Modalverben

dürfen

	Präsens	Präteritum	Konjunktiv I	Konjunktiv II
ich	darf	durfte	dürfe	dürfte
du	darfst	durftest	dürfest	dürftest
er, sie, es	darf	durfte	dürfe	dürfte
wir	dürfen	durften	dürfen	dürften
ihr	dürft	durftet	dürfet	dürftet
sie, Sie	dürfen	durften	dürfen	dürften

können

	Präsens	Präteritum	Konjunktiv I	Konjunktiv II
ich	kann	konnte	könne	könnte
du	kannst	konntest	könnest	könntest
er, sie, es	kann	konnte	könne	könnte
wir	können	konnten	können	könnten
ihr	könnt	konntet	könnet	könntet
sie, Sie	können	konnten	können	könnten

mögen

	Präsens	Präteritum	Konjunktiv I	Konjunktiv II
ich	mag	mochte	möge	möchte
du	magst	mochtest	mögest	möchtest
er, sie, es	mag	mochte	möge	möchte
wir	mögen	mochten	mögen	möchten
ihr	mögt	mochtet	möget	möchtet
sie, Sie	mögen	mochten	mögen	möchten

müssen

	Präsens	Präteritum	Konjunktiv I	Konjunktiv II
ich	muss	musste	müsse	müsste
du	musst	musstest	müssest	müsstest
er, sie, es	muss	musste	müsse	müsste
wir	müssen	mussten	müssen	müssten
ihr	müsst	musstet	müsset	müsstet
sie, Sie	müssen	mussten	müssen	müssten

sollen

	Präsens	Präteritum	Konjunktiv I	Konjunktiv II
ich	soll	sollte	solle	sollte
du	sollst	solltest	sollest	solltest
er, sie, es	soll	sollte	solle	sollte
wir	sollen	sollten	sollen	sollten
ihr	sollt	solltet	sollet	solltet
sie, Sie	sollen	sollten	sollen	sollten

wollen

	Präsens	Präteritum	Konjunktiv I	Konjunktiv II
ich	will	wollte	wolle	wollte
du	willst	wolltest	wollest	wolltest
er, sie, es	will	wollte	wolle	wollte
wir	wollen	wollten	wollen	wollten
ihr	wollt	wolltet	wollet	wolltet
sie, Sie	wollen	wollten	wollen	wollten

Anhang 14: Verben mit Infinitiv mit *zu*

Hier finden Sie eine Übersicht der wichtigsten Verben, die mit Infinitiv + *zu* vorkommen:

anfangen / beginnen	Er beginnt Geige zu schreiben.
anbieten	Sie bietet ihm etwas zu trinken an.
aufhören	Sie hört auf Geige zu spielen.
beschließen / entscheiden	Sie beschließen ins Kino zu gehen.
bitten	Er bittet seine Verspätung zu entschuldigen.
erlauben	Sie erlauben ihren Kindern später nach Hause zu kommen.
sich freuen	Sie freut sich schwimmen zu gehen.
haben	Sie hat die Frist einzuhalten.
hoffen	Er hofft das Spiel zu gewinnen.
raten	Er rät ihr sich zu versichern.
verbieten	Er verbietet den Rasen zu betreten.
vergessen	Er vergisst einkaufen zu gehen.
versprechen	Sie verspricht den Pokal zu holen.
versuchen	Sie versuchen das Unkraut zu jäten.
vorhaben	Sie hat vor den Bericht sofort zu schreiben.
vorschlagen	Er schlägt vor den Bus zu nehmen.

Anhang 15: Tempusformen für Indikativ, Imperativ, Konjunktiv I und Konjunktiv II

Tempus	Indikativ	Imperativ	Konjunktiv I	Konjunktiv II
Präsens	gibst	gib	gebest	gäbest
Präteritum	gabst		habest gegeben	hättest gegeben
Perfekt	hast gegeben			
Plusquamperfekt	hattest gegeben			
Futur I	wirst geben		werdest geben	würdest geben
Futur II	wirst gegeben haben		werdest gegeben haben	würdest gegeben haben

Im Gegensatz zum Indikativ hat der Konjunktiv nicht für jedes Tempus eine Form.
Der Imperativ wird nur im Präsens gebildet.
Im allgemeinen Sprachgebrauch ist es üblich, im Konjunktiv II die würde-Umschreibung des Futurs auch im Präsens und manchmal auch im Perfekt zu verwenden.

Anhang 16: Modalverben mit Konjunktiv I in Gegenwart und Vergangenheit

	Indikativ	Konjunktiv I	Bildung
Gegenwart:	Er muss das nicht kaufen.	Er müsse das nicht kaufen.	Modalverb in Konjunktiv I + Infinitiv
Vergangenheit:	Er konnte das nicht kaufen.	Er habe das nicht kaufen können.	*haben* im Konjunktiv I + Infinitiv + Modalverb im Infinitiv
Gegenwart Passiv:	Es kann geschlossen werden.	Es könne geschlossen werden.	Modalverb in Konjunktiv I + Partizip II + *werden*
Vergangenheit Passiv:	Das Ziel muss dann erreicht worden sein.	Das Ziel müsse dann erreicht worden sein.	Modalverb in Konjunktiv I + Partizip II + *worden + sein*

Anhang 17: Deklination *kein*

	maskulin	feminin	neutrum	Plural
Nominativ	kein	keine	kein	keine
Akkusativ	keinen	keine	kein	keine
Dativ	keinem	keiner	keinem	keinen
Genitiv	keines	keiner	keines	keiner

Register

Die Zahlen beziehen sich auf die Kapitel.